suhrkamp taschenbuch 42

Das *Hölderlin*-Stück von Peter Weiss hat die Figur dieses scheinbar deutschesten aller deutschen Dichter in eine neue Diskussion gerückt: War Hölderlin ein Jakobiner? War dessen Wahnsinn die Reaktion auf die korrumpierten gesellschaftlichen Verhältnisse seiner Zeit? War Hölderlin (im Gegensatz zu Goethe, Schiller, Hegel, Fichte und Schelling) einer, der sich nicht der Restauration anpaßte und mit seinem individuellen Schicksal gegen den Verrat an den Idealen der Französischen Revolution protestierte?
In diesem Band soll die von Peter Weiss mit neuen Thesen vorangetriebene Kontroverse um Hölderlin dokumentiert werden: in Texten, die bei der Entstehung des *Hölderlin* eine wichtige Rolle spielten (z. B. Pierre Bertaux, *Hölderlin und die Französische Revolution* und Martin Walser, *Hölderlin zu entsprechen*); in Aufzeichnungen, die Peter Weiss während der Arbeit am Stück niederschrieb; aber auch in den Beiträgen von Hans Mayer, Benno von Wiese und Manfred Karnick, die eigens für diesen Band geschrieben wurden und den »Fall« Hölderlin am Stück von Peter Weiss erörtern.

Der andere Hölderlin

Materialien
zum ›Hölderlin‹-Stück
von Peter Weiss

Herausgegeben
von Thomas Beckermann
und Volker Canaris

Suhrkamp

Umschlagfoto von Hannes Kilian
aus der Aufführung des
Württembergischen Staatstheaters Stuttgart

suhrkamp taschenbuch 42
Erste Auflage 1972

Quellennachweis der einzelnen Beiträge am Ende dieses Bandes
Suhrkamp Taschenbuch Verlag

Druck: Ebner, Ulm · Printed in Germany
Umschlag nach Entwürfen
von Willy Fleckhaus und Rolf Staudt

Inhalt

Vorwort

Denkbar wäre auch ein Stück gewesen, das der Legende um Friedrich Hölderlin getreu verliefe: Hölderlin, der reine Tor, als Dichter verkannt, unglücklich verliebt; dadurch und durch die Zeitumstände frühzeitig irritiert, so daß es ihm nicht gelang, wie etwa seinen Studienfreunden, eine respektierte Stellung im bürgerlichen Leben zu erreichen; von seinem dichterischen Sehertum in den Wahnsinn getrieben, in dem er, abgeschieden im Turm am Neckar, jahrzehntelang dahinlebte. Diesen Hölderlin kennt man; und man schätzt ihn, weil man ihm seit langem schon im Mausoleum deutscher Geistesgeschichte einen Ehrenplatz zugewiesen hat. Das hätte ein schönes Stück werden können, voller elegischer Arien und mit einem traurigen Ende; ein nutzloses Stück, aber alles wäre gut gewesen.
Mit seinem *Hölderlin* hat Peter Weiss dieses Stück nicht geschrieben – schon deshalb erregte es Aufsehen, ja Ärgernis. Ärgernis, weil man sich noch weniger gern das liebgewordene Bild von der Vergangenheit korrigieren als sich über die Gegenwart belehren läßt. Denn auch die geringste Veränderung an diesem Bild rüttelt an der kulturellen Legitimation einer ganzen Klasse: an dem ästhetischen Konsumententum, dessen Ausdruck das herrschende Theater ist, und an der Wissenschaft von der Literatur, die man in Dienst nahm.
Peter Weiss stellt dieses bürgerliche Kultur- und Selbstverständnis infrage, indem er ein Hölderlin-Bild dramatisiert, das nur allmählich über die spezielle Hölderlin-Forschung hinaus allgemeine Bedeutung gewinnt. Der Dichter als politisch Handelnder und Leidender – das ist der Ausgangspunkt, von dem aus Weiss die verschiedenen Aspekte des Falles Hölderlin auf der Szene zur Sprache bringt: ein Stück deutscher Geistes- und Gesellschaftsgeschichte wird

untersucht – und deren Darstellbarkeit auf der Bühne des heutigen Theaters; Hölderlin erscheint als Poet *und* Revolutionär; und zugleich versucht Weiss eine Analyse des eigenen ästhetischen und politischen Verhaltens.
Dieses, die Historie mit der Gegenwart kurzschließende Verfahren – Friedrich Hölderlin und Peter Weiss, Empedokles und Che Guevara, die deutsche Wirklichkeit um 1800 und die um 1970 – löste lebhafte Kontroversen aus, die dieser Band festhalten und weitertreiben möchte. Deshalb gibt er einen Überblick über die Entwicklung und den Stand der Forschung um jenen »anderen« Hölderlin, deshalb läßt er Peter Weiss selbst zu Wort kommen, deshalb versucht er, Ansätze und Folgen dieser Diskussion um das Stück *Hölderlin* deutlich werden zu lassen.

Thomas Beckermann/Volker Canaris

I

Anatolij Lunatscharskij
Das Schicksal Hölderlins

Hölderlin lebte in der denkwürdigen Epoche eines mächtigen Aufschwungs des Geistes in der bürgerlichen Jugend Deutschlands. Besonders stark war diese Bewegung am Rhein und Süddeutschland. Patriziersöhne, wie Goethe, Abkömmlinge des Mittelstandes, wie Schiller, wie Hölderlin – alle diese Schelling und Hegel und mit ihnen Hunderte anderer mit bekannten, halbbekannten und unbekannten Namen, waren unter dem Einfluß der aus dem benachbarten Frankreich eindringenden Ideen ins Gären geraten, sie reagierten mit einem Sturm von Gefühlen und Gedanken auf den politischen, d. h. realen, praktischen Sturm der Französischen Revolution.
Deutschland war damals für eine bürgerliche Revolution noch nicht reif geworden, noch weniger für jene extremen revolutionären Konsequenzen, die die Jakobiner und die noch tiefer in die Zukunft hineinschauenden Babeuvisten zogen. Die deutschen Intellektuellen blieben Intellektuelle. Sie hatten für sich weder die Kraft einer Bourgeoisie, die in ihren oberen Schichten danach strebte, zur herrschenden Klasse zu werden, noch die Erlebnisse erregter Volksmassen. Sie hingen in der Luft. Das verkrüppelte in eigenartiger Weise ihr Denken: es ging in die Tiefe auf dichterischen und philosophischen Wegen. Das unwillkürliche Losgerissensein von jeder Möglichkeit, auf das praktische Leben einzuwirken, führte allmählich zur Negierung des Primats der Praxis und selbst zu ihrer Mißachtung.
Das deutsche Volk wurde zu eben jener Zeit zum »Volk der Dichter und Denker«. Diese Definition besagt: ein Volk ohne Persönlichkeiten der Tat. Gewiß, die Fürsten, die Pfaffen, der Adel, die große Bourgeoisie und auch das einfache Volk, d. h. das Spießbürgertum, die Bauernschaft

arbeiteten – sie »verrichteten ihr Werk«. Doch war das kein schöpferisches, fortschrittliches Werk – es war kleinliche Geschäftigkeit, ein Dahinvegetieren. Die Intellektuellen konnten sich damit nicht abfinden, sie protestierten laut und scharf. Sie träumten von rebellischen Aktionen, und da sie spürten, daß die Zeit für eine Revolution noch nicht reif war, so verfielen sie in ihrer Verzweiflung unwillkürlich auf Gedanken an irgendwelche halbunbewußte revolutionäre Ausbrüche, ja auf Ideen von Räuber-Charakter. Schillers *Räuber.*

Hölderlin, ein kolossal begabter, innerlich musikalischer Mensch, mit einem Lyrismus, der sich leicht zur Metaphysik entwickelte, ein Mensch, der die Wirklichkeit als einen Akkord kosmischer Verschmelzung empfand, erfuhr qualvoll die Zerissenheit des ihn umringenden sozialen Lebens. In ihm lebte der Traum von einer anderen, besseren Welt, deren Urbild er in einem idealisierten Hellas fand. Dort hatte tiefe Harmonie zwischen Natur und Mensch geherrscht! Dort war die Kunst spontan geboren, war sozusagen elementarer Ausdruck des Kontakts des Menschen mit der Natur. Und eben diesem unmittelbaren, halbunbewußten, halbpassiven, halbschöpferischen Akt war die Mythologie entsprungen, die die Kunst gebar, war die Poesie, die Philosophie und schließlich die Religion hervorgewachsen, die, in Ideen die eine, in lebendigen Symbolen und Gestalten die andere, die einzig geschlossene und ganze Vorstellung und Empfindung des Menschen von sich selbst und von der Natur systematisierten. Der »Geist« hatte die gesamte Kultur, den ganzen Alltag der alten Griechen umfaßt. Und gerade so muß das Leben wieder sein!

Die Entwicklung der Vernunft zwang dann die Menschheit zum Abfall von dieser glücklichen Einheit. Mit ihrer Disharmonie marterte und demütigte sie die Menschenseele. Hölderlin empfand dies aber nicht als ewigen Fluch. Er vertraute darauf, daß gerade aus der Verschiedenheit von Mensch und Natur, aus seinem zerfallenen Leben ein neuer »Gipfel« des Baumes emporwachsen werde, das *Ideal.* Das Ideal ist die Aufgabe, das Programm des besten Teiles der Menschheit. Jetzt handelt es sich darum, ihm reale Gestalt zu geben, die verlorene »Thesis« der Einheit vernunftvoll wiederherzustellen.

Der Leser sieht, daß diese Betrachtung Hölderlins ihrem Geiste nach stark an die Hegelsche Denkweise erinnert; übrigens deckt sie sich in vielem mit dem Abschnitt in der Einleitung zu Marxens Schrift *Zur Kritik der politischen Ökonomie,* die von Griechenland und von der Kunst handelt und für manche Leute so überraschend gewesen ist.

Es ist ganz natürlich, daß Hölderlin, der den Massen ferne stand und daher vor der Möglichkeit einer Aktivität der Massen ein gewisses Grauen empfand, weit mehr an das Genie und an den Helden glaubte. Der Genius und Held ist der Prophet, der Führer des besten Teiles der Menschheit in ihrem Streben nach Wiedererweckung der verlorenen Einheit des Lebens. Dieser Genius und Führer selbst zu sein, war der Traum Hölderlins. In dem nach Stil, Tiefe und Reinheit der Gedanken machtvollen lyrischen Roman *Hyperion* schildert Hölderlin, der sich niemals mit der praktischen Tat zu befassen versucht hat, erst den Aufschwung, dann den Sturz des Führers; die Ahnung der Wirklichkeit hat dieses Gemälde von der Niederlage Hyperions auf den Wegen der Revolution um die Wiederherstellung der Freiheit Griechenlands angeweht.

Welche Schlußfolgerung ruft der tragische Untergang Hyperions herbei? Die Gesetze des Lebens – Gesetze der Sklaverei – ersticken den Menschen und rufen seinen Protest hervor. Übertritt man aber dieses Gesetz, so kann es geschehen, daß man in die Gesellschaft vulgärer Verbrecher gerät und selbst ebenso zum Verbrecher wird. Somit sind Hyperion alle Wege zu einer seinen Plänen entsprechenden moralischen Reform des Lebens verschlossen.

Das ungeheure Selbstvertrauen, das Diotima (ein Abbild

der qualvollen Liebe Hölderlins selbst) Hyperion eingeflößt, bricht zusammen. Zwar erblickt Hyperion in etwas Höherem oder vielmehr im Glauben an die Unerschöpflichkeit des Lebensprozesses und daher auch in der Unausbleiblichkeit einer lichten Zukunft sein Heil. Doch ist diese Hoffnung in der Tat nicht in Erfüllung gegangen.

Messianische Neigungen offenbart Hölderlin ausschließlich im Bereiche der Poesie. Ihm schien, er würde zunächst wenige, später immer mehr Jünger haben, ihn würden Schüler umringen, voller Verständnis für die klangvollen geheimen Hymnen, in denen er seine neue Religion verkünden würde. Offenbar kam ihm oftmals ernstlich der Gedanke, er sei etwas wie ein neuer Christus oder ein Antichrist, der seinem Vorläufer brüderlich gesinnt sei (siehe die wundervolle, wenn auch in vielem dunkle Christus-Hymne), und überhaupt er sei gekommen, um das antike Heidentum wiederauferstehen zu lassen. Anstatt dieser erhabenen Mission fand Hölderlin im Leben aber nur jämmerliche Posten von halber Lakaienart. Ein prophetischer Ehrgeiz, ein musikalischer schöpferischer Drang in der Sphäre des Gedankens und der Form tobte in Hölderlin, und jeder Anprall der Wogen dieses inneren Sturmes an die engen, begrenzten Schranken der ihn umgebenden Gesellschaft verursachte ihm unerträglichen Schmerz. Bald ersterbend, bald aufflammend erlischt Hölderlins Bewußtsein schließlich ganz; durch Schizophrenie in geistige Umnachtung versenkt, lebt er noch einige Jahrzehnte.

Ein großer Streit entspann sich später über diese Krankheit Hölderlins. Unwillkürlich kommt einem der Gedanke, sie als eine soziale Erscheinung aufzufassen. Die Psychiater behaupten aber, Schizophrenie sei eine rein erbliche Krankheit, die in der gleichen Weise unter allen Lebensverhältnissen auftrete.

In meinem großen Vortrag über die pathologischen und sozialen Faktoren in der Literaturgeschichte, den ich an der Kommunistischen Akademie gehalten habe, nahm ich

Hölderlin als Beispiel zum Erweis, daß pathologische Erscheinungen in der Literatur nur für eine gewisse Serie gleichsam krankhafter Instrumente charakteristisch seien, die zu perversen, kranken Epochen vorzüglich passen. Ich will damit sagen: gesunde Epochen nehmen sich gesunde Schriftsteller zu ihren Sprachrohren. In solchen Epochen gehen die Krankhaften zugrunde, und niemand hört auf sie. Pathologische Epochen, die grausame Zusammenbrüche ihrer Hoffnungen erfahren, finden gerade in pathologischen, überstark empfindenden, ekstatischen Künstlern ihre besten Exponenten. Die Gesunden erscheinen den Vertretern einer niedergehenden Klasse in solchen Epochen roh, stumpf, von geringer Ausdrucksfähigkeit. Daneben wies ich in meinem Vortrag aber auch darauf hin, daß die soziale Elementarkraft (die Klassen in ihrem Kampf), sobald sie dieses oder jenes menschliche Instrument in ihre Hände nimmt, dieses bearbeitet, seinen Typus zur Vollendung bringt, den Menschen selbst mitunter dabei zerbrechend. Die soziale Elementarkraft flutet in das am besten geeignete Flußbett und verändert es dann durch seine Strömung. Ungemeine Befriedigung verschaffte mir der Umstand, daß in den Untersuchungen des Akademikers I. P. Pawlow, der sich in der letzten Zeit auch mit den Fragen der Dementia befaßt hat, der (mir von einem seiner gutunterrichteten Mitarbeiter mitgeteilte) Gedanke zu finden ist, daß Äußerungen vorübergehenden, manchmal auch endgültigen Schwachsinns in erheblichem Maße gerade als soziale Erscheinung betrachtet werden können, d. h. als eine übermäßige Hemmung, mit der der Organismus auf die übermäßigen Leiden eines überscharfen Denkens, eines gemarterten Gefühls reagiert. Damit läßt sich unter sozialem Aspekt erklären, warum gerade Denker und Dichter, die die Dissonanzen der Epochen in den stärksten Disharmonien ihres Protestes und Befremdens zum Ausdruck bringen, so oft zu irrsinnigen Äußerungen gelangen und schließlich in der Nacht des Irreseins erlöschen. Wenn die

Behauptung des Akademikers Pawlow richtig ist, so könnten wir den Psychiatern sagen, daß es sich hierbei nicht etwa um einen sozial unbegründeten Prozeß handelt, bei dem der betreffende Künstler von jener inneren Krankheit des Zerfalles des gesamten Zentralnervensystems befallen worden wäre, die unter allen Verhältnissen den gleichen Verlauf nehmen würde. Nein, wir würden es mit einer rein sozialen Tatsache zu tun haben. Den hierauf eintretenden Schwachsinn könnte man als Ergebnis der sozialen Disharmonie, des sozialen Kampfes betrachten, natürlich ohne daß dabei außer acht gelassen würde, daß auch Vererbung dabei eine wesentliche Rolle spielen kann, indem sie einen Punkt des geringsten Widerstandes, Voraussetzungen für die Katastrophe schafft.
Solche Voraussetzungen sind es, auf die einem das Schicksal Hölderlins offenbar bringt. Schon seine Zeitgenossen – Goethe ebenso wie Schiller und Hegel – beschäftigten sich, von Unruhe erfüllt, mit diesem Schicksal und äußerten sich dazu in eigenartiger Weise. Schiller erwähnt in einigen Worten Menschen, die Hölderlin ähnlich seien, ihre Träume, ihre Unfruchtbarkeit, und man fühlt, daß das verhängnisvolle Ende, das nach Schillers Ansicht aus ihrem Charakter selbst hervorgeht, ihn nicht etwa veranlaßt, sie zu verurteilen, vielmehr sie schmerzlich bedauern läßt. Diese Zusammenbrüche, Ergebnisse der Unfügsamkeit des Geistes, muten Schiller achtungsgebietend an. Noch tiefer war der Blick, mit dem Hegel diese Erscheinung betrachtete. Er hatte Hölderlin unzweifelhaft im Auge, als er von den Opfern eines erhabenen, allzu unversöhnlichen Geistes sprach. Nach Hegels Auffassung hat dieser Protestant sein Ende natürlich verdient; an diesem Ende trägt er selber die Schuld, doch ist sie, wenn man hier ein gewisses Wortspiel gelten läßt, auch in bestimmtem Maße sein Verdienst. Die Schuld solcher Menschen liegt darin, daß sie sich nicht gebeugt haben, daß sie keinen Kompromiß mit der Wirklichkeit eingegangen sind, daß sie gewaltsam haben vor-

wärtsstürmen wollen – doch ist das auch ihre Heldentat. Sie gehen zugrunde, doch bleibt von ihnen etwas wie ein leuchtender Widerschein zurück, der anderen den Weg weisen kann. Unter der Parole »Entsagung« wich Goethe sein Leben lang majestätisch und fruchtbar, aber doch unweigerlich zurück. Auch Schiller, auch Hegel wichen zurück, jeder auf seine Art. Hegel fand sich mit besonderem Scharfblick mit der Wirklichkeit ab. Er schuf unbestreitbar Voraussetzungen des wissenschaftlichen Sozialismus, der erfüllt ist von Realismus und Objektivität, zugleich aber auch von revolutionärer Aktivität und schöpferischem Geist. Hegel vermochte diese alles umfassende Synthese, um die auch Belinskijs Geist unter den gleichen Umständen so lange rang, nicht vollständig auszuführen. Doch tat er Riesenschritte in dieser Richtung.

Aber in seinem eigenen Leben, im Rahmen seiner Weltanschauung waren dies Schritte, die vor der Natur und insbesondere vor der sozialen Natur zurückwichen. Und es waren dann nicht mehr Menschen, die ihm anhingen, sondern Vertreter der jungen proletarischen Klasse, die – freilich hatten sie von jenen gelernt – aus diesem Rückzug einen jähen Sprung in der richtigen Richtung vorwärts machten.

Anders Hölderlin. Er stellte sich von allem Anfang an eine übermäßige Aufgabe. Dichter-Messias, Vorbote des Friedens, Vorkämpfer für neue Bahnen, die ihm klar schienen, Bahnen der verzückten Begeisterung, der Romantik, des Einswerdens mit dem Wesen des Seins und der darauf errichteten Kultur, ohne jemals die geringsten Zugeständnisse zu machen, unpraktisch, allem fremd wie ein seltenes Metall, das mit der Umwelt keine chemische Verbindung eingehen kann – so ging Hölderlin zugrunde. Doch ging er zugrunde als ein großer Mensch. Und aus seinem Grabe wächst ein lebenskräftiger Baum, zu dem jetzt viele wallfahrten.

Mit stärkster Tragik hat Hölderlin sein Schicksal in dem

unvollendeten Drama *Empedokles* geschildert. Es ist in vielem dunkel, doch ist seine Grundlinie im allgemeinen klar: Empedokles, ein Mann des Stolzes, eine Gestalt der griechischen Hybris, gegen die die hellenischen Tragiker gekämpft haben. Dieser Hochmut ist bei Empedokles ebenso edel und fruchtbar wie bei Prometheus in jenem Teil der berühmten Trilogie des Aischylos, der auf uns gekommen ist. Doch schuf Aischylos seinen Prometheus, um ihn zum Höchstmaß der Rebellion zu machen und ihn dennoch dazu mit den besten Argumenten zu zwingen, daß er sich der Welt der Macht, dem Grundsatz der Weltordnung – Zeus – beuge. Die Zeit hat aber die Teile, die das Lied des Friedens singen, in Asche verwandelt und hat jenen Teil verschont, in dem das Lied des Aufruhrs ertönt. Darin verdichtete Aischylos eine solche Fülle von Argumenten zugunsten seines Gegners, zugunsten seiner Rebellion, daß Prometheus durch die Jahrhunderte hindurch zum Repräsentanten des revolutionären Prinzips geworden ist.
Anders bei Hölderlin. Hölderlin stellt Empedokles schon auf den Höhen des Sieges dar. (Nietzsche unterschied sehr fein zwischen solchem *Frevel* und *Sünde.*) Und nun beginnt die Vergeltung der Natur – symbolisch ausgedrückt: die Götter wollen nicht dulden, daß der Mensch eine göttliche Sendung auf sich nehme, daß er zum Wohltäter und Führer der Menschheit werde und den Lauf der Zeiten ändere. Empedokles ist über seine eigene Kühnheit entsetzt, aber zugleich wird er von der von ihm mit Wohltaten überhäuften Menge, die dem allzuhoch emporgestiegenen Führer zustrebte, und von ihren kleinen und schwachen Lenkern verfolgt. Der innere und äußere Zusammenbruch naht, und die große Persönlichkeit, die vom gesetzmäßigen Lauf des Daseins abgefallen ist, sehnt sich nun danach, in die Natur einzugehen, sich mit ihr durch welchen Akt auch immer zu vereinen. Empedokles stürzt sich in den Krater des Ätna. . .
(1931)

Georg Lukács
Hölderlins Hyperion

> O gäb' es eine Fahne ... ein Thermopylä, wo ich mit Ehre sie verbluten könnte, all die einsame Liebe, die mir nimmer brauchbar ist.

Hölderlins Ruhm: er ist der Dichter des Griechentums. Jeder, der seine Werke liest, spürt, daß sein Griechentum anders, dunkler, schmerzzerwühlter ist als die strahlende Utopie von der Antike in der Renaissance und in der Aufklärung. Sein Griechentum hat aber weder mit dem langweiligen, inhaltsleeren, akademischen Klassizismus des 19. Jahrhunderts noch mit der hysterischen Bestialisierung des Griechentums durch Nietzsche und den Imperialismus etwas zu tun. Der Schlüssel zu Hölderlins Verständnis ist also, das Spezifische dieses Griechentums gedanklich zu erfassen.

Marx hat die gesellschaftliche Grundlage für die Verehrung der Antike in der Periode der Großen Französischen Revolution mit unnachahmlicher Klarheit aufgedeckt. »Aber unheroisch, wie die bürgerliche Gesellschaft ist, hatte es jedoch des Heroismus bedurft, der Aufopferung, des Schreckens, des Bürgerkriegs und der Völkerschlachten, um sie auf die Welt zu setzen. Und ihre Gladiatoren fanden in den klassisch strengen Überlieferungen der römischen Republik die Ideale und die Kunstformen, die Selbsttäuschungen, deren sie bedurften, um den bürgerlich beschränkten Inhalt ihrer Kämpfe sich selbst zu verbergen und ihre Leidenschaft auf der Höhe der großen geschichtlichen Tragödie zu halten.«

Die besondere Lage Deutschlands in der Übergangszeit der Bourgeoisie aus der heroischen Periode in die unheroische besteht darin, daß das Land selbst zu einer faktisch bürgerlichen Revolution noch lange nicht reif war, daß sich aber in den Köpfen seiner besten Ideologen die heroische Flamme dieser »Selbsttäuschungen« entzünden mußte, daß sich der tragische Übergang vom Heldenzeitalter der ins Leben geträumten Polisrepublik Robespierres und Saint-Justs in die kapitalistische Prosa rein ideologisch, ohne vorangegangene Revolution, utopisch vollziehen mußte.

Im Tübinger Stift erlebten drei junge Studenten mit berauschtem Jubel die großen Tage der revolutionären Befreiung Frankreichs. Sie pflanzten mit jugendlicher Begeisterung einen Freiheitsbaum, umtanzten ihn und schwuren ewige Treue dem Ideal des großen Befreiungskampfes. Jeder dieser drei Jünglinge – Hegel, Hölderlin, Schelling – repräsentierte in seiner späteren Entwicklung eine typische Möglichkeit der deutschen Reaktion auf die Entwicklung Frankreichs. Schellings Lebensgang verlor sich am Ende im bornierten Obskurantismus der niederträchtigen Reaktion, der erneuerten Romantik in der Vorbereitungsperiode der achtundvierziger Revolution. Hegel und Hölderlin sind ihrem revolutionären Schwure nicht untreu geworden. Aber die Verschiedenheit ihrer Auslegung, als es sich um die Verwirklichung dieses Schwures handelte, bezeichnet deutlich die ideologischen Wege, die die Vorbereitung zur bürgerlichen Revolution in Deutschland einschlagen konnte und mußte.

Die gedankliche Bewältigung der Ideen der Französischen Revolution war bei Hegel und bei Hölderlin noch lange nicht vollendet, als in Paris bereits Robespierres Kopf gefallen war, als der Thermidor und nach ihm die Napoleonische Periode ins Leben trat. Der Ausbau ihrer Weltanschauung mußte sich also auf Grundlage dieser Wendung in der revolutionären Entwicklung Frankreichs vollziehen. Mit dem Thermidor trat der *prosaische Inhalt* der antikisierend heroischen Form, die bürgerliche Gesellschaft in ihrer Fortschrittlichkeit und zugleich – unabtrennbar – in ihrer Scheußlichkeit, immer klarer in den Vordergrund.

Und der verändert-heroische Charakter der Napoleonischen Periode stellte die deutschen Ideologen vor ein unlösbares Dilemma: das Napoleonische Frankreich war einerseits ein leuchtendes Ideal für jene nationale Größe, die nur auf dem Boden einer siegreichen Revolution aufblühen konnte, anderseits brachte dasselbe französische Imperium über Deutschland den Zustand der tiefsten nationalen Zerrissenheit und Erniedrigung. Da die objektiven Bedingungen für eine bürgerliche Revolution, die imstande gewesen wäre, der Napoleonischen Eroberung eine revolutionäre Vaterlandsverteidigung à la 1793 entgegenzustellen, in Deutschland fehlten, bestand für die im Kern bürgerlich-revolutionäre Sehnsucht nach nationaler Befreiung und Vereinigung ein unlösbares Dilemma, das zur reaktionären Romantik führen mußte. »Alle gegen Frankreich geführten Unabhängigkeitskriege tragen den gemeinsamen Stempel einer Regeneration, die sich mit Reaktion paart« (Marx).
Weder Hegel noch Hölderlin sind dieser romantischen Reaktion verfallen. Ihre gedankliche Auseinandersetzung mit der nachthermidorianischen Situation verläuft aber in diametral entgegengesetzter Weise. Kurz gesagt: Hegel findet sich mit der nachthermidorianischen Epoche, mit dem Abschluß der revolutionären Periode der bürgerlichen Entwicklung ab und baut seine Philosophie gerade auf der Erkenntnis dieser neuen Wendung in der Weltgeschichte auf. Hölderlin schließt kein Kompromiß mit der nachthermidorianischen Wirklichkeit, er bleibt dem alten revolutionären Ideal der zu erneuernden Polisdemokratie treu und zerbricht an der Wirklichkeit, in der für diese Ideale nicht einmal dichterisch-denkerisch ein Platz vorhanden war.
Beide Wege widerspiegeln die ungleichmäßige Entwicklung des bürgerlich-revolutionären Gedankens in Deutschland in einer widerspruchsvollen Weise. Und diese Ungleichmäßigkeit der Entwicklung – Hegel selbst bezeichnet sie idealistisch-ideologisch als »List der Vernunft« – äußert sich vor

allem darin, daß Hegels gedankliche Akkommodation an die nachthermidorianische Wirklichkeit ihn auf jene große Heerstraße der ideologischen Entwicklung seiner Klasse geführt hat, wo der Vormarsch der gedanklichen Entwicklung bis zum Umschlagen der bürgerlich-revolutionären Denkmethoden in proletarisch-revolutionäre möglich geworden ist. (Die materialistische Umstülpung der Hegelschen idealistischen Dialektik durch Marx.) Hölderlins Kompromißlosigkeit blieb eine tragische Sackgasse: unbekannt und unbeweint ist er als vereinsamter dichterischer Leonidas der Ideale der jakobinischen Periode an den Thermopylae des einbrechenden Thermidorianismus gefallen.
Die Akkommodation Hegels führt freilich einerseits zu seinem Abfall von dem revolutionären Republikanismus seiner Berner Periode, sie führt über die Napoleonbegeisterung bis zur gedanklichen Versöhnung mit der Miserabilität einer preußischen konstitutionellen Monarchie. Sie führt aber anderseits – wenn auch idealistisch verzerrt und auf den Kopf gestellt – zu der gedanklichen Entdeckung und Verarbeitung der Dialektik der bürgerlichen Gesellschaft. Bei Hegel erscheint zum erstenmal die klassische politische Ökonomie Englands als Element der dialektischen Konzeption der Weltgeschichte, was nur eine ideologische Form, eine idealistische Widerspiegelung der Tatsache ist, daß für Hegel zur Grundlage für die Dialektik der Gegenwart die Dialektik des Kapitalismus selbst geworden ist. Das jakobinische Ideal des Kampfes gegen die Ungleichheit der Vermögen, die jakobinische Illusion von der ökonomischen Nivellierung einer Gesellschaft des kapitalistischen Privateigentums verschwindet, um einer ricardianisch-zynischen Erkenntnis der Widersprüche des Kapitalismus Platz zu geben. »Fabriken, Manufakturen gründen gerade auf das Elend einer Klasse ihr Bestehen«, schreibt Hegel wenige Jahre nach seiner Wendung in der Einschätzung der Zeitereignisse. Die Polisrepublik als zu verwirklichendes Ideal verschwindet. Griechenland wird zu

einer unwiederbringlich verschwundenen, nie wiederkehrenden Vergangenheit.
Die weltgeschichtliche Größe der Hegelschen Akkommodation besteht gerade darin, daß er – wie neben ihm nur Balzac – die revolutionäre Entwicklung der Bourgeoisie als einheitlichen Prozeß erfaßt hat, als Prozeß, in dem sowohl der revolutionäre Terror wie der Thermidor und Napoleon nur notwendige Phasen der Entwicklung gewesen sind. Die heroische Periode der revolutionären Bourgeoisie wird bei Hegel – ebenso wie die Antike – zur unwiederbringlichen Vergangenheit, aber zu einer Vergangenheit, die zur Hervorbringung der als fortschrittlich erkannten unheroischen Prosa der Gegenwart, zur Hervorbringung der entfaltenen bürgerlichen Gesellschaft mit ihren ökonomisch-gesellschaftlichen Widersprüchen unumgänglich notwendig gewesen ist. Daß diese Konzeption zugleich mit allen Makeln der Akkommodation an die Miserabilität der preußisch-deutschen Zustände, mit allen Mystifikationen der idealistischen Dialektik behaftet ist, kann ihre welthistorische Bedeutung nicht aus der Welt schaffen. Sie ist mit allen ihren Makeln eine der großen Heerstraßen, die zur Zukunft, zum Ausbau der materialistischen Dialektik führen.
Hölderlin hat sich stets geweigert, diesen Weg als richtig anzuerkennen. Freilich konnte auch sein Denken nicht unberührt von der nachthermidorianischen Wirklichkeit bleiben. Ist ja gerade die Frankfurter Periode Hegels, die Zeit seiner historisch-methodologischen Wendung, die Zeit ihres zweiten, gereifteren Zusammenlebens und Zusammenarbeitens. Aber für Hölderlin bedeutet die nachthermidorianische Entwicklung nur ein Ablegen der asketischen Elemente aus der Konzeption des Griechentums als Ideal, nur die gesteigerte Betonung Athens als Vorbild gegenüber der starren spartanisch-römischen Tugend der französischen Jakobiner. Er bleibt weiter Republikaner. Noch in dem Spätwerk *Empedokles* antwortet der Held den Agrigentern, die

ihm die Krone anbieten: »Dies ist die Zeit der Könige nicht mehr«, und predigt – freilich in mystischer Form – das Ideal einer vollständigen revolutionären Erneuerung der Menschheit:

»Was euch der Väter Mund erzählt, gelehrt,
Gesetz' und Bräuch', der alten Götter Namen,
Vergeßt es kühn und hebt, wie Neugeborne,
Die Augen auf zur göttlichen Natur!«

Diese Natur ist die Natur Rousseaus und Robespierres, der Traum von einer Umgestaltung der Gesellschaft, die – ohne daß Hölderlin die Frage des Privateigentums klar aufgeworfen hätte – die vollendete Harmonie des Menschen mit der ihm angemessenen, wieder zur Natur gewordenen Gesellschaft und damit gleichzeitig mit der Natur selbst wiederherstellt. »Ideal ist, was Natur war«, sagt Hölderlins Hyperion ein bißchen schillerisch, aber an revolutionärem Pathos weit über Schiller hinausgehend. Und das Griechentum ist für Hölderlin eben dieses Ideal, das einst lebendige Wirklichkeit, Natur gewesen ist. »Von Kinderharmonie sind einst die Völker ausgegangen«, fährt Hyperion fort, »die Harmonie der Geister wird der Anfang einer neuen Weltgeschichte sein.«

»Alle für jeden und jeder für alle!« – das ist das gesellschaftliche Ideal Hyperions, wenn er in den revolutionären Kampf zur bewaffneten Befreiung Griechenlands vom Türkenjoche zieht. Es ist der Traum eines nationalrevolutionären Befreiungskrieges, der zugleich der Befreiungskrieg für die ganze Menschheit werden soll, ungefähr so, wie es radikale Träumer in der Großen Revolution selbst – etwa Anacharsis Cloots – von den Kriegen der Französischen Republik erhofft haben. Hyperion sagt: »An der Fahne allein soll niemand unser künftig Volk erkennen; es muß sich alles verjüngen, es muß von Grund aus anders sein, voll Ernst die Lust und heiter alle Arbeit!« Nichts, auch das Kleinste, das Alltäglichste nicht ohne den Geist und die Götter! Liebe und Haß und jeder Laut von

uns muß die gemeinere Welt befremden, und auch kein Augenblick darf *einmal* noch uns mahnen an die platte Vergangenheit!«
Hölderlin geht also an der kapitalistischen Schranke, an den kapitalistischen Widersprüchen der bürgerlichen Revolution achtlos vorbei. Seine Gesellschaftstheorie muß sich deshalb in Mystik verlieren, freilich in eine Mystik der verworrenen Vorahnungen einer wirklichen Umwälzung der Gesellschaft, einer wirklichen Erneuerung der Menschheit. Diese Vorahnungen sind noch viel utopischer und mystischer als die der einzelnen Träumer des vorrevolutionären und revolutionären Frankreich. Denn im kapitalistisch unentwickelten Deutschland kann Hölderlin nicht einmal Keime und Ansätze von gesellschaftlichen Tendenzen konkret erblicken, die über die widerspruchsvolle Beschränktheit des kapitalistischen Horizonts hinausweisen. Seine Utopie ist rein ideologisch, ein Traum von der Wiederkehr des goldenen Zeitalters, ein Traum, in dem die Vorahnung der Entwicklung der bürgerlichen Gesellschaft sich mit der Utopie von einem Jenseits der bürgerlichen Gesellschaft, von einer wirklichen Befreiung der Menschheit verknüpft.
Es ist sehr interessant zu beobachten, daß Hölderlin stets, und im *Hyperion* besonders scharf, gegen die Überschätzung des Staates kämpft, daß seine utopische Konzeption des kommenden Staates, auf ihren wahren Kern reduziert, ganz in der Nähe der Konzeption der ersten liberalen Ideologen Deutschlands, z. B. eines Wilhelm von Humboldt, liegt.
Der tragende Pfeiler der gesellschaftlichen Erneuerung kann deshalb für Hölderlin nur eine neue Religion, eine neue Kirche sein. In der gesellschaftlichen Entwicklung Deutschlands selbst konnten die Grundlagen für seine Utopie nicht sichtbar sein: objektiv, weil sie in der bürgerlichen Realität tatsächlich nicht vorhanden waren, subjektiv, weil die Ansätze zu einer Entwicklung über den Kapi-

talismus hinaus für Hölderlin unmöglich erfaßbar sein konnten. So war es für ihn unvermeidlich, den Quell der gesellschaftlichen Erneuerung in einer neuen Religion zu suchen. Die Unvermeidlichkeit einer Wendung zur Religion, bei vollem Bruch mit den alten Religionen, ist für alle Revolutionäre dieser Periode vorhanden, die die bürgerliche Revolution zu Ende treiben wollen, gleichzeitig aber vor ihrer notwendigen Konsequenz: ungehemmte Entfesselung des Kapitalismus mit allen seinen gesellschaftlichen und kulturellen Folgen, zurückschrecken. Die Einführung des Kults des »Etre suprême« durch Robespierre ist das größte praktisch-historische Beispiel für diese Unvermeidlichkeit.

Es ist klar, daß auch Hölderlin diesem Dilemma nicht entgehen konnte. Wenn sein Hyperion die Wirksamkeit des Staates beschränken will, so träumt er von der Entstehung einer neuen Kirche, die zur Trägerin seiner gesellschaftlichen Ideale werden soll. Die Unvermeidlichkeit und gleichzeitig der bürgerlich-revolutionäre Charakter dieser Konzeption zeigten sich ganz klar daran, daß auch Hegel noch zur Zeit seines Überganges zur vollständigen Anerkennung der kapitalistischen Wendung der Revolution von der Konzeption einer neuen Religion erfaßt wird: »in welche der unendliche Schmerz und die ganze Schwere seines Gegensatzes aufgenommen, aber ungetrübt und rein sich auflöst, wenn es nämlich ein *freies Volk* geben und die Vernunft ihre Realität als einen sittlichen Geist wiedergeboren haben wird, der die Kühnheit haben kann, *auf eigenem Boden und aus eigener Majestät sich seine reine Gestalt zu nehmen*«.

Innerhalb dieses weltanschaulichen Rahmens spielt sich die Handlung des *Hyperion* ab. Den Ausgangspunkt der Handlung bildet der Aufstandsversuch der Griechen gegen die Türken im Jahre 1770, der mit Hilfe einer russischen Flotte zustande kam. Für Hölderlins geschichtliche Lage ist der widerspruchsvolle, revolutionär-reaktionäre Charakter dieses Themas sehr charakteristisch. Es ist aber für ihn ebenfalls sehr bezeichnend, daß er in die reaktionären Tendenzen der von ihm geschilderten Situation eine gewisse Einsicht hat, die unvergleichbar höher steht und fortschrittlicher ist als die Illusion der nationalen Revolutionäre des Befreiungskrieges in Hinsicht auf Rußland. Die kriegerischen Helden Hölderlins stehen illusionslos, machiavellistisch-realpolitisch zur russischen Hilfe: »So straft ein Gift das andere«, sagt Hyperion, als die türkische Flotte von den Russen vernichtet worden ist. Hölderlin ist also auch in dieser Frage kein romantischer Reaktionär gewesen.

Die innere Handlung des Romans bildet nun der weltanschauliche Kampf zweier Richtungen für die Verwirklichung der revolutionären Utopie Hölderlins. Der mit Fichteschen Zügen ausgestattete Kriegsheld Alabanda repräsentiert die Tendenz des bewaffneten Aufstands. Die Heldin des Romans, Diotima, verkörpert die Tendenz der religiös-weltanschaulichen, friedlichen Aufklärung; sie will aus Hyperion einen Erzieher seines Volkes machen. Der Konflikt endet vorerst mit dem Sieg des kriegerischen Prinzips. Hyperion schließt sich Alabanda an, um den bewaffneten Aufstand vorzubereiten und durchzuführen. Der Ruf Alabandas weckt in ihm Selbstvorwürfe über seine bisherige beschauliche Untätigkeit. »Ich bin zu müßig geworden (...) zu himmlisch, zu träg. Ja, sanft zu sein, zu rechter Zeit, das ist wohl schön, doch sanft zu sein zur Unzeit, das ist häßlich, denn es ist feig!« Auf die Warnung Diotimas: »Du wirst erobern und vergessen, wofür«, antwortet Hyperion: »Der Knechtdienst tötet, aber gerechter Krieg macht jede Seele lebendig«, und Diotima sieht zugleich den tragischen Konflikt, der hier für Hölderlin-Hyperion liegt: »Deine volle Seele gebiet's dir, ihr nicht zu folgen, führt oft zum Untergange, doch ihr zu folgen wohl auch.« Die Katastrophe tritt ein. Nach einigen siegreichen kleineren Schlachten nehmen die Aufständischen Masistra, das frühere Sparta, ein. Aber nach der Einnahme wird geplündert und gemordert, und Hyperion wendet sich enttäuscht von den Aufständischen ab. »In der Tat! Es war ein außerordentlich Projekt, durch eine Räuberbande mein Elysium zu pflanzen.« Die Aufständischen werden bald danach vernichtend geschlagen und zerstreut. Hyperion sucht in den Kämpfen der russischen Flotte den Tod, aber vergebens.

Diese Stellungnahme Hölderlins zur bewaffneten Revolution ist in Deutschland nicht neu. Hyperions Reuestimmung nach dem Sieg erneuert auf höherem Niveau die Verzweiflung von Schillers Karl Moor am Ende der *Räuber:* »daß zwei Menschen wie ich den ganzen Bau der sittlichen Welt zugrund richten würden«. Es ist keineswegs zufällig, daß der gräzisierende Klassizist Hölderlin bis ans Ende seines bewußten Lebens die Jugenddramen Schillers außerordentlich hochgeschätzt hat. Er begründet die Schätzung mit kompositionellen Analysen; der wahre Grund liegt aber in der Verwandtschaft der Problemstellungen, in der Sehnsucht nach einer deutschen Revolution und gleichzeitig – und untrennbar davon – in einem Zurückschrecken vor den Fakten und vor den Folgen einer solchen Revolution. Bei der Verwandtschaft der Problemstellungen muß aber zugleich die Verschiedenheit hervorgehoben werden. Der junge Schiller schrickt nicht bloß vor der Härte der *revolutionären Methoden* zurück, sondern zugleich vor dem radikalen *Inhalt der Revolution selbst.* Er fürchtet, daß die sittlichen Grundlagen der Welt – der bürgerlichen Gesellschaft – in einer Revolution zusammenstürzen könnten. Davor hat Hölderlin keine Angst, er fühlt sich mit keiner ihm sichtbaren Erscheinungsform der bürgerlichen Gesellschaft innerlich verbunden. Er erhofft, wie wir gesehen haben, gerade eine vollständige Umwälzung seiner Welt, bei der von dem Gegenwärtigen nichts übrigbleiben würde. Sein Zurückschrecken bezieht sich auf die revolutionäre Methode, von der er, ganz im Stil idealistischer Ideologen der Revolution, befürchtet, daß sie gerade die Schlechtigkeit des Bestehenden in anderer Form verewigen würde. Dieser tragische Zwiespalt Hölderlins ist für ihn unüberwindbar gewesen, da er aus den Klassenverhältnissen Deutschlands entsprang. Bei allen geschichtlich notwendigen Illusionen über die Erneuerung der Polisdemokratie schöpften die revolutionären Jakobiner Frankreichs ihren Schwung und ihre Tatkraft aus der Verbundenheit mit den *demokratisch-plebejischen* Elementen der Revolution, mit den kleinbürgerlichen und halbproletarischen Massen der Städte und mit der Bauernschaft. Auf sie gestützt, konnten sie – freilich nur sehr zeitweilig und sehr widerspruchsvoll – die egoistische Niedertracht, die Feigheit und Habgier der französischen Bourgeoisie bekämpfen und die bürgerliche Revolution auf plebejische Weise weitertreiben. Der antibürgerliche Zug dieses plebejischen Revolutionarismus ist in Hölderlin sehr stark. Sein Alabanda sagt über die Bürger: »Man fragt nicht, ob ihr wollt! Ihr wollt ja nie, ihr Knechte und Barbaren! Euch will man auch nicht bessern, denn es ist umsonst! Man will nur dafür sorgen, daß ihr dem Siegeslauf der Menschheit aus dem Wege geht.« Solche Worte hätte ein revolutionärer Jakobiner in Paris 1793 unter dem Jubel der plebejischen Massen äußern können. Eine solche Gesinnung bedeutete in Deutschland 1797 eine hoffnungslose, trostlose Vereinsamung; es gab keine Gesellschaftsklasse, an die diese Worte gerichtet sein konnten, keine, in der sie auch nur ideologisch einen Widerhall hätten finden können. Georg Forster konnte sich nach dem Scheitern des Mainzer Aufstandes wenigstens ins revolutionäre Paris begeben. Für Hölderlin gab es weder in Deutschland noch außerhalb Deutschlands eine Heimat. Kein Wunder, daß sich Hyperions Weg nach dem Scheitern der Revolution in eine hoffnungslose Mystik verliert, daß Alabanda und Diotima am Scheitern Hyperions zugrunde gehen. Verständlich, daß das folgende, Fragment gebliebene letzte

große Werk Hölderlins, die Tragödie *Empedokles*, den mystischen Opfertod zum Thema hat.
An diese mystische Auflösung der Weltanschauung Hölderlins klammert sich von jeher die Reaktion. Nachdem die offizielle deutsche Literaturgeschichte Hölderlin lange Zeit episodisch als Repräsentanten einer Nebenströmung der Romantik behandelt hatte (Haym), wird er in der imperialistischen Periode in offen reaktionärer Weise neu entdeckt und für die ideologischen Ziele der Reaktion verwertet. Dilthey macht aus ihm bereits einen Vorläufer Schopenhauers und Nietzsches, mit dem einfachen Trick, daß er das Hellenentum und die Einflüsse der klassischen deutschen Philosophie von dem Einfluß der Französischen Revolution vollständig ablöst und den letzteren zur episodischen Bedeutung herabdrückt. Gundolf trennt bereits »Urerlebnis« und »Bildungserlebnis« bei Hölderlin. »Bildungserlebnis« ist alles Revolutionäre, alles »bloß Zeitbedingte«; und als solches kommt all dies bei der »wesentlichen« Beurteilung Hölderlins nicht in Frage. Das »Wesentliche« ist eine »orphische Mystik«. Auch bei Gundolf führen die Wege von Hölderlin zu Nietzsche und über Nietzsche hinaus zur Stefan Georgeschen »Vergottung des Leibes«. Der am verspäteten Jakobinismus tragisch zugrunde gegangene Hölderlin wird bei Gundolf zum Vorläufer des Rentnerparasitismus; die tragische Elegie Hölderlins über die verlorengegangene politische, gesellschaftliche und kulturelle Freiheit des Menschen soll in die dekadente Parklyrik Stefan Georges münden; der hellenistisch-republikanische Freundschaftskult Hölderlins, bei dem seine Vorbilder die Tyrannenmörder Harmodios und Aristogeiton gewesen sind, verwandelt sich in ein Vorläufertum des ästhetenhaften und dekadenten George-Bundes.
Dilthey und Gundolf bilden sich ein, den Wesenskern Hölderlins durch Weglassung der »zeitbedingten« Züge herausarbeiten zu können. Hölderlin selbst wußte genau, daß der trauervolle elegische Zug seiner Dichtung, seine Sehn-

sucht nach dem verlorenen Griechenland, mit einem Wort: das dichterisch Wesentliche an ihm, vollständig zeitbedingt gewesen ist. Hyperion sagt: »Aber das, das ist der Schmerz, dem keiner gleichkommt, das ist unaufhörliches Gefühl der gänzlichen Zernichtung, wenn unser Leben seine Bedeutung verliert, wenn so das Herz sich sagt, du mußt hinunter, und nichts bleibt übrig von dir; keine Blume hast du gepflanzt, keine Hütte hast du gebaut, nur daß du sagen könntest: ich lasse eine Spur zurück auf Erden (...) Genug! Genug! Wäre ich mit Themistokles aufgewachsen, hätte ich unter den Scipionen gelebt, meine Seele hätte sich wahrlich nie von dieser Seite kennengelernt.«
So besingt Hölderlin einen heldenhaften Tod um das in seinem Sinne – befreite Vaterland:

»O nimmt mich, nimmt mich mit in die Reihen auf,
Damit ich einst nicht sterbe gemeinen Tods!
Umsonst zu sterben, lieb ich nicht, doch
Lieb ich, zu fallen am Opferhügel

Fürs Vaterland (...)

Und Siegesboten kommen herab: Die Schlacht
Ist unser! Lebe droben, o Vaterland,
Und zähle nicht die Toten! Dir ist,
Liebes! nicht Einer zu viel gefallen.«

So besingt er auch das eigene Dichterschicksal, die Sehnsucht nach einer wenigstens einmaligen Erfüllung dessen, was als zentraler Gehalt in seiner Seele west:

»Nur Einen Sommer gönnt, ihr Gewaltigen!
Und einen Herbst zu reifem Gesange mir,
Daß williger mein Herz, vom süßen
Spiele gesättiget, dann mir sterbe.

Die Seele, der im Leben ihr göttlich Recht
Nicht ward, sie ruht auch drunten im Orkus nicht;
Doch ist mir einst das Heilge, das am
Herzen mir liegt, das Gedicht, gelungen,

Willkommen dann, o Stille der Schattenwelt!
Zufrieden bin ich, wenn auch mein Saitenspiel
Mich nicht hinab geleitet; Einmal
Lebt ich wie Götter, und mehr bedarfs nicht.«

Nichts darf hier vereinzelt genommen werden. Hölderlin ist zu sehr echter Lyriker und darum stets Widerhall der jeweiligen, konkreten, das Erlebnis unmittelbar auslösenden Gelegenheit, um die letzten Grundfragen des im Einzelfall dichterisch gestalteten Erlebnisses immer wieder – abstrakt – zu repetieren. Und insbesondere darf, gerade bei Hölderlin, die Sehnsucht nach dichterischer Erfüllung nicht formal-artistisch verstanden werden. Gehalt und Form sind auch hier untrennbar. Das dichterische Gelingen setzt ein Irgendwie-zur-Wirklichkeit-Werden seines zentralen Gehalts im Leben, in seinem Leben, voraus. Die jakobinischen Prinzipien bilden aber die gesamte Atmosphäre seiner Gedichte. Nur der, dessen Gesicht klassenmäßig abgestumpft oder verblendet ist, nimmt diese alles bestimmende Atmosphäre nicht wahr. Aber die Naturmystik? Aber die Verschmelzung von Natur und Kultur, von Mensch und Gottheit im Erlebnis des Griechentums? So könnte uns vielleicht ein moderner, von Dilthey-Gundolf beeinflußter Verehrer Hölderlins erwidern. Wir haben bereits auf den Rousseau-Robespierreschen Charakter des Naturkults und des Griechenkults bei Hölderlin hingewiesen. In seinem großen Gedicht *Der Archipelagus* (das Gundolf zum Ausgangspunkt seiner Hölderlin-Interpretation gewählt hat) werden die griechische Natur und die Größe der aus ihr herauswachsenden athenischen Kultur mit hinreißendem elegischen Pathos gestaltet. Gegen Ende des Gedichts spricht aber Hölderlin ebenso hinreißend pathetisch, ebenso anklagend elegisch vom *Grund* seiner Trauer über das entschwundene Griechentum:

> »Aber weh! es wandelt in Nacht, es wohnt, wie im Orkus,
> Ohne Göttliches unser Geschlecht. Ans eigene Treiben
> Sind sie geschmiedet allein, und sich in der tosenden Werkstatt
> Höret jeglicher nur und viel arbeiten die Wilden
> Mit gewaltigem Arm, rastlos, doch immer und immer
> Unfruchtbar, wie die Furien, bleibt die Mühe der Armen.«

Und diese Konzeption ist bei Hölderlin kein Zufall und nichts Einmaliges. Nachdem der griechische Freiheitskampf niedergeschlagen ist und Hyperion seine Enttäuschung erlebt hat, steht am Schlusse des Romans das fürchterlich anklagende Kapitel über Deutschland, die zornige Prosa-Ode über die Degradierung des Menschen in der Miserabilität, in der philisterhaft engen – beginnenden – Entwicklung des deutschen Kapitalismus. Die Anrufung Griechenlands, als Einheit von Kultur und Natur, ist bei Hölderlin immer eine Anklage gegen seine Gegenwart, immer ein – vergeblicher – Aufruf zur Tat, Aufruf zur Zertrümmerung dieser miserablen Wirklichkeit.
Die »Verfeinerung« der Analyse durch Dilthey und Gundolf, das Vertilgen aller Spuren der großen gesellschaftlichen Tragik aus dem Leben und dem Werk Hölderlins, bildet die Grundlage für die grob-demagogische, kraß-lügenhafte Schändung seines Andenkens durch die Braunhemden der Literaturgeschichte. Wie die faschistischen Ideologen mit der Verzweiflung der ihres Weges nicht oder noch nicht bewußten Kleinbürger Schindluder treiben, so besudelt die literarische SA das Andenken vieler ehrlich

verzweifelter deutscher Revolutionäre, indem sie die wirklichen sozialen Ursachen ihrer Verzweiflung wegeskamotiert, indem sie sie daran verzweifeln läßt, daß sie das »erlösende« Dritte Reich, den »Erlöser Hitler« noch nicht erblicken konnten.

So ist es auch Hölderlin im deutschen Faschismus ergangen. Hölderlin als großen Vorläufer des Dritten Reichs anzubeten, gehört heute zum guten Ton unter den faschistischen Literaten Deutschlands. Freilich macht ihnen die konkrete Durchführung dieser Linie, das konkrete Aufzeigen der faschistischen Ideologie bei Hölderlin große Schwierigkeiten. Sie sind viel größer, als sie für Gundolf waren, bei dem die inhaltsentleerten, formalistischen l'art-pour-l'art-Gesichtspunkte der Verehrung der Form Hölderlins das Idealisieren seines angeblichen mystischen Griechentums ohne sofort augenfällige innere Widersprüche zuließen. (Der Widerspruch bestand »bloß« zwischen dem Hölderlinbild Gundolfs und dem wirklichen Hölderlin.)

Rosenberg macht nun auf dieser Grundlage aus Hölderlin einen Vertreter der germanisch-»arteigenen« Sehnsucht. Er versucht, Hölderlin in die soziale Demagogie des Nationalsozialismus einzuspannen, indem er dessen Zeitkritik zu einer faschistischen Kritik »des Bürgers« verdreht. »Hatte nicht Hölderlin an diesen Menschen schon zu einer Zeit gelitten, als sie noch nicht als allmächtige Bürger walteten, damals schon, da Hyperion auf der Suche nach großen Seelen feststellen mußte, daß sie durch Fleiß, Wissenschaft, ja selbst durch ihre Religion nur barbarisch geworden waren: Handwerker, Denker, Priester, Titelträger fand Hyperion, aber keine Menschen, Stückwerk ohne Einheit der Seele, ohne inneren Auftrieb, ohne Lebensganzheit.« Aber Rosenberg hütet sich, diese Zeitkritik Hölderlins auch nur in der leisesten Weise zu konkretisieren. Der ganze große Anlauf endet mit einem Sprung ins Leere: Hölderlin wird nur zum Vertreter des Rosenbergschen Unsinns vom »ästhetischen Willen« gestempelt.

Dieselbe Mischung von bombastischer Großsprecherei und ängstlichem Ausweichen vor allen Tatsachen charakterisiert die spätere Ausführung des faschistischen Hölderlinbildes. In einer Reihe von Aufsätzen wird eine »große Wendung« im Leben Hölderlins entdeckt: seine Abkehr vom »achtzehnten Jahrhundert«, seine Bekehrung zum Christentum und mit ihr zur faschistisch-romantischen »deutschen Wirklichkeit«. Hölderlin soll in die zum Vorspiel des Faschismus zurechtkonstruierte Romantik, in die Reihe von Novalis bis Görres eingefügt werden. Der Wert dieser Geschichtsklitterung ergibt sich schon daraus, daß sie selbst von offizieller nationalsozialistischer Seite als »abwegig«, als »unrichtig« verworfen werden mußte. Dies geschieht in einem Aufsatz von Matthes Ziegler in den *Nationalsozialistischen Monatsheften,* wo Meister Eckhart, Hölderlin, Kierkegaard und Nietzsche als die großen Vorläufer der nationalsozialistischen Weltanschauung präsentiert werden. Während es aber Baeumler zustande bringen kann, die romantisch-antikapitalistischen, irrationalistisch-mystischen Züge Kierkegaards ohne offenkundige Geschichtslügen, nur mit leisen braunen Retuschen nachzuzeichnen, bleibt der Aufsatz Zieglers ein klägliches Gestammel, freilich in der äußeren Form des forsch-apodiktischen Bombastes. Auch er bestand nur darin – in den Zitaten selbstredend alles Konkrete sorgfältig vermeidend –, die Opposition Hölderlins gegen die zeitgenössische Kultur (gegen »die Brüderlichkeit«), Hölderlins Sehnsucht nach einer Form der Gemeinschaft hervorzuheben. Und er lügt nun diese Sehnsucht, deren wahre soziale Wurzel, deren wirklicher sozialer Inhalt uns bereits bekannt ist, in die Sehnsucht nach – Hitler, in ein Vorläufertum des – Dritten Reiches um. Er sagt zusammenfassend: »Es war die Tragik Hölderlins, daß er sich aus der Gemeinschaft der Menschen lösen mußte, ohne daß ihm die Gestaltung der kommenden Gemeinschaft beschieden war. Er blieb ein Einsamer, ein Unverstandener in seiner Zeit, der aber die Zukunft als Gewißheit in sich trug. Er wollte keine Wiederbelebung, kein neues Griechenland, aber er fand im Griechentum die nordisch-heldische Lebenshaltung wieder, die in dem Deutschland seiner Zeit verkümmert war, aus der jedoch allein die kommende Gemeinschaft wachsen kann. Er muß sich in der Sprache und in den Vorstellungen seiner Zeit ausdrücken, deshalb ist es uns heutigen Menschen, die alle das Erleben unserer Gesellschaft geformt hat, oft schwer, ihn recht zu verstehen. Unser Kampf um die Gestaltung des Reiches aber ist das Ringen um die gleiche Tat, die Hölderlin nicht tun konnte, weil die Zeit noch nicht erfüllt war.«

Das sachliche Ergebnis ist, selbst mit dem Maßstab gemessen, den man an eine nationalsozialistische Literaturgeschichte anlegen kann, erschreckend kläglich; Ziegler entschlüpft ja das Geständnis, daß er Hölderlin nicht oder wenig versteht. Die nationalsozialistischen Literaten müssen das Bild Hölderlins noch über Dilthey und Gundolf hinaus abstrakt machen, noch entleerter von allen individuellen wie gesellschaftlich-historischen Zügen. Der Hölderlin der deutschen Faschisten ist ein beliebiger romantischer Dichter, er unterscheidet sich fast gar nicht mehr von dem – neuerdings ebenfalls wiederholt geschändeten – Georg Büchner, der seinerseits zum Vertreter des »heroischen Pessimismus«, also zum Vorläufer des Nietzsche-Baeumlerschen »heroischen Realismus« umgelogen wurde. In der geistigen Nacht der faschistischen Geschichtsfälschung ist eben jede Gestalt braun.

Aber die »Methodologie« dieser Umfälschungen zeigt trotzdem ein – ungewolltes – Ergebnis: nämlich den inneren Zusammenhang zwischen der liberalen Unfähigkeit zum Verständnis der deutschen Geschichte und ihrer imperialistisch-faschistischen, immer bewußteren Fälschung. Dilthey polemisiert gegen die Haymsche Auffassung Hölderlins als eines »Seitentriebs der Romantik«, aber nur, um Hölderlin unter die dekadenten, verspäteten Romantiker des Jahr-

hundertendes einzureihen, um aus ihm einen Vorläufer Nietzsches zu machen. Gundolf dehnt dieses Vorläufertum Hölderlins auf Stefan George aus. Und die Nationalsozialisten mißbrauchen die damals noch keineswegs eindeutig reaktionären, romantisch-antikapitalistischen Züge Hölderlins, um das entstellte Bild des tragischen Revolutionärs als Fassadenplastik am faschistischen Zuchthaus für das werktätige Deutschland anzubringen.
Hölderlin ist jedoch im Grundzug seines Wesens kein Romantiker, obwohl seine Kritik des beginnenden Kapitalismus manchen Zug des Romantischen trägt. Während aber die Romantiker von dem Ökonomen Sismondi bis zum mystischen Poeten Novalis aus dem Kapitalismus in die einfache Warenwirtschaft flüchten und dem anarchischen Kapitalismus das »geordnete« Mittelalter, der mechanistischen Arbeitsteilung die »Totalität« der Arbeit im Handwerk gegenüberstellen, kritisiert Hölderlin die bürgerliche Gesellschaft von einer anderen Seite. Auch er haßt in romantischer Weise die kapitalistische Arbeitsteilung. Das wesentlichste Moment der zu bekämpfenden Degradation ist aber in seinen Augen der Verlust der Freiheit. Und diese Konzeption der Freiheit strebt bei ihm – wie wir gesehen haben, in mystischen Formen und mit verschwommenen utopischen Inhalten – über den engen Begriff der politischen Freiheit in der bürgerlichen Gesellschaft hinaus. Der Unterschied der Thematik zwischen Hölderlin und den Romantikern – Griechenland gegen Mittelalter – ist also kein bloß thematischer Unterschied, sondern ein weltanschaulich-politischer.
Wenn Hölderlin die Feste des alten Griechenland feiert, so feiert er die verlorengegangene demokratische Öffentlichkeit des Lebens. Er geht hier nicht nur dieselben Wege, die sein Jugendfreund Hegel vor seiner entscheidenden Wandlung gegangen ist, sondern ist auch ideologisch auf den Wegen Robespierres und der Jakobiner. In seiner großen Konventrede zur Einführung des Kults des »Höch-

sten Wesens« führt Robespierre aus: »Der wahre Priester des Höchsten Wesens ist die Natur, sein Tempel das Universum, sein Kultus die Tugend, seine Feiern die Freude eines großen Volkes, vereinigt unter seinen Augen, um die Bande der universellen Brüderlichkeit enger zu knüpfen und um ihm die Verehrung der empfindsamen und reinen Herzen anzubieten.« Und in derselben Rede beruft er sich auf die Feste Griechenlands als auf das Vorbild dieser Befestigung der demokratisch-republikanischen Erziehung zur Tugend und Glückseligkeit eines befreiten Volkes.

Freilich geht die Mystik Hölderlins weit über die unvermeidliche und heroische Selbsttäuschung Robespierres hinaus. Sie ist noch dazu eine Flucht in die Mystik und eine Mystik der Flucht: eine Mystik der Todessehnsucht, des Opfertodes, des Todes als Mittel zur Vereinigung mit der Natur. Aber auch diese Naturmystik Hölderlins ist keineswegs einheitlich reaktionär.

Erstens ist in ihr stets ihre rousseauistisch-revolutionäre Quelle sichtbar. Der unmittelbare Ausgangspunkt für die Flucht in die Mystik liegt ja bei Hölderlin darin, daß er die *gesellschaftlich* notwendige, hoffnungslose Tragik seiner Bestrebungen als Idealist zwangsläufig zu einer *kosmischen* Tragik steigern mußte. Zweitens aber enthält auch seine Mystik des Opfertodes einen klaren pantheistisch-antireligiösen Charakter. Bevor Alabanda in den Tod geht, spricht er von seinem Leben, »das kein Gott geschaffen«. »Hat mich eines Töpfers Hand gemacht, so mag er sein Gefäß zerschlagen, wie es ihm gefällt. Doch was da lebt, muß unerzeugt, muß göttlicher Natur in seinem Keime sein, erhaben über alle Macht und alle Kunst und darum unverletzlich, ewig.« Und sehr ähnlich schreibt Diotima in ihrem Abschiedsbrief an Hyperion über die »Götterfreiheit, die der Tod uns gibt«: »Wenn ich auch zur Pflanze würde, wäre denn der Schaden so groß? – Ich werde sein. Wie sollt ich mich verlieren aus der Sphäre des Lebens, worin die ewige Liebe, die allen gemein ist, die Naturen alle zusammenhält? Wie sollt ich scheiden aus dem Bunde, der die Wesen alle verknüpft?«

Will der heutige Leser einen historisch richtigen Standpunkt zu der deutschen Naturmystik am Anfang des 19. Jahrhunderts gewinnen, so darf er nie vergessen, daß damals, freilich in idealistisch-mystischen Formen, die Dialektik der Natur und der Gesellschaft entdeckt und herausgearbeitet wurde. Es ist die Periode der Naturphilosophie Goethes, des jungen Hegel und des jungen Schelling (Marx spricht einmal über den »aufrichtigen Jugendgedanken Schellings«). Es ist eine Periode, in der die Mystik nicht bloß ein toter Ballast aus der theologischen Vergangenheit ist, sondern oft, und sehr oft in schwer trennbarer Weise, ein idealistischer Nebel, der die noch unerkannten zukünftigen Wege der dialektischen Erkenntnis verhüllt. Wie zu Beginn der bürgerlichen Entwicklung, in der Renaissance und im beginnenden Materialismus Bacons, der Rausch der neuen Erkenntnis überschwengliche und phantastische Formen annimmt, so auch jetzt im Rausch des Aufdämmerns der dialektischen Methode, einer Philosophie, »an der kein Glied nicht trunken ist« (Hegel). Was Marx über die Philosophie Bacons sagt: »Die Materie lacht in poetisch sinnlichem Glanze den ganzen Menschen an, die aphoristische Doktrin selbst wimmelt dagegen noch von theologischen Inkonsequenzen«, das gilt – mutatis mutandis – auch für diese Periode.

Hölderlin selbst nimmt sehr aktiv teil an der Entstehung der dialektischen Methode; er ist nicht nur der Jugendfreund, sondern auch der philosophische Weggenosse Schellings und Hegels. In der großen Rede über Athen kommt Hyperion auf Heraklit zu sprechen. Und Heraklits »In sich selber unterschiedenes Eine« ist für ihn der Ausgangspunkt des Denkens: »Es ist das Wesen der Schönheit, und ehe das gefunden war, gab's keine Philosophie.« Die Philosophie ist also auch für Hölderlin identisch mit Dialektik.

Freilich mit einer idealistischen und sich in Mystik verlierenden Dialektik. Und die Mystik ist bei Hölderlin darum besonders kraß sichtbar, weil sie für ihn in steigendem Maße die Aufgabe hat, die gesellschaftliche Tragik seines Daseins kosmisch zu verklären, aus der historischen Ausweglosigkeit seiner Lage einen Scheinweg zu einem sinnvollen Tode zu weisen. Aber auch dieser sich in mystischen Nebeln verlierende Horizont ist ein gemeinsamer Zug der ganzen Epoche. Das Ende des Hyperion und des Empedokles ist nicht mystischer als das Schicksal der Makarie in *Wilhelm Meisters Wanderjahre*, als das Schicksal des Louis Lambert, als das von Seraphitus Seraphita bei Balzac. Ebensowenig wie dieser mystische Horizont sich aus dem Lebenswerk der großen Realisten Goethe und Balzac entfernen läßt, ebensowenig wie er die Realistik der Grundlinie ihres Schaffens aufzuheben vermag, ebensowenig kann die Todesmystik Hölderlins dem revolutionären Charakter der Grundlinie seiner heroischen Elegie Abbruch tun.

Hölderlin ist einer der tiefsten und reinsten Elegiker aller Zeiten. In seiner bedeutenden Bestimmung der Elegie spricht Schiller darüber, daß »bei der Elegie die Trauer nur aus einer durch das Ideal erweckten Begeisterung fließen darf«. Und mit einer vielleicht zu rigorosen Strenge verurteilt Schiller alle Elegiker, die über ein bloß privates Schicksal trauern (Ovid).

In Hölderlins Dichtung fließen privates und gesellschaftliches Schicksal zu einer selten vorhandenen tragischen Harmonie zusammen. Hölderlin ist überall in seinem Leben gescheitert. Er ist nie über das damals allgemeine Übergangsstadium der Existenz mittelloser deutscher Intellektueller, über das Hauslehrertum hinausgekommen; ja selbst als Hauslehrer vermochte er sich keine Existenz zu schaffen. Als Dichter blieb er trotz wohlwollender Protektion Schillers, trotz des Lobes des bedeutendsten Kritikers der Zeit, A. W. Schlegel, vollständig unbekannt und ohne die Perspektive einer Existenz. Seine große Liebe zu Susette

Gontard endete in tragisch verzweifelter Resignation. Sein äußeres wie sein inneres Leben war so verzweifelt hoffnungslos, daß viele Zeitgenossen und Biographen auch in seinem Wahnsinn, mit dem seine Jugendentwicklung abschloß, etwas schicksalshaft Notwendiges erblickten.
Die elegische Trauer der Dichtung Hölderlins hat aber niemals den Charakter einer kleinlich privaten Klage über das gescheiterte persönliche Leben. Wenn Hölderlin auch die gesellschaftliche Notwendigkeit für das Scheitern seiner entscheidenden Bestrebungen kosmisch mystifizierte, so drückt sich in dieser Mystifizierung zugleich das Gefühl aus, daß das Scheitern seiner privaten Bestrebungen nur eine notwendige Folge dieses großen allgemeinen Scheiterns gewesen ist. Und die elegische Klage seiner Dichtungen geht deshalb stets von diesem Punkt aus.
Der Kontrast des verlorenen und revolutionär zu erneuernden Griechentums mit der Miserabilität der deutschen Gegenwart ist der ständige, immer variiert wiederholte Inhalt seiner Klage. Seine Elegie ist deshalb eine pathetisch-heroische Anklage gegen die Zeit und kein subjektiv lyrisches Bejammern eines wenn auch noch so beklagenswerten privaten Schicksals.
Es ist die Klage der besten bürgerlichen Intelligenz über die verlorengegangene revolutionäre »Selbsttäuschung« der heroischen Periode der eigenen Klasse. Es ist die Klage über eine Einsamkeit, der Notschrei aus einer Einsamkeit, die unaufhebbar ist, weil sie sich zwar in allen Momenten auch des privaten Lebens äußert, jedoch von der ehernen Hand der ökonomisch-gesellschaftlichen Entwicklung selbst geschaffen wurde.
Das revolutionäre Feuer der Bourgeoisie ist erloschen. Doch der heroische Feuerbrand der Großen Revolution läßt doch überall im Bürgertum Feuerseelen entstehen, in denen dieser Brand noch weiterglimmt. Aber ihr Feuer entzündet die Klasse nicht mehr. In Stendhals Julien Sorel lebt noch ebenso das revolutionäre Feuer des Jakobinertums

wie in Hölderlin. Und wenn die Hoffnungslosigkeit der Lage jenes verspäteten Jakobiners sich äußerlich vom Hölderlinschen Schicksal tief unterscheidet, wenn Juliens Schicksal keine elegische Klage, sondern ein mit heuchlerisch-machiavellistischen Mitteln geführter Machtkampf gegen die niederträchtige Gesellschaft der Restaurationsperiode ist, so ist doch die Hoffnungslosigkeit die gleiche und hat ähnliche soziale Wurzeln. Auch Julien Sorel bringt es nicht weiter, als am Ende eines verfehlten Lebens in einen pseudoheroischen tragischen Tod zu flüchten, nach einem Leben voll von unwürdiger Heuchelei der Gesellschaft endlich seine plebejisch-jakobinische Verachtung ins Gesicht zu schleudern. Die schöpferische Form, in der der letzte spätgeborene Jakobiner Frankreichs erschien, ist ironisch-realistisch gewesen. In England traten solche Spätgeborenen ebenfalls klassizistisch, ebenfalls elegisch-hymnisch auf: Keats und Shelley. Während aber das Keatsche Schicksal sehr viele, auch äußerlich verwandte Züge mit dem Hölderlins an sich trägt, durchbricht bei Shelley eine neue Sonne den mystischen Horizont, ein neuer Jubel bricht in die elegische Klage ein. Keats betrauert in seiner größten Fragmentdichtung das Schicksal der von den niederträchtigen neuen Göttern gestürzten Titanen. Auch Shelley besingt das Schicksal eines alten Gottes, den Kampf der neuen, miserablen Götter gegen die alten Götter der Goldenen Zeit (die Goldene Zeit, die »Herrschaft Saturns«, ist in den meisten Mythen zugleich der Mythos der Periode vor Privateigentum und Staat), den Kampf des gefesselten Prometheus gegen den neuen Gott Zeus.

Aber bei Shelley werden die usurpatorischen neuen Götter gestürzt und die Befreiung der Menschheit hymnisch gefeiert. Shelley hat bereits in die neue, in die aufgehende Sonne, in die Sonne der proletarischen Revolution geblickt. Er konnte die Befreiung des Prometheus besingen, weil er bereits die Männer Englands zum Aufstand gegen die kapitalistische Ausbeutung aufrufen konnte:

»Sow seed, – but let no tyrant reap;
Find wealth, – let no imposter heap;
Weave robes, – let not the idle wear;
Forge arms, – in your define to bear.«

Bei Shelley eröffnet sich die Perspektive zum Übergang der für die eigene Klasse verspätet geborenen Jakobiner zum wirklichen Befreiungskampf der Menschheit.

Was in England um 1819 gesellschaftlich, wenigstens als dichterisch visionäre Perspektive, für ein revolutionäres Genie möglich war, war in Deutschland am Ende des 18. Jahrhunderts für niemand möglich. Der breite Weg der deutschen bürgerlichen Intelligenz führte aus den Widersprüchen der damaligen inneren und welthistorischen Lage Deutschlands in den geistigen Sumpf des romantischen Obskurantismus; die Akkommodation Goethes und Hegels rettete und bildete weiter das beste Erbe der bürgerlichen Gedankenentwicklung, wenn auch in einer vielfach verbogenen und kleinlich gemachten Form. Die heroische Kompromißlosigkeit Hölderlins mußte in eine verzweifelte Sackgasse führen. Er ist wirklich ein einzigartiger Dichter, der keine Nachfolge gehabt hat und haben konnte. Aber nicht in dem Sinne jener, die heute sein Andenken mit den Lobeserhebungen seiner Schwächen und Unklarheiten besudeln, sondern weil seine tragische Lage für die bürgerliche Klasse nicht mehr wiederkehren konnte.

Ein späterer Hölderlin, der nicht Shelleys Weg eingeschlagen hätte, wäre eben kein Hölderlin, sondern ein borniert klassizistischer Liberaler gewesen. Wenn Arnold Ruge in dem *Briefwechsel von 1843* seinen Brief mit der berühmten Klage Hölderlins über Deutschland eröffnet, so antwortet Marx: »Ihr Brief, mein treuer Freund, ist eine gute Elegie, ein atemversetzender Grabgesang, aber politisch ist er ganz und gar nicht. Kein Volk verzweifelt, und sollte es auch lange Zeit nur aus Dummheit hoffen, so erfüllt es sich doch nach vielen Jahren einmal aus plötzlicher Klugheit alle seine frommen Wünsche.«

Das Lob von Marx läßt sich auf Hölderlin anwenden, denn Ruge tut nichts weiter, als sein Motto verflachend zu variieren, der Tadel gilt allen, die die Hölderlinsche Klage erneuert haben, nachdem ihr auslösender Grund, die objektive Hoffnungslosigkeit seiner Position, von der Geschichte selbst aufgehoben war.

Hölderlin konnte keine dichterische Nachfolge haben. Die späteren enttäuschten Elegiker des 19. Jahrhunderts beklagen einerseits viel privatere Schicksale, anderseits können sie nicht imstande sein, in der Klage über die Miserabilität ihrer Gegenwart den Glauben an die Menschheit in jener Reinheit zu bewahren, wie dieser Glaube in Hölderlin lebte. Dieser Kontrast hebt Hölderlin weit über das allgemeine falsche Dilemma des 19. Jahrhunderts hinaus: er ist weder platter Optimist noch verzweifelt irrationalistischer Pessimist; er verfällt stilistisch weder in einen akademisch-klassizistischen Objektivismus noch in einen impressionistisch zerfließenden Subjektivismus; seine Lyrik ist weder trocken, lehrhaft-gedankenvoll noch von einer stimmungshaften Gedankenleere.

Hölderlins Lyrik ist eine Gedankenlyrik. Ihren Ausgangspunkt bildet der zur weltanschaulichen Höhe gehobene (freilich zugleich idealistisch mystifizierte) innere Widerspruch der bürgerlichen Revolution. In dieser Gedankenlyrik leben beide Seiten des Widerspruchs: das jakobinisch-griechische Ideal und die miserable bürgerliche Wirklichkeit, ein gleichgestaltetes sinnliches Leben. In dieser hohen stilistischen Meisterung des unlösbaren Widerspruchs, der seinem gesellschaftlichen Sein zugrunde lag, liegt die unvergängliche Größe Hölderlins. Er ist nicht nur als verspäteter Märtyrer an einer verlassenen Barrikade des Jakobinismus tapfer gefallen, sondern er hat auch dieses Martyrium – das Martyrium der besten Söhne einer einst revolutionären Klasse – zu einem unsterblichen Gesang gestaltet.

Auch der Roman *Hyperion* hat einen solchen lyrisch-elegischen Grundcharakter. Er ist weniger erzählend als klagend und anklagend. Trotzdem haben die bürgerlichen Kritiker unrecht, die im *Hyperion* eine ähnliche lyrische Auflösung der epischen Form erblicken wie etwa in Novalis' *Heinrich von Ofterdingen*. Hölderlin ist auch stilistisch kein Romantiker. Er geht theoretisch über die Schillersche Konzeption des antiken Epos als »naiv« (im Gegensatz zur modernen »sentimentalischen« Dichtung) hinaus, aber der Tendenz nach in der Richtung eines revolutionären Objektivismus. Er sagt: »Das epische, dem Schein nach naive Gedicht ist in seiner Bedeutung heroisch. Es ist die Metapher großer Bestrebungen.«

Die geschichtliche Tragik Hölderlins wirkt sich in seiner künstlerischen Praxis dahin aus, daß der epische Heroismus bloß zu einem Anlauf kommen, daß aus den großen Bestrebungen doch nur ihre elegische Metapher gestaltet werden kann. Die epische Fülle muß sich aus der Handlung in die Seele der Handelnden zurückziehen. Dieser inneren Handlung gibt aber Hölderlin eine sehr hohe sinnliche Plastik und Objektivität, eine so hohe, wie dies von den tragisch widerspruchsvollen Grundlagen seiner Konzeption aus nur möglich war. Auch hier ist sein Scheitern nicht nur heroisch, sondern wird zum Heldenlied: er stellt dem Goetheschen »Erziehungsroman« zur Anpassung an die kapitalistische Wirklichkeit einen »Erziehungsroman« zum heroischen Widerstand gegen diese Wirklichkeit entgegen.

Er will die »Prosa« der Welt des *Wilhelm Meister* nicht romantisch »poetisieren«, wie Tieck oder Novalis, sondern stellt dem deutschen Paradigma des großen Bourgeoisromanes den Entwurf eines Citoyenromans gegenüber.

Hyperion trägt auch stilistisch die Male der aussichtslosen Problematik dieser Gattung an sich. Der Versuch, den Citoyen episch zu gestalten, mußte scheitern. Aber aus diesem Scheitern erwächst ein einzigartiger lyrisch-epischer Stil: der stilistische Objektivismus einer tiefen Anklage gegen die Gesunkenheit der bürgerlichen Welt, nachdem das Licht der heroischen »Selbsttäuschung« erloschen ist. Der lyrische, fast nur »metaphorisch« mit Handlung erfüllte Roman Hölderlins steht auf diese Weise stilistisch vereinsamt in der bürgerlichen Entwicklung: nirgendwo sonst ist eine derart rein innerliche Handlung so sinnlich-objektiv gestaltet worden wie hier; nirgendwo sonst ist die lyrische Einstellung des Dichters so weit ins Epische aufgenommen worden wie hier.

Hölderlin hat sich nie kritisch gegen den großen bürgerlichen Roman seiner Zeit gewandt wie Novalis. Trotzdem ist sein Gegensatz zu *Wilhelm Meister* tiefer: er stellt ihm einen ganz anderen Typus des Romans gegenüber. Während dieser organisch aus den gesellschaftlichen und stilistischen Problemen des französisch-englischen Bourgeoisromans des 18. Jahrhunderts herauswächst, nimmt Hölderlin den Faden der Probleme dort auf, wo aus den revolutionären Idealen der Umgestaltung des Lebens durch das Bürgertum ein Citoyenepos zu formen versucht wurde, wo Milton den großen gescheiterten Versuch gemacht hatte, das notwendig idealistische Dasein und Schicksal des Citoyen mit antiker Plastik zu gestalten. Die erstrebte Plastik des Epos löst sich aber bei Milton in großartige lyrische Beschreibungen und in rein lyrisch-pathetische Explosionen auf.

Hölderlin verzichtete von vornherein auf das unmögliche Bestreben, auf bürgerlichem Boden ein Epos zu schaffen, er stellt, den Notwendigkeiten des Romans folgend, seine Gestalten und ihre Schicksale von vornherein in ein – wenn auch noch so stilisiertes – bürgerliches Alltagsleben. Dadurch ist er gezwungen, den Citoyen nicht ganz ohne Zusammenhang mit der Welt des Bourgeois zu gestalten. Er kann zwar auch nicht dem idealistischen Citoyen ein vollblütiges materielles Leben verleihen, er nähert sich aber der wirklich plastischen Gestaltung viel mehr als irgendeiner seiner Vorgänger in der Gestaltung des Citoyens.

Gerade seine historisch-persönliche Tragik, daß die heroische »Selbsttäuschung« der Bourgeoisie keine Fahne mehr für wirkliche revolutionäre Heldentaten, sondern nur für die Sehnsucht nach solchen sein konnte, schafft die stilistische Voraussetzung für dieses – relative – Gelingen. Niemals sind die von einem bürgerlichen Dichter gestalteten seelischen Konflikte so wenig bloß seelisch, so wenig bloß privat-persönlich, so *unmittelbar-öffentlich* gewesen wie hier. Der lyrisch-elegische Roman Hölderlins ist – trotz seines notwendigen Scheiterns, gerade in seinem Scheitern – die objektivste Citoyenepik der bürgerlichen Entwicklung.

(1934)

Klaus Pezold
Zu Hölderlins »Empedokles«

Der in Frankfurt skizzierte Plan *Empedokles. Ein Trauerspiel in fünf Akten* ist unmittelbar aus dem Roman *Hyperion* herausgewachsen. In der einleitenden Charakteristik des Empedokles erhält die Schilderung der Deutschen im vorletzten Brief mit der radikalen Kritik an den Folgen der Arbeitsteilung ihr direktes Gegenstück, wenn es von dem Helden heißt, er sei »durch sein Gemüt und seine Philosophie schon längst zu Kulturhaß gestimmt, zur Verachtung alles sehr bestimmten Geschäfts, alles nach verschiedenen Gegenständen gerichteten Interessen, ein Todfeind aller einseitigen Existenz«. Daraus folgt, daß er selbst in »wirklich schönen Verhältnissen unbefriedigt« bleiben muß, weil auch sie »besondere Verhältnisse sind« und damit die Totalität des Lebens, den »großen Akkord mit allem Lebendigen« ausschließen. In diesem Widerspruch liegt der latente Grund für den Entschluß des Helden zum Freitod, die dramatische Handlung des konzipierten Trauerspiels hat nur die Aufgabe, sie auszulösen. Bei ihrer Konstruktion verwendet Hölderlin viele Einzelheiten aus dem im 3. Jahrhundert u. Z. entstandenen Werk von Diogenes Laertios, *Leben und Meinungen berühmter Philosophen,* das auch die verschiedensten Zeugnisse und Legenden über Leben und Tod des historischen Empedokles (etwa 490–430 v. u. Z.) zusammengetragen hat. Das Ärgernis am Fest der Agrigentiner ist dort vorgebildet, ebenso die Errichtung der Statue und die spätere Verfeindung mit der Stadt. Auch der Lieblingsschüler wird von Diogenes erwähnt, sein von ihm mit überlieferter Name erscheint im Frankfurter Plan jedoch noch nicht.

Die Übersicht über den Gang der Handlung, die sich aus dem Plan gewinnen läßt, zeigt eine klare und zwingende dramatische Grundstruktur. Der vierte und fünfte Akt wie-

derholen äußerlich gesehen das Geschehen des ersten und zweiten: beide Male führt die Verstimmung des Helden zu dessen Auszug aus der Stadt und zum Besteigen des Ätna – aber die Wiederholung ist zugleich eine Steigerung. Nun *reift* Empedokles' Entschluß, »der längst schon in ihm dämmerte, durch freiwilligen Tod sich mit der unendlichen Natur zu vereinen«. Was Hyperion sich selbst verwehrt hatte, »so ungerufen der Natur ans Herz zu fliegen«, nimmt Empedokles als Recht für sich in Anspruch. Er kann es, da er von Anfang an ist, was Hyperion erst werden soll: Priester und Verkünder der göttlichen Natur. Die Gestalt des griechischen Naturphilosophen Empedokles, der als Redner, Dichter, Sühnepriester und Arzt auf seine Zeitgenossen gewirkt hat, bot Hölderlin somit besonders günstige Ansatzpunkte für die Weiterführung der Hyperion-Problematik; hierin wird auch hauptsächlich der Grund dafür zu suchen sein, daß das Empedokles-Thema den älteren Plan des Dichters verdrängen konnte, den Tod des Sokrates »nach den Idealen der griechischen Dramen zu bearbeiten« (Brief an Neuffer vom 10. Oktober 1794).
Im Unterschied zum *Hyperion* liegt vom *Empedokles* keine zu des Dichters Lebzeiten gedruckte oder von ihm für den Druck autorisierte Fassung vor, die drei Fragmente gebliebenen Stufen des Trauerspiels sind – von relativ wenigen Versen abgesehen – auch nicht als Reinschriften, sondern nur als vielfach überarbeitete und korrigierte Entwürfe überliefert, was die wissenschaftliche Edition des Textes vor äußerst schwierige Fragen gestellt hat, die erst seit dem von Friedrich Beißner besorgten 4. Band der Großen Stuttgarter Ausgabe als im wesentlichen gelöst gelten können. Ähnliche Probleme ergaben sich hinsichtlich der Chronologie der drei Fassungen, da es dafür ebenfalls weitaus weniger Belege gibt als im Falle des Romans. Aus den dennoch vorhandenen Zeugnissen läßt sich jedoch mit relativer Sicherheit folgende Abfolge der drei Ansätze Hölderlins behaupten: An der ersten Fassung arbeitet er intensiv seit

seinem Eintreffen in Homburg im Herbst 1798. Im zeitigen Frühjahr 1799 bricht er die Arbeit an dieser ab und beginnt mit der zweiten Fassung, die sich vor allem durch die neue metrische Form (verkürzte Jamben) von der ersten abhebt und die im Juni des gleichen Jahres so weit gediehen gewesen sein muß, daß Hölderlin in Briefen ihr baldiges Erscheinen ankündigen konnte (daß er von dieser Fassung eine Reinschrift begonnen hat, spricht ebenfalls dafür, daß mehr von ihr fertig gewesen ist, als uns an Text überliefert wurde). Im Spätsommer 1799 wird aber auch diese Fassung unvollendet zugunsten eines neuen Versuches aufgegeben. Es entsteht zuerst der Aufsatz *Grund zum Empedokles*, dem sich direkt der Entwurf der dritten Fassung anschließt, von der der erste Akt ausgearbeitet wird, worauf noch ein Entwurf zur weiteren Fortsetzung folgt. Spätestens im Frühjahr 1800 bricht Hölderlin die Arbeit an der dritten Fassung und damit am Trauerspiel überhaupt endgültig ab.

Zwei neue Fragestellungen vor allem unterscheiden die erste Fassung vom Frankfurter Plan: die nach der Schuld des Helden, mit der Hölderlin die schon im *Hyperion* geführte Auseinandersetzung mit dem subjektiven Idealismus Fichtes wieder aufnimmt und vertieft und die nach Empedokles' Wirken innerhalb des politischen Lebens seiner Vaterstadt. Nicht zufällig bildet jeweils eine Volksszene den Mittel- und Höhepunkt der beiden in größter, ja bis zu Symmetrie führender Strenge komponierten Akte, die uns von der ersten Fassung überliefert sind; die in ihnen gestaltete Problematik steht jetzt im Zentrum des dramatischen Geschehens. Beide Szenen sind einander, wie überhaupt die beiden Akte, antithetisch zugeordnet. In der ersten gelingt es dem Gegenspieler Hermokrates, das Volk gegen Empedokles, der eine innere Krise durchlebt, einzunehmen und seine Verbannung aus Agrigent zu erwirken. In der zweiten kommen die Agrigentiner zu dem heimatlos gewordenen Empedokles, um ihn zur Rückkehr in die Vaterstadt zu bewegen. Hermokrates, der sich zum Sprecher des Volkes gemacht hat, um seinen Einfluß nicht ganz einzubüßen, entgeht nur durch das Eingreifen seines Gegners dem Zorn der Bürger Agrigents. Empedokles versöhnt sich mit den Agrigentinern, lehnt jedoch die ihm angetragene Königswürde ab. Er tut das als überzeugter Republikaner:

> »Dies ist die Zeit der Könige nicht mehr.«

Indem er so dem Volk gleichsam seine Souveränität zurückgibt, setzt er bei ihm die Möglichkeit und Bereitschaft zu eigenem verantwortlichem Tun in einem Maße voraus, das die Reife der Agrigentiner im Drama und die des deutschen Bürgertums am Ende des 18. Jahrhunderts weit übersteigt. Die Reaktion auf seine Worte ist deshalb erschrockenes Nichtverstehenkönnen:

> »Wer bist du, Mann?
> (. . .)
> Unbegreiflich ist das Wort,
> So du gesprochen, Empedokles.«

Aber – und das macht die Dialektik in Hölderlins Auffassung von der Rolle des Volkes aus – Empedokles weiß dennoch, daß die ihm fassungslos Gegenüberstehenden selbst erkennen und handeln müssen, daß es ihnen ein einzelner nicht abnehmen kann:

> »(. . .) Euch ist nicht
> Zu helfen, wenn ihr selber euch nicht helft.«

Empedokles weiß um ihre Neigung, im Bestehenden zu verharren, aber der von ihm an dieser Stelle gebrauchte Vergleich mit Pflanze und Tier bedeutet, daß sie sich dann des spezifisch Menschlichen begeben. Die Worte von der »bornierten Häuslichkeit der Deutschen« in dem zum Jahreswechsel 1798/1799 verfaßten Brief Hölderlins an den Bruder enthalten von hier aus ihr kritisches Gewicht: sie umschreiben den stärksten Einwand gegen eine menschliche Existenz, der für den Dichter möglich ist. Denn sein Ideal vom Menschen und menschlicher Gemeinschaft fordert gerade das dem Insichverharren Entgegengesetzte:

»(...) Menschen ist die große Lust
Gegeben, daß sie selber sich verjüngen.
Und aus dem reinigenden Tode, den
Sie selber sich zu rechter Zeit gewählt,
Erstehn, wie aus dem Styx Achill, die Völker.
O gebt euch der Natur, eh sie euch nimmt! –«

Von notwendiger Verjüngung des Menschen und seiner gesellschaftlichen Institutionen hatte Herder in seinem 1792 in der vierten Sammlung der »Zerstreuten Blätter« erschienenen Aufsatz *Thiton und Aurora* gesprochen, der Hölderlin in Waltershausen so beeindruckt hatte, daß er in einem Brief an Neuffer vom Juli 1794 ganze Teile daraus wörtlich angeführt hat. Herder versucht in diesem Aufsatz, die Frage, wie sich der Mensch selbst verjüngen könne, durch den Hinweis auf eine mit Palingenesie umschriebene Evolution zu beantworten. Am Schluß stand die optimistische Frage: »(...) und wer sagt uns, wie oft noch der alte Tithonus des Menschengeschlechts sich auf unserm Erdball neu verjüngen könne, neu verjüngen werde?« Dies ist auch die Grundhaltung des Hölderlinschen Empedokles, ebenso der von Rousseau stammende Glaube an die Natur, an natürliche Verhältnisse, als das Maß aller Dinge. So wie Empedokles als einzelner seine Krisis zu überwinden im Begriffe ist, so soll auch das Volk aus der Erstarrung herausfinden. Die Lebensordnungen Agrigents sind überlebt:

»Ihr dürstet längst nach Ungewöhnlichem,
Und wie aus krankem Körper sehnt der Geist
Von Agrigent sich aus dem alten Gleise.«

Herder hatte geschrieben: »Alle (...) Einrichtungen der Gesellschaft sind Kinder der Zeit (...)« und: »Oft steht Jahrhunderte lang ihr Körper zur Schau da, wenn die Seele des Körpers längst entflohen ist, oder sie schleichen als Schatten umher zwischen lebendigen Gestalten.« Und wie sehr ein solcher Gedanke die damalige Zeit allgemein beschäftigte, beweisen die fast wörtlich gleichen Formulierungen in Hegels 1798 geschriebener Studie *Über die neue-*

sten innern Verhältnisse Württembergs, besonders über die Gebrechen der Magistratsverfassung: »Wie blind sind diejenigen, die glauben mögen, daß Einrichtungen, Verfassungen, Gesetze, die mit den Sitten, den Bedürfnissen, der Meinung der Menschen nicht mehr zusammenstimmen, aus denen der Geist entflohen ist, länger bestehen, daß Formen, an denen Verstand und Empfindung kein Interesse mehr nimmt, mächtig genug seien, länger das Band eines Volkes auszumachen.«

Bedenkt man, daß in den gleichen Jahren die Ideologie der europäischen Konterrevolution – vor allem seit Edmund Burkes *Gedanken über die französische Revolution* – alles historisch Gewordene als unantastbar erklärte, so gewinnt diese Haltung eine besondere Bedeutung. Bei Hölderlins Empedokles kommt noch hinzu, daß hier die Überwindung der Erstarrung nicht Evolution, sondern einen qualitativen Umschlag, einen revolutionären Akt notwendig macht:

> »So wagts! was ihr geerbt, was ihr erworben,
> Was euch der Väter Mund erzählt, gelehrt,
> Gesetz und Brauch, der alten Götter Namen,
> Vergeßt es kühn, und hebt, wie Neugeborne
> Die Augen auf zur göttlichen Natur.«

Die hieran unmittelbar anschließende große Verkündigung des Empedokles, deren emphatische Schau der Wiederkehr der Götter hinüberweist zu der späten Hymne *Friedensfeier,* nennt das Ziel der Erneuerung. Es sind die Ideale der Französischen Revolution in ihrer nicht durch den bourgeoisen Klassenegoismus entstellten Grundsubstanz, die in den nächsten Versen hymnisch besungen werden.

Hölderlins, ihre bürgerliche Grenzen mißachtendes Bild von der Revolution als einer allgemeinen Erneuerung der Menschheit kann dabei am ehesten mit den historischen Illusionen der Jakobiner verglichen werden, sosehr es andererseits unrichtig wäre, in Hölderlin schlechthin einen Jakobiner sehen zu wollen, da ein solch vergröberndes Festlegen sein Verhältnis zur realen Jakobinerdiktatur außer acht läßt. Das Revolutionäre in seiner Dichtung ist nicht eindeutig auf eine bestimmte politische Richtung innerhalb der bürgerlichen Revolution zu beziehen, wie ja überhaupt die Bilder seiner Dichtung nicht restlos in eine andere Sphäre zu übertragen sind. Entscheidend ist, daß in der ersten Fassung des Empedokles die revolutionäre Umgestaltung des gesellschaftlichen Seins der Agrigentiner als dem neuen Göttertag notwendig vorausgehend angesehen wird. Damit gibt Hölderlin die Deutung der eigenen Zeit: die Jahre der Revolutionskriege, in denen der »furchtbare Geist der Unruh« herrscht, sollen eine neue harmonischere Welt vorbereiten.

Um die Jahreswende 1798/99 konnte Hölderlin auch im hic et nunc wieder an die Möglichkeit solcher gesellschaftlicher Erneuerung glauben. Der gemeinsame Aufenthalt mit Sinclair in Rastatt hatte neue Hoffnungen für seine engere Heimat aufkommen lassen. Nach der Regierungsübernahme in Württemberg durch Herzog Friedrich Wilhelm Karl Ende 1797 hatte sich der schon lange andauernde Konflikt mit den Ständen verschärft, wodurch deren linker Flügel radikalisiert und in größere Nähe zur demokratischen Bewegung im Lande gebracht worden war. Mit einem Vertreter dieser Richtung, dem Ludwigsburger Bürgermeister Christian Friedrich Baz, hatte Sinclair, der »zu den klarsichtigsten Revolutionären« gehörte, »die auch die Jakobinerdiktatur als notwendige Phase der Französischen Revolution begriffen hatten«[1], in Rastatt verhandelt. Ziel ihrer Bestrebungen war die Errichtung der Republik Württemberg, wofür die »entschiedensten Reformen wie Baz (...) sogar (...) den Weg der Revolution zu gehen«[2] bereit waren. »Niemals hat sich der deutsche Süden so nahe einer Revolution gefühlt, wie in den beiden letzten Jahren des Jahrhunderts (...) Die Schweizer Revolution schien auf das

1 Heinrich Scheel, *Süddeutsche Jakobiner. Klassenkämpfe und republikanische Bestrebungen im deutschen Süden Ende des 18. Jahrhunderts,* Berlin 1962, S. 454.
2 A.a.O., S. 459.

nahe Schwaben überzugreifen; der helvetischen sollte die ›schwäbische Republik‹ folgen.«[3] Die süddeutschen Republikaner hofften dabei auf Unterstützung durch die französischen Truppen, mit deren Vormarsch unmittelbar gerechnet wurde. Daß Hölderlin diese Erwartungen teilte, dafür spricht der Brief an die Mutter von Anfang März 1799, in dem es heißt: »Im Falle, daß die Franzosen glücklich wären, dürfte es vielleicht in unserem Vaterlande Veränderungen geben.«

Das ständige Zusammensein mit dem aktiv politisch tätigen Sinclair hatte Hölderlins Hinwendung zu den Problemen der Gegenwart, seine Anteilnahme an den Fragen des gesellschaftlichen Seins verstärkt, wenn man auch keineswegs davon sprechen kann, Sinclairs Einfluß allein habe dieses Interesse bewirkt.

Von hier aus erklärt sich der Wandel der *Empedokles*-Dichtung vom Frankfurter Plan zur ersten Fassung, erklärt es sich, weshalb die bei Diogenes Laertios überlieferte demokratische Haltung des historischen Empedokles jetzt in das Zentrum der Dichtung rückt. Damit erhält auch der Freitod des Helden neue Züge. Er ist nicht nur die Bekräftigung der Botschaft des Sehers, er steht darüber hinaus in deutlicher Parallele zur geforderten revolutionären Selbsterneuerung des Volkes. Empedokles', die alte Innigkeit mit der Natur wiederherstellender Tod im Ätna zeugt von der menschlichen Möglichkeit, sich aus der Erstarrung zu neuer Jugend zu retten, die gleichermaßen für das Volk gilt. Empedokles gibt mit seiner Tat den zaudernden Agrigentinern ein Beispiel. Während es in der Empedoklesepisode des *Hyperions,* in der Ode *Empedokles* und im Frankfurter Plan letztlich die Weltflucht des bedeutenden Individuums gewesen war, die als Problem – allerdings meist auch als problematisch empfunden – im Mittelpunkt gestanden

3 Erwin Hölzle, *Das alte Recht und die Revolution. Eine politische Geschichte Württembergs in der Revolutionszeit 1789 bis 1805,* München und Berlin 1931, S. 232.

hatte, versucht die erste Fassung das Einzelschicksal in Beziehung zum Volksschicksal zu bringen. Dahinter steht hier die Hoffnung auf reale gesellschaftliche Erneuerung in Deutschland. In dem Maße, wie sie wieder schwindet, wird das Verhältnis variiert; es bestimmt aber auch dann noch Hölderlins Bemühen um seine Tragödie.

Der Übergang zur dritten Fassung vollzieht sich in der Sphäre theoretisch-philosophischer Auseinandersetzung mit den Problemen der Dichtung. Der Aufsatz *Grund zum Empedokles* nimmt die wichtigsten Züge der letzten Fassung vorweg, leitet sie von allgemeineren Fragestellungen ab. Im Zentrum steht der Gedanke des Opfertodes als neue Sinngebung des Empedoklesschicksals. Dieses Schicksal ist erwachsen aus einer Zeit »der gewaltigen Entgegensetzung von Natur und Kunst«, die seine Person ergriffen hat: »Je mächtiger das Schicksal, die Gegensätze von Kunst und Natur waren, um so mehr lag es in ihnen, sich immer mehr zu individualisieren, einen festen Punkt, einen Halt zu gewinnen, und eine solche Zeit ergreift alle Individuen so lange, fordert sie zur Lösung auf, bis sie eines findet, in dem sich ihr unbekanntes Bedürfnis und ihre geheime Tendenz sichtbar und erreicht darstellt, von dem aus dann erst die gefundene Auflösung ins Allgemeine übergehen muß. So individualisiert sich seine Zeit in Empedokles, und je mehr sie sich in ihm individualisiert, je glänzender und wirklicher und sichtbarer in ihm das Rätsel aufgelöst erscheint, um so notwendiger wird sein Untergang.«

Sein geschichtlicher Augenblick erfordert das Opfer des Einen, in dem sich die Gegensätze der Zeit aufzulösen scheinen, damit die Lösung allgemein werden kann.

Hier ist die Position der dritten Fassung deutlich fixiert; sowohl der Verlauf der tragischen Handlung – soweit er erschließbar ist – als auch die zentrale Manes-Szene sind hieraus zu erklären. Es hat sich eine Wandlung vollzogen in der Stellung des einzelnen, Empedokles', gegenüber Zeit und Volk. Nicht mehr die als Vorbild wirkende Tat kann die vom Schicksal gestellte Aufgabe erfüllen, sondern nur noch das Opfer, durch das in mythischer Weise das Entzweite zu neuer Harmonie findet. Bestimmende Faktoren für diese folgenreiche Wende in Hölderlins Weltbild sind in der historischen Konstellation der Jahrhundertwende zu suchen. Nicht nur das Scheitern des Planes, eine eigene Zeitschrift herauszugeben, und die damit verbundene wachsende Bedrohung der materiellen Voraussetzungen seines Schaffens gewinnen in der zweiten Hälfte des Jahres 1799 Einfluß auf ihn und seine Dichtung; es sind ebenso Veränderungen in der politischen Situation, die seine Hoffnungen in Frage stellen und ihm die Gegenwart immer zwiespältiger und undurchschaubarer erscheinen lassen müssen. Die durch den Rastatter Aufenthalt und das gemeinsame Leben mit Sinclair neu belebte Erwartung, der Glaube an die Möglichkeit einer gesellschaftlichen Umgestaltung der engeren Heimat, wurde von der tatsächlichen Entwicklung im Frühjahr und Sommer 1799 – wie schon in der Mitte der neunziger Jahre – schwer enttäuscht. Zwar kam es zu dem erhofften Vormarsch der Franzosen, aber bereits am 16. März erließ General Jourdan eine Proklamation gegen alle revolutionären Bestrebungen. Das Direktorium hatte die Stände nur unterstützt, um einen Druck auf den Herzog auszuüben und ihn zum Bündnis mit Frankreich zwingen zu können. Für die demokratische Bewegung in Württemberg bedeutete das einen kaum wieder auszugleichenden Rückschlag. Ihr Elan war gebrochen; resignierendes Sichabfinden mit dem Bestehenden wurde zur verbreiteten Grundstimmung. »Die Übertreibungen sind nirgends gut, und so ist es auch nicht gut, wenn die Menschen sich vor allem fürchten, was nicht schon bekannt und ausgemacht ist, und deswegen jedes Strebens nach einem Vollkommneren, als schon vorhanden ist, für schlimm und schädlich halten. Eben dieses scheint mir jetzt die allgemeinere Stimmung zu sein (...)«, klagt Hölderlin in einem Brief an die Mutter vom 16. November des gleichen Jahres.

Die offen antirevolutionäre Politik Frankreichs in Süddeutschland führte bei den demokratisch gesinnten bürgerlichen Intellektuellen zur Verschärfung der schon vorher latenten Krise. Je offensichtlicher die französischen Armeen aufhörten, aktive Förderer des gesellschaftlichen Fortschritts zu sein, je mehr sie wie 1799 in Württemberg die Feudalmacht zu stützen begannen, desto stärker mußte von den deutschen Anhängern der demokratisierten Ideen die nationale Bedrohung empfunden werden. Viele, die aus Begeisterung für die Ideale der Revolution vorher in französische Dienste getreten waren, verließen sie in den Jahren um die Jahrhundertwende wieder, darunter auch der mit Sinclair befreundete Exponent der Homburgischen Revolutionsanhänger Franz Wilhelm Jung.
Die mit dem Staatsstreich Bonapartes vom 18. Brumaire 1799 einsetzende Entwicklung in Frankreich verschärfte die Widersprüche und vergrößerte die Verwirrung der Fronten, nachdem die französischen Niederlagen im Sommer die Gefahr eines Sieges der Feudalmächte heraufbeschworen hatten. Hinzu kamen die schädlichen ökonomischen Auswirkungen der langen Kriegszeit besonders in den süddeutschen Gebieten. All das schuf den realen Hintergrund für die Problematik des »untergehenden Vaterlandes«, von welcher der in großer zeitlicher Nähe zur letzten *Empedokles*fassung entstandene Aufsatz Hölderlins *Das Werden im Vergehn* auf philosophischer Ebene handelt.
Und die Sicht auf die eigene Zeit ist auch spürbar im Dialog zwischen Manes und Empedokles. Manes schildert die geschichtliche Situation, in der sich der eine bewähren wird:

> »Es gärt um ihn die Welt, was irgend nur
> Beweglich und verderbend ist im Busen
> Der Sterblichen, ist aufgeregt von Grund aus.
> Der Herr der Zeit, um seine Herrschaft bang,
> Thront finster blickend über der Empörung.
> Sein Tag erlischt, und seine Blitze leuchten,

Doch was von oben flammt, entzündet nur,
Und was von unten strebt, die wilde Zwietracht.«

Es ist eine Zeit extremer Entgegensetzungen. Sie ist unüberschaubar, eine Entscheidung der Kämpfe erscheint unmöglich. Nur der Eine, in dem sich die Zeit individualisiert hat, vermag die Gegensätze zu versöhnen. Aber die Auflösung ist eine scheinbare, »temporäre«. Sie kann erst Bestand annehmen, wenn das Individuum, sich opfernd, untergeht. Ebenso wie die Rede des Manes weist das subjektive Erleben, das Empedokles dem objektiven Zeitbild des anderen entgegenhält, die aus der theoretischen Studie bekannte Dreiteilung auf. Trotzdem endet die Szene nicht mit einem echten gegenseitigen Erkennen. Ihr Offenbleiben deutet zu der zweiten Manesszene im vierten Akt hinüber, die sicherlich als Gegenstück zur ersten Klarheit bringen sollte. Dazwischen hätte im dritten Akt die Begegnung Empedokles' mit den zur Versöhnung bereiten Agrigentinern und seinem königlichen Bruder den zentralen Platz im ganzen Drama eingenommen, der schon im ersten und zweiten Akt der ersten Fassung der Volksszene vorbehalten war. Es liegt nahe anzunehmen, daß in ihr die innere Beziehung des Opfertodes zum Volksschicksal tiefer erfaßt worden wäre. Mit Sicherheit hierüber auszusagen, lassen die wenigen Andeutungen über den Verlauf der Tragödie im Fortsetzungsentwurf allerdings nicht zu. Fest steht nur, was eine Randbemerkung zum fünften Akt belegt, daß nämlich als Resultat des letzten Gespräches zwischen Empedokles und Manes dieser in Empedokles endgültig den Berufenen erkannt hat, »der tödte und belebe, in dem und durch den eine Welt sich zugleich auflöse und erneue«. Das *Werden* im Vergehen, als das sich der Prozeß des untergehenden Vaterlandes darstellt, hat in ihm seinen Verkünder gefunden: »Auch der Mensch, der seines Landes Untergang so tödlich fühlte, könnte so sein neues Leben ahnen.« Dieser Satz spricht eine für sein weiteres Schaffen äußerst fruchtbare Überzeugung Hölderlins aus: Was hier von Empedokles gesagt wird, ist auch auf den Dichter selbst zu beziehen, es berührt die Grundlagen für die danach einsetzenden vaterländischen Gesänge. Und noch ein Satz jener Anmerkung zum fünften Akt ist bedeutungsvoll. Es heißt von Manes: »Des Tags darauf, am Saturnusfeste, will er ihnen (den Agrigentinern) verkünden, was der letzte Wille des Empedokles war.« Die Wahl dieses Tages nach dem Vorbild der römischen Saturnalien, an denen in Erinnerung an das »goldene Zeitalter« die sozialen Unterschiede ausgelöscht schienen, alle Menschen gleich waren, kann nicht als zufällig angesehen werden. Sie beweist vielmehr, daß die soziale Utopie aus der Verkündigung der ersten Fassung nicht zurückgenommen wird. Nur der Weg, der aus der wirren Gegenwart zu erfüllter Zukunft hinführen soll, ist ein anderer geworden. Die Erneuerung vollzieht sich im Opfertod des einzelnen. Dieser Opfertod des Empedokles muß als spezifische Ausformung eines Grundmotivs in Hölderlins Dichtung unter einer besonderen historischen und philosophischen Konstellation verstanden werden. Der Tod im Kampf für die Befreiung des Vaterlandes hatte schon im *Hyperion* einen bedeutsamen Platz eingenommen, ebenso in der kurz vor der letzten Fassung des Trauerspiels entstandenen Idylle *Emilie vor ihrem Brauttag*. Mit der Ode *Der Tod fürs Vaterland* war ihm schließlich ein selbständiges Gedicht gewidmet worden, dessen Wandlungen zwischen 1797 und dem Sommer 1799 von prinzipieller Bedeutung sind. Meinte die erste Fassung noch eindeutig den revolutionären Kampf, den Aufstand gegen die Unterdrücker im eigenen Land, so wandelt sich die Aussage während der späteren Überarbeitung immer mehr ins Allgemeinere zur Feier eines gerechten vaterländischen Krieges, wobei der revolutionäre Gehalt – wie auch die Sinclair zugeeignete Ode *An Eduard* (endgültige Fassung 1801) beweist – nicht aufgegeben, aber in einem übergreifenden Moment aufgehoben und aufgelöst wird. Auf einer anderen Ebene vollzieht sich hier die gleiche Entwicklung, die an den drei Fassungen des *Empedokles* abzulesen war und deren Ursachen anzudeuten versucht wurde. Für eine unmittelbare Revolutionsdichtung bot die geschichtliche Lage in Deutschland keinen Raum. Eben deshalb wurde der Freitod des Empedokles am Ende zum mythischen Selbstvollzug der Erneuerung für die er zuvor ein Beispiel hatte geben sollen. Er ist aber auch jetzt das Gegenteil einer romantischen Flucht in den Tod; vielmehr soll er im gesellschaftlichen Sein des Volkes das bewirken, was real für Hölderlin und seine Zeit nicht zu verwirklichen war. Es ist der Versuch des Dichters, seiner Zeiterfahrung *und* seiner Zukunftshoffnung, wenn schon nicht in »wirklicher Welt«, so doch in »bildlicher Darstellung« (Brief an den Bruder vom 1. Januar 1799) Gestalt zu geben, der Versuch, die Ideale des Citoyen sowohl gegenüber der in seiner Heimat noch unüberwundenen alten Feudalwelt als auch gegenüber der aufkommenden neuen Realität des Bourgeois zu behaupten. Diese Haltung des Trotzalledem verleiht Hölderlins Tragödie ihr dichterisches Pathos und läßt sie schon im Ansatz jene Forderung erfüllen, die Schiller zur gleichen Zeit im Prolog zu seinem *Wallenstein* verkündet hat:

> »Und jetzt an des Jahrhunderts ernstem Ende,
> Wo selbst die Wirklichkeit zur Dichtung wird,
> Wo wir den Kampf gewaltiger Naturen
> Um ein bedeutend Ziel vor Augen sehn,
> Und um der Menschheit große Gegenstände,
> Um Herrschaft und um Freiheit wird gerungen,
> Jetzt darf die Kunst auf ihrer Schattenbühne
> Auch höhern Flug versuchen, ja sie muß,
> Soll nicht des Lebens Bühne sie beschämen.«

Den künstlerischen Maßstab, dem er selbst mit seinem *Tod des Empedokles* genügen wollte, hat Hölderlin in einem Brief an Neuffer vom 3. Juli 1799 – also aus der Zeit des Überganges zur dritten Fassung – formuliert, in dem das Trauerspiel als »die strengste aller poetischen Formen«

charakterisiert wird, der nur überpersönliche heroische Gegenstände entsprechen und »die ganz dahin eingerichtet ist, um, ohne irgendeinen Schmuck fast in lauter großen Tönen, wo jeder ein eignes Ganze ist, harmonisch wechselnd fortzuschreiten, und in dieser stolzen Verleugnung alles Akzidentellen das Ideal eines lebendigen Ganzen, so kurz und zugleich so vollständig und gehaltreich wie möglich, deswegen deutlicher aber auch ernster als alle andre bekannte poetische Form darstellt«. Hatten schon die Veränderungen der ersten Fassung gegenüber dem Frankfurter Plan und die der zweiten gegenüber der ersten im Zeichen fortschreitender »Verleugnung alles Akzidentellen« gestanden, so erreicht Hölderlins Streben nach einer am Beispiel der antiken Tragödie orientierten Strenge der Form mit der dritten Fassung seinen Höhepunkt. Das »innigere Studium der Griechen«, vor allem der Tragödien des Sophokles, von dem er in einem Brief aus dem Winter 1799/1800 spricht und das neben der Beschäftigung mit Dramen von Shakespeare und Schiller die Arbeit am *Empedokles* ständig begleitet hat, wird hier am weitestgehenden für das eigene Werk folgenreich. Dadurch, daß jetzt das Geschehen des ganzen früheren ersten Aktes im Eingangsmonolog des Helden konzentriert ist, erfährt nicht nur das dramatische Geschehen eine bedeutende Verdichtung, es verstärken sich auch die analytischen Züge nach dem Vorbild griechischer Dramatik. Darüber hinaus führt Hölderlin mit Manes eine Gestalt ein, die dem Seher Tiresias bei Sophokles nahe rückt, und sieht er jetzt erstmals die Verwendung des Chores in seinem Trauerspiel vor.

Auch mit seinem *Tod des Empedokles* ging es Hölderlin demnach – wie schon mit seinem *Hyperion*-Roman – um Entdeckungen auf der »terra incognita im Reiche der Poesie«. Das Fragmentarische seiner Ergebnisse darf dabei nicht zu der vorschnellen Annahme verleiten, die seit Wilhelm Waiblingers Aufsatz *Friedrich Hölderlins Leben, Dichtung und Wahnsinn* aus den Jahren 1827/28 immer wieder eine Rolle gespielt hat, eine Vollendung des Trauerspiels sei von vornherein ausgeschlossen gewesen, da Hölderlins »poetisches Talent kein dramatisches, sondern ein rein lyrisches war«. Die genauere Betrachtung der stufenweise Präzisierung des dramatischen Plans widerlegt eine solche These ebenso wie ein Blick auf Hölderlins Leistung bei der Übersetzung und Deutung der Sophokleischen Tragödien. Daß der *Tod des Empedokles* Fragment geblieben ist, liegt in erster Linie an den für Hölderlin nicht überwindbaren äußeren und inneren Widerständen, die seine Situation am Ausgang des 18. Jahrhunderts der Vollendung des Trauerspiels entgegengestellt hat.

Als Thomas Mann 1928 in einem programmatisch so überschriebenen Aufsatz seine deutsche Zeitgenossen zur Begegnung und geistigen Synthese von »Kultur und Sozialismus« aufrief, zu »Bund und Pakt der konservativen Kulturidee mit dem revolutionären Gesellschaftsgedanken«, faßte er sein Anliegen abschließend in folgendes Bild, das er schon einmal – 1922 – in seinem Essay *Goethe und Tolstoi. Fragmente zum Problem der Humanität* gebraucht hatte: »Ich sagte, gut werde es erst stehen um Deutschland, und dieses werde sich selbst gefunden haben, wenn Karl Marx den Friedrich Hölderlin gelesen haben werde – eine Begegnung, die übrigens im Begriffe sei, sich zu vollziehen. Ich vergaß, hinzuzufügen, daß eine einseitige Kenntnisnahme unfruchtbar bleiben müßte.« Die hier formulierte Einsicht hat Thomas Manns weiteren Weg in der Zeit des Faschismus und nach 1945 wesentlich beeinflußt. Er, der sich selbst als Repräsentant der »konservativen Kulturidee« empfand, hat bis in sein Todesjahr hinein nach der Gemeinsamkeit mit den Vertretern des revolutionären Gesellschaftsgedankens gestrebt: als er und Johannes R. Becher 1955 im Nationaltheater Weimar die beiden Festansprachen zum 150. Todestag Friedrich Schillers hielten, wurde das zu einem, eine große Bemühung abschließenden symbolischen Akt. Und es besteht kein Zweifel, daß andererseits auch Bechers Ringen um Thomas Mann mit im Zeichen jener Begegnung von Karl Marx und Friedrich Hölderlin gesehen und verstanden werden kann, man denke nur daran, welchen Platz Werk und Gestalt dieses Dichters in Bechers Deutschlandbild der Emigrationsjahre einnehmen. Nicht zuletzt eine derartige Wirkung Hölderlins macht deutlich, wie wenig er aus den geistigen Prozessen unseres Jahrhunderts ausgeklammert werden kann.

Und doch bedarf das von Thomas Mann gebrauchte Bild zugleich einer ergänzenden Korrektur. Hölderlins heroischer Versuch, sich mit seiner Dichtung seiner Zeit, den Forderungen des historischen Augenblicks zu stellen, der dem Jahrzehnt der Arbeit an *Hyperion* und *Empedokles* sein Gepräge gegeben hat, läßt die Frage neu durchdenken, inwieweit er wirklich im Sinne Thomas Manns für die »konservative Kulturidee« stehen, ob er schlechthin als Gegenpol zum »revolutionären Gesellschaftsgedanken« gelten kann. Die Beziehung zwischen Karl Marx und Friedrich Hölderlin, so erweist es sich dabei, ist nicht nur zu fassen als Begegnung ihrer geistigen Erben, sie besteht auch immanent. Nicht im Sinne der Konstruktion von unhistorischen Parallelen, sondern unter dem Aspekt jener demokratischen Traditionslinie der deutschen Geschichte und Kultur, die von der revolutionären Arbeiterbewegung und vom Marxismus aufgenommen worden ist und weitergeführt wird.

(1963/1969)

Pierre Bertaux
Hölderlin und die Französische Revolution

Als ich mich vor vierzig Jahren der Hölderlinforschung zuwandte, hörte ich – und seitdem mehr als einmal – fragen: »Hölderlin? Sie, ein Franzose? Wie kann denn ein Franzose Hölderlin verstehen, den deutschesten aller deutschen Dichter?«
Heute möchte ich den Spieß umkehren und fragen: »Was kann ein Deutscher von Hölderlin verstehen?« Mit diesem Paradox will ich einfach sagen, daß den Deutschen *eine* Voraussetzung fehlt, um Hölderlin ganz, um ihn in allen seinen Aspekten zu verstehen. Ihnen fehlt das eingefleischte Vertrautsein mit der Geschichte der Französischen Revolution und dem Revolutionspathos, wie es der Franzose hat. Vielleicht gehört es auch zu dieser besonderen Art von Verständnis, in begeisterter Jugend die Geschichte der Französischen Revolution mit Herzklopfen gelesen zu haben, in der – zum Beispiel bei Michelet – so manche Stelle wie eine Übersetzung aus dem *Hyperion* klingt.
In Deutschland wurde die politische Dimension von Hölderlins Leben und Werk unterschätzt, ja sie blieb unberücksichtigt. Sie wurde als belanglos abgetan, wenn nicht gar falsch dargestellt.
Im Jahre 1921, in den Anfängen der Hölderlinforschung, schrieb Ludwig von Pigenot im Band III der sonst so verdienstvollen Hellingrath-Ausgabe folgende Sätze, die tonangebend wirkten:
»Die Frage nach Hölderlins politischer Gesinnung (...) scheint mir überhaupt gegenstandslos zu sein. Wie wenig ist im Grunde gesagt, wenn man ihn nach dem Zeitgeschmacke einen Royalisten oder Jakobiner nennt, da bei ihm doch all und jedes einem innersten Quell entspringt und auch sein äußerliches Reagieren immer nur vom

Grundstoße eines metaphysischen Wissens her begriffen werden darf.«[1]

Etwas später, 1928, schloß Thomas Mann seinen Aufsatz über *Kultur und Sozialismus* mit den Worten (ich zitiere abkürzend):

»Was not täte, was endgültig deutsch sein könnte, wäre ein Bund und Pakt der konservativen Kulturidee mit dem revolutionären Gesellschaftsgedanken (...) Ich sagte, gut werde es erst stehen um Deutschland, und dieses werde sich selbst gefunden haben, wenn Karl Marx den Friedrich Hölderlin gelesen haben werde (...)«[2]

Für Pigenot war es gleichgültig, ob man Hölderlin einen Royalisten oder einen Jakobiner nannte; für Thomas Mann war Hölderlin der Vertreter *par excellence* der konservativen Kulturidee.

Noch vor sieben Jahren erschien ein Sammelband mit 25 Beiträgen »zum Verständnis Hölderlins in unserm Jahrhundert«. Stefan George, Gundolf, Walter Benjamin, Heidegger usw. Das Beste vom Besten in sechzig Jahren. Auf 400 Seiten wird, glaube ich, die Französische Revolution nur dreimal erwähnt. Das eine Mal von Eduard Spranger, und zwar nebenbei, ohne direkten Bezug auf Hölderlin. Hingegen schreibt Spranger von dem Dichter:

»Hölderlin scheint neben (Hegel) zu stehen als der schönheitstrunkene Schwärmer, als die zarte Seele, die bestimmt war, mit ihrer inneren Traumwelt am Schicksal zu zerbrechen. Er scheint zu denen zu gehören, die das Politische von sich schieben, weil sie fürchten, daran innerlich unrein zu werden (...)«[3]

Ein anderes Mal, im Beitrag von Eugen Gottlob Winkler, wird unterstellt, Hölderlin sei in Frankreich vom Anblick der Spuren der »tierischen Kämpfe«, die die Trup-

1 1. Aufl., S. 489 f.
2 *Gesammelte Werke in 12 Bänden,* Berlin 1955, Bd. 11, S. 714.
3 Eduard Spranger, *Hölderlin und das deutsche Nationalbewußtsein* (1919). In: *Hölderlin, Beiträge zu seinem Verständnis in unserem Jahrhundert,* Tübingen 1961, S. 121.

pen der Französischen Revolution unter dem Zeichen des »unhimmlischen, unirdischen Dreigestirns einer illusorischen Freiheit, einer tödlichen Gleichheit und einer Brüderlichkeit im Gemeinen« gegen die frommen Bauern der Vendée führten, »im Grund seines Wesens erschüttert, in der Seele verstört« worden[4]; eine Mißdeutung, für die es eine doppelte Erklärung, jedoch keine Entschuldigung gibt: die erste, daß der Aufsatz von Eugen Gottlob Winkler erstmals 1936 veröffentlicht wurde; die zweite, daß Winkler die von ihm als spezifisch romantisch bezeichnete Haltung einnimmt, wo »von der Wirklichkeit gleichsam verlangt (wird), zu sein, wie sie der Einzelne denkt«.[5]

Die dritte Erwähnung der Französischen Revolution ist die von Karl Reinhardt; in diesem Band die einzige richtige und gerechte, auf die wir später zurückkommen werden.

Daß Hölderlin ein begeisterter Anhänger der Französischen Revolution, ein Jakobiner war und es im tiefsten Herzen immer geblieben ist, wurde ignoriert, als ob es sich um einen Makel gehandelt hätte. Das ist auch verständlich, angesichts der Hetze, ja der Hexenjagd, die in Deutschland auf die sogenannten »Jakobiner« gemacht wurde. In demselben Jahre 1921, in dem Ludwig von Pigenot den erwähnten Satz schrieb, sagte Jakob Wassermann in seinem Pamphlet *Mein Weg als Deutscher und Jude:* »Juden sind die Jakobiner der Epoche«[6], was für die Verleumdung, Verfolgung und Ausrottung der Jakobiner in Deutschland nicht wenig sagen will.

Um mich bildlich auszudrücken: Wenn im Vierfarbendruck eine Farbe fehlt, mag das Bild noch so scharf sein – es ist arg entstellt. Dem deutschen Hölderlin-Bild, das »in lieblicher Bläue blühet«, fehlt eine Farbe: das Rote. Als

4 Eugen Gottlob Winkler, *Der späte Hölderlin.* In: *Hölderlin, Beiträge zu seinem Verständnis in unserem Jahrhundert,* a.a.O., S. 371.
5 A.a.O., S. 375.
6 Jakob Wassermann, *Mein Weg als Deutscher und Jude,* Berlin 1921, S. 118.

ob die deutsche Forschung rotblind wäre; oder vielleicht rotscheu.
Das seit Jahrzehnten Versäumte kann ich nicht hoffen, in einer Stunde nachzuholen. Ich muß mich damit begnügen, auf einige Daten zur Ergänzung des Hölderlin-Bildes hinzuweisen und vielleicht der Hölderlin-Forschung neue Perspektiven zu eröffnen. Ich werde übrigens nichts sagen, das man nicht wüßte – oder wissen sollte. Auch werde ich so oft wie möglich den Dichter selbst zu Worte kommen lassen. Peter Szondi sprach von der »äußersten Präzision und Durchdachtheit von Hölderlins Sprachgebrauch«.[7] Leider fehlt es noch an einer methodischen Wortfeldforschung. Doch wissen wir schon, daß jedes Wort des Dichters in seiner vollen Bedeutung, vollinhaltlich und ernst zu nehmen ist; jedes enthält eine Aussage. Er sagt nichts »umsonst«. Nur muß man ihn hören wollen, und auf seine Worte horchen: ουκ ἐμοῦ, ἀλλὰ τοῦ λόγου ἀκούσαντες, sagte sein Meister Heraklit.[8]
Jetzt, da ich es unternehme, Ungewohntes, vielleicht Befremdendes vorzutragen, muß ich die verehrten Anwesenden bitten, mir mit etwas Geduld entgegenzukommen und, um es mit des Dichters Worten zu sagen, mir »nur gutmüthig« zuzuhören. So wird mein Beitrag »sicher nicht unfaßlich, noch weniger anstößig« sein.

Zuerst einige chronologische Daten zum historisch-biographischen Rahmen der Darstellung.
Die Zeit, die Hölderlin erlebte – die reißende Zeit –, das war die Zeit der Großen Revolution in Frankreich, die ganz Europa in Bewegung setzte.
Im Herbst 1788 zieht Hölderlin in das Tübinger Stift ein. Am 14. Juli 1789 wird in Paris die Bastille gestürmt. Hölderlin ist neunzehn Jahre alt. Am ersten Jahrestag, am 14. Juli 1790, findet das größte Fest aller Zeiten in Paris

7 Peter Szondi, *Hölderlin-Studien,* Frankfurt 1967, S. 78.
8 Diels-Kranz, 22 B 50.

statt, das Föderationsfest, die arkadische Feier des brüderlichen Bundes aller Franzosen, der Gründungstag des französischen Patriotismus. Dieser Feier, der manche Deutsche beiwohnten, unter ihnen Alexander von Humboldt, galten in Deutschland Verse wie Herders:

> »Rings um den hohen Altar siehst du die Franken zu Brüdern
> Und zu Menschen sich weihn, Göttliches, heiliges Fest.«[9]

Ab Oktober wohnt Hölderlin auf der Augustinerstube des Stiftes mit Hegel und Schelling zusammen. Im Herbst 1793 werden die Girondisten zuerst in Paris, dann in der französischen Provinz verfolgt und vernichtet. Hegel wird als Hofmeister in Bern engagiert, Hölderlin bekommt eine Erzieherstelle bei Charlotte von Kalb.

Ende Juli 1794 wird Robespierre gestürzt. Der Höhepunkt der Revolution in Frankreich ist überschritten. Doch muß die Französische Republik gegen die Koalition ihrer Feinde, die sie vernichten wollen, weiter Krieg führen. Im Herbst kommt Hölderlin nach Jena, wo er Fichte hört.

1796 dringen zwei Armeen der Französischen Republik, »Rhin et Moselle« und »Sambre et Meuse«, bis nach Frankfurt und Stuttgart vor. Der Frankfurter Bankier Gontard schickt seine Frau und seine Kinder mit dem Hofmeister Friedrich Hölderlin nach Westfalen. Hölderlin schreibt den ersten Band des *Hyperion*.

1798 finden europäische Friedensverhandlungen auf dem Rastatter Kongreß statt. Hölderlins Verhältnis zum Hause Gontard wird gelöst. Er zieht nach Homburg zu Sinclair, von dem Bettina, selbst eine fortschrittlich gesinnte Frau, später schrieb: »Sinclair, der junge Mann, der in Deutschland eine Revolution stiften wollte.«[10] Ende des Jahres besucht Hölderlin seinen Freund Sinclair in Rastatt, wo

9 Herder, *Sämtliche Werke*, ed. Suphan, Bd. 29, S. 659.
10 Bettina Arnim, *Ilius Pamphilius und die Ambrosia*, Leipzig/Berlin 1848.

die schwäbischen Freiheitsfreunde, um Baz, den Bürgermeister von Ludwigsburg, gesammelt, eine Revolution in Württemberg planen. Der Helvetischen soll die Schwäbische Revolution folgen. Dreifarbige Kokarden rot-gelb-blau, Flugschriften und Verfassungsentwürfe werden unter die schwäbische Bevölkerung verteilt. Hegel hat eine Flugschrift entworfen, die sich an das württembergische Volk richtet, zum Thema: »Der Zeitgeist, der gegenwärtige Geist der Zeit gleicht einem Strom, der alles mit sich fortreißt.«[11] Man rechnet auf die Unterstützung der Französischen Republik. Auch für den Herzog von Württemberg ist offenkundig, daß das Komitee der schwäbischen Freiheitsfreunde nur den französischen Vormarsch erwartet, um den Freiheitsbaum aufzupflanzen. Doch paßt die Revolutionierung Süddeutschlands nicht in die Politik des französischen Direktoriums. Statt sich für die schwäbischen Revolutionäre einzusetzen, gibt General Jourdan am 16. März 1799 bekannt, daß alle revolutionären Bewegungen in Württemberg von der französischen Armee zu bekämpfen seien. Die schwäbische Revolution findet nicht statt. Eine Schwäbische Republik wird es nicht geben. Am 25. März sagt Baz dem Ausschuß:

»Ich glaube, man hat keine Ursache, das französische Gouvernement zu tadeln, daß es in dem gegenwärtigen Augenblick keine Revolution in Deutschland begünstigen will. Es werden sich vielleicht in der Folge Mittel finden, das Schicksal der Völker ohne Revolution zu verbessern.«[12]

Ende März war der Elan der revolutionären Bewegung in Schwaben gebrochen. Ende April wurde der Rastatter Kongreß gesprengt. Der Krieg der Zweiten Koalition gegen die Französische Republik brach aus. Am 3. Dezember 1799 wurden die Franzosen hinter den Rhein zurückgeworfen. Baz wurde verhaftet. Erwin Hölzle schreibt:

11 Vgl. Erwin Hölzle, *Altwürttemberg und die Französische Revolution.* In: *Württ. Vierteljahreshefte,* N. F., 34 (1928), S. 273–286.
12 Hölzle, a.a.O.

»Die gebildeten Kreise (in Schwaben) waren wieder gute Untertanen geworden. Das Volk wollte – mit verschwindenden Ausnahmen – längst nichts mehr von Umtrieben und Reformen wissen.«[13]

Nach dem siegreichen Zug der Truppen der Französischen Republik gegen die Kaiserlichen wird im Februar 1801 der Frieden geschlossen. Der europäische Frieden von Lunéville gibt den Anlaß zu Hölderlins *Friedensfeier*.

Baz war nach dem Frieden von Lunéville entlassen worden. Doch wurde er später wieder verhaftet, da er, der entschiedenste Vorkämpfer der Freiheit, seine Hoffnungen und Pläne, wie früher auf die Revolution, so jetzt, entsprechend der veränderten Lage, auf eine Revolte der Thronfolger in Württemberg gesetzt hatte. Doch hätte diese Revolte erst stattfinden können, wenn der Herrscher beseitigt worden wäre. So entstand der Plan einer Verschwörung, an der Sinclair führend beteiligt war.

1805 wurden Sinclair und einige seiner Freunde denunziert und verhaftet unter der Beschuldigung, sie hätten eine Verschwörung angezettelt, um den Kurfürsten von Württemberg umzubringen. Hölderlin wäre auch, wenigstens als Mitwisser, auf dem Hohen Asperg (wie damals Schubart) eingesperrt worden, wenn ihn nicht der Landgraf geschützt hätte, unter anderem dadurch, daß er einen Arzt mit einem Gefälligkeitsgutachten beauftragte, das den Magister Hölderlin für völlig wahnsinnig erklärte.

Nach der Entlassung Sinclairs und der Mediatisierung der Landgrafschaft Homburg mußte Hölderlin nach Tübingen gebracht werden. Er wurde mit Gewalt abtransportiert. Man lese den herzzerreißenden Bericht der Landgräfin über den dramatischen Auftritt, wo Hölderlin glauben konnte, er sei verhaftet. Und von diesem Tage an war er wirklich wahnsinnig.

13 Hölzle, a.a.O.

Diese kurzgefaßte parallele Chronologie erbringt noch nicht den Erweis, daß der Dichter an den Ereignissen innerlich oder äußerlich beteiligt war. Doch rühmte Hölderlin die Alten, »wo jeder mit Sinn und Seele der Welt angehörte, die ihn umgab«. (Neujahrsbrief 1. Januar 1799 an den Bruder.) Im *Grund zum Empedokles* beschreibt er seinen Helden als »einen Sohn des Himmels und seiner Periode«. Warum sollte es mit dem Dichter selbst anders sein?

Tatsächlich hat er die politischen Ereignisse sehr genau und mit Leidenschaft verfolgt. Noch in der Zeit der Umnachtung lebte er ein letztes Mal auf, als er die Nachricht bekam von den Erfolgen, welche die Griechen im Freiheitskampf gegen die Türken errangen – ungefähr 1824, in derselben Zeit, als Lord Byron in Missolunghi sein Leben ließ.

Von Hölderlins politischen Ansichten gibt es Zeugnisse genug, wenn er sich auch in seinen Briefen nicht allzu offen ausspricht. Das ist auch verständlich in einer Zeit, wo Goethe seinen Freunden empfahl, die Siegel seiner Briefe beim Empfang zu prüfen, wo Magenau seinen Herzensbruder Hölderlin warnte: »Briefe haben Ohren!«.[14] Andererseits sind Hölderlins Briefe absichtlich und selektiv verstümmelt worden; schon Seebaß sprach von der »Hölderlin-Verhunzung«.[15] Die Vermutung liegt nahe, daß die aufschlußreichsten Stellen als gefährlich oder anstößig in der Überlieferung ausgemerzt wurden.

Von Hölderlins drei großen Erlebnissen, dem Wesen der Griechen, der Liebe zu Susette Gontard und der Revolution, ist das letztere das entscheidende gewesen. Da Hyperion todentschlossen in den Befreiungskrieg zieht, sagt ihm Diotima: »Ich wußte es bald; ich konnte dir nicht Alles sein.«[16]

14 Brief Magenaus an Hölderlin vom 6. März 1792, Hellingrath VI, S. 236.
15 Friedrich Seebaß, Hellingrath I, S. 353 (Einleitung zum Anhang).
16 *StA*, III, S. 129.

Die politische Meinung des Dichters hat sich im Tübinger Stift zwischen 1789 und 1793 gebildet, also in den ersten Jahren der Französischen Revolution. Mit der Zeit hat sie sich kaum geändert, wie es bei anderen Dichtern, so bei Klopstock, Herder, Novalis, den Brüdern Schlegel, aus verschiedenen Gründen der Fall gewesen ist. Auch hat sich diese seine Meinung kaum weiterentwickelt, wie bei Hegel, wenn dieser auch noch als alter Mann die Französische Revolution als »einen herrlichen Sonnenaufgang«[17] zu rühmen wußte. Das Lob, das sich Hölderlin wünscht, spricht er in der Ode *An Eduard* aus:

»er lebte doch
Treu bis zuletzt!«[18]

Oder in der Rheinhymne:

»Doch nimmer, nimmer vergißt ers.
Denn eher muß die Wohnung vergehn,
Und die Sazung und zum Unbild werden
Der Tag der Menschen, ehe vergessen
Ein solcher dürfte den Ursprung
Und die reine Stimme der Jugend.«[19]

Oder in *Stimme des Volks:*

»Du seiest Gottes Stimme, so glaubt ich sonst,
In heilger Jugend; ja und ich sag es noch!«[20]

Seine Begeisterung galt dem Ideal der Jakobiner, nämlich der auf Freiheit, Gleichheit und Brüderlichkeit gegründeten demokratischen Republik. Eher als einer Konstruktion des Geistes entspricht es einem Gefühl des Herzens. Es

17 Joachim Ritter, *Hegel und die Französische Revolution,* Frankfurt 1965, S. 23: (die Französische Revolution) wird als »Morgenröthe« mit »Taumel« begrüßt (VI, 8). Im gleichen emphatischen Ton nennt die ›Philosophie der Geschichte‹ die Revolution einen »herrlichen Sonnenaufgang«: »Alle denkenden Wesen haben diese Epoche mitgefeiert. Eine erhabene Rührung hat in jener Zeit geherrscht, ein Enthusiasmus der Geister hat die Welt durchschauert« (XI, S. 557 f.).
18 *StA,* II, S. 40, V. 26 f.
19 *StA,* II, S. 144 f., V. 90–95.
20 *StA,* II, 49, V. 1 f.

ist Temperamentssache. Man gehört zu den »Freigeborenen« oder nicht. »Das meiste nämlich vermag die Geburt.« Hölderlins Ideal ist einfach, arkadisch, archaisch – und doch heute noch lebendig und aktuell.

Der ausführlichste Ausdruck dieses Ideals ist die Rede des Empedokles an die Agrigentiner, wo zu den drei Punkten der Trikolore die Aufforderung zur Teilung der Güter hinzugefügt wird. Der bündigste und kräftigste Ausdruck ist im Epigramm *Advocatus diaboli* zu finden:

> »Tief im Herzen haß ich den Troß der Despoten und Pfaffen,
> Aber noch mehr das Genie, macht es gemeinsam sich damit.«[21]

Mit diesen Worten spricht Hölderlin der Jenaer Romantik das vernichtendste Urteil – wohl ein paar Monate im voraus, aber Dichter haben solche Ahnungen; sie »kennen im ersten Zeichen Vollendetes schon«. Gerade zur selben Zeit nämlich warben die Schlegel und Novalis byzantinisch und, wie Novalis selbst sagt, zynisch, um die Gunst und die Subsidien der preußischen Monarchie; sie baten die Fürsten um Anstellung und Anweisung; sie traten bewußt in den Dienst der konservativen Reaktion, die unter Metternich blühen wird. Wer an den politischen Aspekt der romantischen Poesie nicht glauben will, vergleiche die 1798 in den *Jahrbüchern der preußischen Monarchie* anonym veröffentlichte Schrift von Novalis *Glauben und Liebe oder der König und die Königin* mit den Worten Gneisenaus, die dieser am 20. August 1811 an Friedrich Wilhelm, König von Preußen, schrieb: »Religion, Gebet, Liebe zum Regenten, zum Vaterland, zur Tugend sind nichts anderes als Poesie. Auf Poesie ist die Sicherheit der Throne gegründet.« Dieses weitsichtige Wort Gneisenaus haben die deutschen Romantiker völlig bestätigt. Hölderlin dachte anders. Schon 1790 hatte er hellseherisch geschrieben: »Auch die Tyrannen, die auf (Solon) folgten, förderten die schö-

21 *StA*, I, S. 229.

nen Künste. Sie wollten, wie unter den Römern August, die Aufmerksamkeit des Volks dadurch von seiner politischen Lage ablenken.«[22]

Genauer definiert entspricht Hölderlins Gesinnung derjenigen der Girondisten, die dem Jakobinismus, wie man in Deutschland fälschlich meint, nicht entgegengesetzt war. Die Girondisten vertraten den rechten, gemäßigten Flügel der Jakobiner, bis die »Montagnards«, die zum Äußersten entschlossen waren, um die bedrohte Republik zu retten, sie politisch und physisch liquidierten.

Hölderlin teilte die Überzeugung eines Stäudlin, seines Vorbildes und Beschützers, eines Cotta, eines Franz Wilhelm Jung, eines Emerich, eines Ebel, eines Muhrbeck, eines Böhlendorff, um von Sinclair und von Landauer nicht zu reden. Alle seine Freunde waren Jakobiner.

Wäre er zehn Jahre früher geboren... Es gibt einen schwäbischen Dichter, den Sohn eines Pfarrers, der die Klosterschulen von Denkendorf und Maulbronn besuchte, ins Tübinger Stift aufgenommen wurde, eine Hauslehrerstelle in der Schweiz, dann eine in Bordeaux annahm, ein Schwabe, den die Liebe zur Dichtkunst beseelte, der mit Conz und Stäudlin einen Freundschaftsbund bildete – auch er ein Enkel der Regina, ein entfernter Vetter Hölderlins: Karl Friedrich Reinhard. Er war Hauslehrer in Bordeaux, als die Französische Revolution ausbrach. Begeistert schloß er sich einem Girondisten-Klub an, der Gesellschaft der Freunde der Verfassung. Aus ihm wurde ein angesehener französischer Diplomat; er war sogar drei Monate Außenminister der Französischen Republik. Er wurde Mitglied der Académie Française und einer der ersten Würdenträger der von Napoleon gegründeten Légion d'Honneur. Er überlebte die Restauration in Ehr' und Würden und endete als »Comte Reinhard, Pair de France«. Doch schrieb er in einem späten Brief aus dem Jahre 1836: »Wie Erfahrung und Jahre sie beschränken und modifizieren moch-

22 *StA*, IV, S. 198, Z. 5 ff.

ten, die *Idee* blieb immer.«[23] Bei aller Weiterentwicklung, die Reinhard und Hegel durchmachten, hätte ihnen Hölderlin die Treue nicht abgesprochen.

Hölderlin stand, wie Reinhard, wie Hegel, wie alle Nachfolger Rousseaus, wie alle Jakobiner, vor dem Problem der politischen Aktion und ihrer Vereinbarkeit mit dem politischen Ideal, dem immer noch nicht gelösten Problem der Verwirklichung der Freiheit. Unter anderem suchte er einen Weg, den Widerspruch zu lösen zwischen dem Ziel einer vorzubereitenden besseren Menschheit und dem ihm heiligen Glaubenssatz: Alles ist gut. Wozu denn ist der Terror gut? Und wozu mag die dunkle Reaktion, die Wiederkehr der uralten Verwirrung, die »Wildniß« gut sein? Wozu ist die Bosheit der Menschen, ihre Trägheit gut? »Ungeheuer ist viel. Doch nichts / Ungeheuerer, als der Mensch«[24], hatte Sophokles gesagt.

Seinem Freund Hegel wurde Zeit und Kraft genug gegeben, den Widerspruch durch den Gebrauch des dialektischen Instruments zu überwinden. Hölderlin ist auf der Strecke geblieben.

Wenn schon Hölderlins politische Ansichten ziemlich eindeutig zu definieren sind, so bleibt die Frage: Wie stand er zur politischen Aktion? Die Frage wird allgemein damit abgetan, daß man ihn als einen verträumten, wirklichkeitsfremden Phantasten betrachtet. Ja er selbst bezeichnet sich als einen Schwärmer. Doch gerade von Schwärmern, nicht von kalten Realisten, werden die Revolutionen gestiftet, wird die Welt verändert. Ein Schwärmer – unter Umständen nur ein Schwärmer – kann ein Mann der Tat sein. Es ist zum mindesten eine sehr gewagte Behauptung, anzu-

23 Aus einem Brief an Karl Sieveking, Heinersreut, 23. Sept. 1836. Nach Wilhelm Lang, *Graf Reinhard. Ein deutsch-französisches Lebensbild 1761–1837*. Bamberg 1896. Zitiert in: Karl Friedrich Reinhard, *Gedenkschrift zum 200. Geburtstag*. Stuttgart (o. J.), S. 100.
24 *StA*, V, S. 219, V. 349 f.

nehmen, der Schwärmer Hölderlin hätte es zur revolutionären Tat nicht bringen können. Man kann höchstens sagen, daß ihm keine Gelegenheit dazu geboten wurde, daraufhin geprüft zu werden. Doch manche Anzeichen sprechen dafür, daß er vor einer Aktion nicht zurückgescheut hätte, daß er sie öfters erwogen hat und dazu innerlich bereit war.

Den Dichter hat er von Anfang an als Helden aufgefaßt. Mit zwanzig Jahren, 1790, schrieb er:

»Orpheus war auch, wie Ossian, Barde und Held. Er nahm an den Abentheuern seiner Zeitgenossen, Jasons, Castors und Pollux, Peleus und Herkules, selbst Theil: so besang er den Argonautenzug (...) Aeschylus war auch Held. Man rühmt seine und seiner Brüder Tapferkeit in der Marathonischen Schlacht.«[25]

Im November 1794 schreibt er an Neuffer:

»Ich habe jetzt den Kopf und das Herz voll von dem, was ich durch Denken und Dichten, auch von dem, was ich pflichtmäßig, durch Handeln, hinausfüren möchte, lezteres natürlich nicht allein (...) Wenn's sein mus, so zerbrechen wir unsre unglüklichen Saitenspiele, und thun, was die Künstler träumten! Das ist mein Trost.«

Kurz danach, Ende Januar 1795, schreibt Hegel aus Bern an Schelling:

»(Hölderlins) Interesse für weltbürgerliche Ideen nimmt, wie mir scheint, immer mehr zu. Das Reich Gottes komme und unsere Hände seyen nicht müßig im Schoose.«

Am 1. Januar 1799, ein paar Wochen vor dem erwarteten Ausbruch der Revolution in Schwaben, schließt Hölderlin den langen und gewichtigen Neujahrsbrief an den Bruder, der wie ein Testament klingt, mit den Worten, die erst im Zusammenhang mit den bevorstehenden Ereignissen ihre volle Bedeutung gewinnen:

»(...) und wenn das Reich der Finsterniß mit Gewalt einbrechen will, so werfen wir die Feder unter den Tisch und

25 *StA*, IV, S. 190, Z. 24–27 und S. 201, Z. 31 f.

gehen in Gottes Nahmen dahin, wo die Noth am grösten ist, und wir am nöthigsten sind. Lebe wohl!

Dein Friz.«

Anfang März, einige Tage oder Stunden vor dem Ereignis, das nicht stattfinden wird, schreibt er an die Mutter in einem in ihrem Briefwechsel ganz ungewohnten, gespannten Ton:

»Liebste Mutter!

Ich kann Ihnen dißmal nur wenig schreiben. Ich bin zu sehr okkupirt (...) Es ist wahrscheinlich, daß der Krieg, der nun eben wieder ausbricht, unser Wirtemberg nicht ruhig lassen wird (...) Im Falle, daß die Franzosen glücklich wären, dürfte es vielleicht in unserem Vaterlande Veränderungen geben.

Ich bitte Sie (...) so ruhig wie möglich, mit dem stillen Sinne einer Christin, unsern Zeiten zuzusehn, und das Unangenehme, was Sie dabei betrift, zu tragen (...)

Daß Sie unter gewissen möglichen Vorfällen kein Unrecht leiden, dafür würd' ich mit allen meinen Kräften sorgen, und vieleicht nicht ohne Nuzen. Doch ist alles diß noch sehr entfernt. –«

Adolf Beck kommentiert sehr richtig:

»Gemeint ist ein Umsturz der politischen Verfassung in Württemberg, mit dem Ziel einer Republik.«[26] Die Zeilen lassen keinen Zweifel, weder an des Dichters Gesinnung, noch an seiner Beteiligung.

Und was hat schließlich Hölderlin dem deutschen Volk seiner Zeit vorgeworfen? Daß es nicht mehr »schwärmt«, daß es den Schritt vom Denken zur Tat scheut:

»Spottet nimmer des Kinds (...)
O ihr Guten! auch wir sind
Thatenarm und gedankenvoll!«[27]

Doch möchte er irren. Im selben Gedicht *An die Deut-*

26 *StA*, VI, S. 923, Z. 16 f.
27 *StA*, II, S. 9, V. 1 ff.

schen, der schwäbischen Marseillaise, wie man sie genannt hat, sagt gleich die zweite Strophe:

»Aber kommt, wie der Stral aus dem Gewölke
kommt,
Aus Gedanken vieleicht, geistig und reif die That?«

Wenn einmal seine Hoffnungen auf eine Schwäbische Republik nach dem Muster der Helvetischen Republik endgültig zerschlagen sind, muß er im Brief an Neuffer vom 3. Juli 1799 feststellen, daß

»die republikanische Form in unseren Reichstädten todt und sinnlos geworden ist, weil die Menschen nicht so sind, daß sie ihrer bedürften, um wenig zu sagen.«

Noch in dem späten Entwurf einer Hymne an die Madonna klingt der heroische Ton durch:

»Und zu sehr zu fürchten die Furcht nicht!«[28]

wie schon in einem Brief an den Bruder vom 10. Juni (oder Juli) 1796:

»Es wird wichtige Auftritte geben. Man sagt, die Franzosen seyen in Würtemberg (...) Sei ein Mann, Bruder! Ich fürchte mich nicht vor dem, was zu fürchten ist, ich fürchte mich nur vor der Furcht (...) Muth und Verstand braucht jezt Jeder. Hize und Ängstlichkeit sind jezt nicht mehr gangbare Münzen.«

Handeln, ja. Wie soll aber ein Dichter handeln? An sich ist die richtig verstandene Ausübung des Dichterberufs schon eine Form des Handelns. Auch nach der Enttäuschung von 1799 – und dann mehr denn je – glaubt Hölderlin an die Berufung des Dichters, die darin besteht, die ruhelosen Taten in weiter Welt, die Schicksalstage, die reißenden, nicht zu verschweigen und die Völker vom Schlafe zu wecken. Mit Stolz ruft er in den drei Fassungen von *Dichtermuth* aus: »Wir, wir, die Dichter des Volks« – »Wir, die Sänger des Volks« – »Wir, die Zungen des Volks«. Wohl ist die Stimme des Volks, des deutschen, entschieden eine fromme;

28 *StA*, II, S. 215, V. 119.

»Drum weil sie fromm ist, ehr' ich den Himmlischen
Zu lieb des Volkes Stimme, die ruhige,
Doch um der Götter und der Menschen
Willen, sie ruhe zu gern nicht immer!«[29]

Doch gibt es Zeiten und Umstände, wo das Dichten als Aktion nicht mehr ausreicht. Dann gibt es einen anderen Weg, den des Selbstopfers. Nichts anderes sagt Emilie vor ihrem Brauttag:

»Oft meint ich schon, wir leben nur, zu sterben,
Uns opfernd hinzugeben für ein Anders.
O schön zu sterben, edel sich zu opfern,
Und nicht so fruchtlos, so vergebens, Liebe!
Das mag die Ruhe der Unsterblichen
Dem Menschen seyn.«[30]

Die Vorstellung des Selbstopfers ist in Hölderlins ganzem Werk so zentral, daß es nicht nur poetische Phrase sein kann und daß wir nicht ausschließen dürfen, er habe es auch als persönliches Schicksal, als Möglichkeit, ja als Entscheidung erwogen.

Hier angelangt, könnten einige einwenden, daß alles bis jetzt hier Vorgebrachte zu einem besseren Verständnis der Person Friedrich Hölderlins wohl beitrage – ob jedoch auch zum Verständnis seines Werkes, das bleibe offen. Dazu möchte ich zunächst Norbert von Hellingrath zitieren:

»Wenn ich von Hölderlins Leben Ihnen sprechen will, so ist das nichts anderes, als wenn ich von seinem Werke rede. Es gibt da nichts Doppeltes und Trennbares. Sein Leben steht in einem einzigen Dienst (. . .) Leben und Werk verhalten sich wie Stimme und Gebärde eines Redenden (. . .) Eine Anspannung, in der alles verschmilzt, eine Gewalt, die diesen Leib, diese Worte, diesen Weg gestaltet hat.«[31]

29 *StA,* II, S. 50, V. 49–53.
30 *StA,* I, S. 286, V. 267–272.
31 *Hölderlins Wahnsinn. Hölderlin-Vermächtnis,* München 1944², S. 151.

Hölderlin war ein Monist, ein bewußter. Ich weiß, daß das Wort Monist im deutschen Sprachgebrauch eine Anklage enthält und so etwas wie eine Beschimpfung ist, vielleicht nicht ganz so schlimm wie »Jakobiner«, vielleicht noch schlimmer. Doch nicht umsonst hat Hölderlin von Anfang bis Ende den Dualismus verworfen; nicht umsonst hat er seine Devise, das ἓν καὶ πᾶν, das ἓν διαφέρον ἑαυτῷ, nach Heraklit geprägt. Er kennt keine zwei Welten, sondern nur eine. Die Poesie ist Reflexion (im optischen Sinne gefaßt), also ein Spiegelbild des Zeitgeschehens und des Wesens der Dinge. Sie macht das Betrachten der Welt (als Spekulation, nach dem Worte »speculum«) unschädlich und erst möglich – wie auch Perseus, wenn er an die Gorgo herantritt, deren Anblick den Betrachter zu Stein werden läßt, sie nur im unschädlichen Spiegelbild seines Schildes betrachten darf; oder wie schon Paulus den Korinthern schreibt: »Wir sehen jetzt durch einen Spiegel in einem dunkeln Wort« (I, 13, V. 12). In diesem Sinne darf man sagen, Hölderlins ganzes Werk sei eine einzige Spekulation oder Reflexion der Problematik der Revolution, eine fortgehende, eine durchgängige Metapher dieser Problematik. Genau wie, um es mit Joachim Ritters Worten zu sagen, bei Hegel das zentrale Ereignis die Französische Revolution ist, so daß »es keine zweite Philosophie gibt, die so sehr und bis in ihre innersten Antriebe hinein Philosophie der Revolution ist wie die Hegels.«[32]

Mit 21 Jahren – 1791, zwölf Jahre vor Schiller – singt er das Lob des Kantons Schwyz, der Stätte des Rütlischwurs, der Quelle der Freiheit:

> »Lebe wol, du herrlich Gebirg. Dich schmükte der Freien Opferblut (...)
> Schlummre sanft, du Heldengebein! o schliefen auch wir dort
> Deinen eisernen Schlaf, dem Vaterlande geopfert,

32 Joachim Ritter, a.a.O., S. 18.

Walthers Gesellen und Tells, im schönen Kampfe der Freiheit!
Könnt' ich dein vergessen, o Land der göttlichen Freiheit!
Froher wär' ich; zu oft befällt die glühende Schaam mich,
Und der Kummer, gedenk' ich dein, und der heiligen Kämpfer (. . .)
Doch ich vergesse dich nicht! ich hoff' und harre des Tages,
Wo in erfreuende That sich Schaam und Kummer verwandelt.«[33]

Vom *Hyperion* sagt Georg Lukács mit vollem Recht, er sei der Entwurf eines Citoyen-Romans; ein Versuch, den Citoyen episch zu gestalten. Und Maurice Delorme meinte, der Roman dürfe heißen: »les Confessions d'un révolutionnaire«[34], die Bekenntnisse (im Sinne Rousseaus) eines Revolutionärs.

Wie der *Hyperion* ist auch der *Empedokles* eine durchgehende Auseinandersetzung mit der Problematik der Revolution und des Helden in einer revolutionären Epoche. Doch gerade beim *Empedokles* treffen wir auf einen Fall, wo eine Interpretation, die von den politischen Umständen seiner Entstehung absieht, fehlschlagen muß.

Von der ersten Fassung wurden nur zwei Akte niedergeschrieben, dann blieb diese Fassung liegen und Hölderlin unternahm eine zweite, eine dritte Fassung, die ebensowenig ausgeführt wurden. Was war geschehen, warum blieb die erste Fassung liegen? Aus evidenten Gründen, die meines Wissens jedoch nicht in Betracht gezogen wurden.

In der ersten Fassung sagt Empedokles zu den Bürgern Agrigents, die ihm die Krone anbieten:

»Diß ist die Zeit der Könige nicht mehr,

33 *StA*. I, S. 145, V. 74 ff.
34 Maurice Delorne, *Hölderlin et la Révolution française,* Monaco 1959, S. 130–178.

(...) Schämet euch,
Daß ihr noch einen König wollt; ihr seid
Zu alt; zu eurer Väter Zeiten wärs
Ein anderes gewesen. Euch ist nicht
Zu helfen, wenn ihr selber euch nicht helft.«[35]

Glaubt man, erstens, daß diese aufrührerische, jakobinische Botschaft im damaligen Württemberg hätte gedruckt oder auf die Bühne gebracht werden können? Glaubt man zweitens, daß Hölderlin so weltfremd war, es nicht zu wissen? Drittens, daß er das Drama schrieb, um es sein Leben lang in einer diskreten Schublade aufzubewahren?

1794, etwa um die Zeit der Ankunft Hölderlins, hatte es in Jena einen Skandal gegeben: Fichte war verdächtigt worden, vom Katheder herab für Demokratie und Revolution Propaganda gemacht zu haben. Er sollte u. a. in seiner öffentlichen Vorlesung gesagt haben, in zwanzig Jahren gebe es nirgends mehr Könige und Fürsten. Zur Widerlegung der Beschuldigung gab er den Text seiner Vorlesung in Druck, der den Satz nicht – oder nicht mehr – enthielt. Doch fünf Jahre später, also ungefähr zur Zeit der ersten Fassung des *Empedokles,* flammte der Streit um Fichte wieder auf. Diesmal wurde er des Atheismus beschuldigt, worauf er antwortete: »Ich bin (meinen Gegnern) ein Demokrat, ein Jakobiner, dies ist's. Von einem solchen glaubt man jeden Greuel ohne weitere Prüfung.«[36]

Zwei Monate nach dem Fehlschlag der Revolution in Süddeutschland schrieb Fichte an Reinhold (22. Mai 1799):

»Es ist mir gewisser als das gewisseste, daß, wenn nicht die Franzosen die ungeheuerste Übermacht erringen und in Deutschland, wenigstens einem beträchtlichen Teil desselben, eine Veränderung durchsetzen, in einigen Jahren kein Mensch mehr, der dafür bekannt ist, in seinem Le-

35 *StA*, IV, 62 f., V. 1449 und 1460–1464.
36 Beide Stellen aus einem Brief Fichtes an Reinhold, 22. Mai 1799 (*Fichtes Briefwechsel* II, S. 105). Zitiert nach Alfred Stern, *Der Einfluß der Französischen Revolution auf das deutsche Geistesleben,* Cotta 1928, S. 173 und S. 176.

ben einen freien Gedanken gedacht zu haben, eine Ruhestätte finden wird.«

In diesem Licht besehen ist klar, daß die erste Fassung des *Empedokles* in der Perspektive der erhofften Revolution in Schwaben verfaßt worden war, sozusagen als Festspiel der jungen Schwäbischen Republik. Mit dem Fehlschlag des Umsturzes hatte es keinen Sinn mehr, das Trauerspiel, so wie er es unternommen hatte, weiter auszuführen. Die beiden folgenden Pläne sind offensichtlich ein Versuch – ein vergeblicher –, das Themà an die neue politische Situation in Schwaben anzupassen.

So sind auch die beiden Aufsätze, die von den Herausgebern *Grund zum Empedokles* und *Das Werden im Vergehen* betitelt wurden, ein Versuch, den Fehlschlag der Revolution in Frankreich und, anders, in Deutschland, zu ergründen und die neue politische Situation vom Standpunkt eines unveränderten Ideals zu bewältigen. Im zweitgenannten Aufsatz wird zwar das Wort »Revolution« aus naheliegenden Gründen nie ausgesprochen; doch wird es verschiedentlich umschrieben. Was bedeuteten sonst so merkwürdige Ausdrücke wie: »das untergehende Vaterland«, der »Untergang und Anfang«, »der Übergang aus Bestehendem ins Bestehende«, »die tragische Vereinigung des Unendlichneuen und Endlichalten«, aus der sich ein neues Individuelles entwickelt, »der Zustand zwischen Seyn und Nichtseyn« als »furchtbarer aber göttlicher Traum«, die »idealistische« und die »wirkliche Auflösung«. Das Wort »auflösen«, »Auflösung« kommt in einem Text von 174 Zeilen 44mal vor, also alle vier Zeilen einmal. Wer könnte leugnen, daß diese »Auflösung« – man lese: Revolution – das eigentliche Thema des Aufsatzes bildet?

Der Aufsatz *Grund zum Empedokles* behandelt ganz eindeutig das Problem des »Mannes« in revolutionärer Zeit; des Mannes (im Gegensatz zu »den Menschen«, zum »Volk«, zum »schlauen Geschlecht«), der in derselben Weise eine tragische Person ist, wie es Danton und Robespierre oder die heute weniger bekannten Brissot und Saint Just waren. Empedokles ist ein Mann, in dem sich seine Zeit individualisiert; sie ergreift ihn und fordert ihn zur Lösung der Probleme des Schicksals seines Volkes auf. Als Dichternatur scheint er zum Dichter geboren, doch fordert das Schicksal seiner Zeit nicht Gesang, aber auch nicht eigentliche Tat, es erfordert ein Opfer, das ist eine (einzige) idealistische Tat, in der das Individuum untergeht und untergehen muß. So verhält sich Empedokles zunächst als religiöser Reformator, als politischer Mensch. Doch gelingt ihm die Gründung eines neuen Staates, einer Republik nicht, weil die Bürger Agrigents nicht so sind, daß sie einer Republik bedürften. Wie sind die Menschen seines Volkes? Hölderlins Agrigentiner sind keine Griechen der Antike, sondern die französischen Jakobiner von 1793, wie sie Hölderlin sah: die »hyperpolitischen, immer rechtenden und berechnenden Agrigentiner« mit ihrer freigeisterischen Kühnheit, ihrem negativen Räsonnieren, ihrem Nichtdenken des Unbekannten, das bei einem übermütigen Volke so natürlich ist, ihrem trotzigen anarchischen Leben, das keinen Einfluß, keine Kunst dulden will. Doch einmal müssen sie das Gemeinsame zwischen dem Volk und dem Manne erkennen. Wie können sie das? Einzig dadurch, daß er freiwillig untergeht; daß er, der Berufene, in dem und durch den eine Welt sich zugleich auflöst und erneut, zur Mutter Erde zurückkehrt. Die Szene, die der Dichter als letzte ausführte, leitet die sogenannten späten Hymnen ein und ist schon eine Hymne an die Mutter Erde. In neunzig Versen nennt Empedokles »den Jugendtag der stillen Erd«, »du Mutter Erde!«, »das Herz der Erde klagt«, »die dunkle Mutter«, und schließlich sagt er:

»Noch geh ich nicht, o Alter!
Von dieser grünen guten Erde soll
Mein Auge mir nicht ohne Freude gehen.
Und denken möcht' ich noch vergangner Zeit,

Der Freunde meiner Jugend noch, der Theuern (. . .)«[37]
Dann hat Hölderlin nur noch einige Zeilen zum Schlußchor des ersten Aktes entworfen, darunter die Verse:

»und die stärkenden, die erfreunden
Gaaben der Erde sind, wie Spreu, es
spottet unser, mit ihren Geschenken, die Mutter (. . .)«[38]

Mit dem Wort des Empedokles über »die verlaideten verlaßnen Tempel« ist der Übergang zum Thema des Gesangs der *Mutter Erde:*

»Die Tempelsäulen stehn
Verlassen in Tagen der Noth.«[39]

als Auftakt zur neuen Hymnik ganz eindeutig gegeben.
Es ist nicht ausgeschlossen, daß die Erwägungen über die Verfahrensweise des poetischen Geistes sozusagen nur als Metapher ein poetisch-technisches Problem behandeln und daß deren Grund eine politisch-historische Analyse ist, und zwar der Versuch, die Bewegung der Weltgeschichte, oder, wie er sich im *Archipelagus* ausdrückt, »die Göttersprache, das Wechseln und das Werden«, als gesetzmäßigen Rhythmus zu verstehen; mit der Gewißheit übrigens, daß dieselben kalkulablen Gesetze sowohl die Poetik als auch die Politik und das Weltgeschehen beherrschen.
So wäre vielleicht der Rhythmus der Vorstellungen »naiv-heroisch-idealisch« als harmonischer Wechsel der Gegensätze nicht nur poetisch, sondern politisch zu interpretieren. Wir dürfen nicht vergessen, daß die von Hölderlin geplante Zeitschrift nicht nur poetisch, sondern auch historisch und philosophisch (und warum nicht politisch?) belehrend sein sollte. Für Hölderlin bewegt sich die Kunst nicht in einer anderen Welt. Hat er nicht geschrieben:

»Lern im Leben die Kunst, im Kunstwerk lerne das Leben,

37 *StA,* IV, S. 140, V. 499–503.
38 *StA,* IV, 141, V. 7–9.
39 *StA,* II, S. 124, V. 51 f.

Siehst du das Eine recht, siehst du das andere
auch.«[40]

Und im Neujahrsbrief steht, sie Poesie sei nur dann echt, wenn eben diese Trennung nicht bestehe – sonst sei sie nur Spiel, wo sie ernst sein solle.

Die Vermutung liegt nahe, erstens, daß Hölderlins Aufsätze eine verschlüsselte Sprache sprechen; zweitens, daß sie unter der Maske der Behandlung poetisch-technischer Probleme den geschichtlich-philosophischen Versuch darstellen, die Problematik des Fortschreitens der Geschichte, und insbesondere die Problematik der Revolution und des Mannes in revolutionärer Zeit, zu ergründen. Ein Unternehmen, das demjenigen Hegels nicht unähnlich ist.

Noch einmal wird Hölderlin das Griechische als Kostüm, als Metapher des Politisch-Aktuellen gebrauchen: im Jahre 1803, in den Anmerkungen zur *Antigonae.* Karl Reinhardt hat sehr richtig darauf hingewiesen. Hier ist wieder einmal das Wort »Revolution« zwar nicht ausgesprochen, doch unmißverständlich umschrieben: was bedeutete sonst das Wort »Umkehr«, der Ausdruck »vaterländische Umkehr«?

»Die Art des Hergangs in der Antigonä ist die bei einem Aufruhr, wo es, so fern es vaterländische Sache ist, darauf ankommt, daß jedes, als von unendlicher Umkehr ergriffen, und erschüttert, in unendlicher Form sich fühlt, in der es erschüttert ist. Denn vaterländische Umkehr ist die Umkehr aller Vorstellungsarten und Formen (...) wo die ganze Gestalt der Dinge sich ändert (...) Die Vernunftform, die hier (also in der *Antigonae*) tragisch sich bildet, ist politisch und zwar republikanisch.«[41]

Auch sind die Kommentare zu Pindar-Fragmenten aus demselben Jahr ein Entwurf einer Philosophie der Kulturgeschichte, den ich als äußerst wichtig betrachte. Auf zwei Stellen will ich besonders hinweisen. Die erste heißt

40 *StA,* I, S. 305.
41 *StA,* V, S. 271 f.

Untreue der Weisheit. Pindars Verse übersetzt Hölderlin folgendermaßen:

»Das gegenwärtige lobend
Gutwillig,
Und anderes denk in anderer Zeit.«[42]

Hölderlin kommentiert, vielleicht auch an Hegel denkend: »Klugheit ist die Kunst, unter verschiedenen Umständen getreu zu bleiben (...)«

Die zweite Stelle heißt *Das Unendliche.* Hölderlins Umdichtung von Pindar lautet:

»(...) und so mich selbst
Umschreibend, hinaus
Mich lebe, darüber
Hab ich zweideutig ein
Gemüth, genau es zu sagen.«[43]

Das Umschreiben, das »sich selbst Umschreiben«, das Gemüt, »zweideutig genau es zu sagen«, das ist das Gesetz des Gesangs in den späten Hymnen. Und »das Räthsel sollte fast nicht gelöst werden«.

Die Hölderlin-Forschung hat die Bedeutung des Jahres 1799 als Einschnitt in Hölderlins Leben und Werk nicht verkannt; doch die Erklärung dafür ist sie uns schuldig geblieben. Heute dürfen wir die Ansicht verfechten, es handle sich keineswegs um eine Phase der psychischen oder psychopathologischen Entwicklung des Dichters (von einer Geisteszerrüttung oder gar Umnachtung kann ich im Werk bis zum Jahre 1806 keine Spur finden), sondern um einen Wechsel der politischen Zeitumstände, der allerdings auf Hölderlins Leben und Dichtung entscheidend einwirkt.

In unserer Perspektive ist es einleuchtend, daß die Wende sehr genau datierbar ist, und zwar auf den 16. März 1799, den Tag der Kundgebung General Jourdans. Diese Proklamation bedeutete für Hölderlin und für seine Freunde den Schiffbruch ihrer teuersten Hoffnungen. Nach diesem

42 *StA,* V, S. 281.
43 *StA,* V, S. 287.

Tage konnte nichts mehr sein wie vorher. Hölderlin durfte es nicht mehr erwarten, zu seinen Lebzeiten eine schwäbische, eine deutsche Republik zu erleben und nicht einmal mehr, seine Herzensmeinung in deutschem Lande offen vortragen zu dürfen. Dem entspricht, ganz bewußt und mit fundierter Absicht, seine späte Lyrik.

Er fängt an mit einem Versuch, die neue lyrische Form theoretisch zu bestimmen. Einmal sagt er, das lyrische Gedicht sei »eine fortgehende Metapher Eines Gefühls«, das epische »die Metapher großer Bestrebungen«, das tragische »die Metapher einer intellectuellen Anschauung.«[44] Ein andermal spricht er von der epischen und der dramatischen Mythe, wo die persönlichen und die geschichtlichen Teile »immer nur Nebentheile« sind, im Verhältnis zur eigentlichen »Hauptparthie«, zu dem »Gott der Mythe«. Und er schließt den Absatz mit den Worten: »Das lyrisch-mythische ist noch zu bestimmen.«[45]

Jedoch wird er nicht mehr versuchen, das Lyrischmythische theoretisch zu bestimmen; er wird es dichtend gründen. Von der späten, lyrisch-mythischen Hymnik will ich hier nur einige ganz wenige, in unserer Perspektive relevanten Züge kurz skizzieren.

Erstens: Der Gott der späten Hymnik ist die Mutter Erde in allen Formen, unter allen Namen, auch dem der Madonna. Auch die Titanen sind die Söhne Gaias. Die sogenannten »vaterländischen Gesänge« sind ein einziges Lob der Mutter Erde, der sich der Dichter jetzt zuwendet, da jetzt »Winter« und »Nacht« ist. Die beiden Übergangsstufen vom *Empedokles* zur späten Hymnik bilden die zuletzt geschriebene Szene der dritten Fassung des *Empedokles* und der Gesang der Brüder Ottmar Hom Tello. Am aufschlußreichsten ist der Entwurf zur Fortsetzung des Gesanges, wo folgende Gedanken festgehalten werden:

44 *StA*, IV, S. 266.
45 *StA*, IV, S. 281.

»O Mutter Erde! du allversöhnende, allesduldende! hüllest du nicht so und erzählest (...) und die Erde birgt vor ihm die Kinder (...) und im Verborgnen haben, sich selbst geheim, in tiefverschloßner Halle dir auch verschwiegne Männer gedienet, die Helden aber, die haben dich geliebet, am meisten, und dich die Liebe genannt, oder sie [haben] dunklere Nahmen dir, Erde gegeben, denn es schämet, sein Liebstes zu nennen, sich von Anfang der Mensch, doch wenn er Größerem sich genaht, und der Hohe hat es geseegnet, dann nennt [er], was ihm eigner ist, beim eigenen Nahmen. Und siehe mir ist, als hört' ich den großen Vater sagen, dir sei von nun die Ehre vertraut, und Gesänge sollest du empfangen in seinem Nahmen (...) indeß er fern ist (...)«[46]

Wenn die Feinde das Land beherrschen, werden die heiligen Gefäße der Mutter Erde anvertraut; es werden

»die Schaale des Danks
und Opfergefäß und alle Heiligtümer
Begraben dem Feind in verschwiegener Erde.«[47]

So soll auch der Dichter sein Heiliges begraben,

»Vom Höchsten will ich schweigen.
(...) da wir träge
Geboren sind (...)
Denn nimmer, von nun an
Taugt zum Gebrauche das Heilge.«[48]

Er soll sein Ideal verschweigen, er soll es im lyrisch-mythischen Gesang verhüllt für spätere Geschlechter aufbewahren. So ist auch der zweite Zug der neuen Lyrik, daß sie die Botschaft des Dichters nur noch metaphorisch ausdrückt, daß sie es verhüllend umschreibt. Die Sprache des Lyrischmythischen ist eine verschlüsselte, eine chiffrierte – den Bösen unverständlich, doch den Guten, oder, wie er auch sagt, den Freigebornen, nicht.

46 *StA*, II, S. 683, Z. 13-34.
47 *StA*, II, S. 125, V. 58-60.
48 *StA*, II, S. 220, V. 5. V. 15 f. und S. 221. V. 34 f.

Hölderlin hat schon immer betont, er könne sich wegen der Umstände, »wie es da ist«, nicht deutlicher ausdrücken. In einem Brief an die Mutter schreibt er am 11. Dezember 1798:

»(Ich) hab (...) angefangen, meines Herzens tiefere Meinung, die ich noch lange vieleicht nicht völlig sagen kann, unter denen, die mich hören, vorzubereiten. Man kann jezt den Menschen nicht alles gerade heraussagen, denn sie sind zu träg und eigenliebig (...)«

In dem Brief, in dem er die Gestalten des Harmodius und des Aristogeiton beschwört, ruft Hyperion:

»Ich habe genug gesagt, um klar zu machen, was ich denke. – Da hättest du Diotima sehen sollen, wie sie aufsprang und die beeden Hände mir reichte und rief: ich hab' es verstanden (...) so viel es sagt.«[49]

Noch vor Hölderlin hatte Hegel vom griechischen Kostüm und von der lyrischen Form als Schlüsselschrift und Geheimsprache unter Eingeweihten Gebrauch gemacht. Einmal in seinem Leben hat er Verse geschrieben. Doch man stellte sich zuerst die damalige Situation vor. Im Jahre 1796 verkehren die beiden Freunde, Hölderlin und Hegel, engstens miteinander. Hölderlin verwendet sich dafür, Hegel in eine ähnliche Stellung wie seine nach Frankfurt zu ziehen. Doch im Sommer droht der Krieg. Im August ist Hölderlin auf der Wanderung, irgendwo zwischen Kassel und Bad Driburg. Hegel will ihm eine dringende Warnung zukommen lassen. Doch wer weiß, wo sein Brief den Adressaten erreichen wird, in welche Hände er geraten mag. Um sich vor einer Postzensur oder einer Indiskretion zu bewahren, benutzt Hegel, dem es auch an Humor nicht fehlt, eine doppelte Verschlüsselung, die dem Empfänger, und nur ihm, ohne weiteres verständlich ist: die poetische Form und die Behandlung eines griechisch-klassischen Themas. So trägt der Brief Hegels die Überschrift: *Eleusis. An Hölderlin. August 1796.* Und er ist

49 *StA,* III, S. 63 f.

in Versen gefaßt; etwas unbeholfene Verse, hat man gesagt, doch nicht einmal so schlecht, wenn man bedenkt, daß sie an einem Abend aufs Papier gebracht wurden – und wohl zweckentsprechend, denn nicht einmal Pigenot und Seebaß kamen dahinter. Was ist der Sinn der dringenden, doch getarnten Meldung und Warnung? Hegel bittet Hölderlin, ihre gemeinsame Herzensmeinung (das Reich Gottes komme!) nicht so frei und offen vorzutragen; er warnt ihn davor, unvorsichtig zu schreiben und zu reden; er empfiehlt ihm so dringend wie möglich, mit dem Ausdruck der umstürzlerischen, republikanischen Gesinnung zurückhaltener zu sein. Man höre:

»Dem Sohn der Weihe war der hohen Lehren Fülle,
Des unaussprechlichen Gefühles Tiefe viel zu heilig,
Als daß er trokne Zeichen ihrer würdigte (. . .)
(. . .) Wer gar davon zu Andern sprechen wollte,
Spräch er mit Engelzungen, fühlt' der Worte Armuth (. . .)
(. . .) daß er lebend sich den Mund verschließt.
Was der Geweihte sich so selbst verbot, verbot ein weises
Gesetz den ärmern Geistern (. . .)
Es trugen geizig deine Söhne, Göttin,
Nicht deine Ehr' auf Gass' und Markt, verwahrten sie
Im innern Heiligthum der Brust.
Drum lebtest du auf ihrem Munde nicht.
Ihr Leben ehrte dich. In ihren Thaten lebst du noch.«[50]

Der Einfall, von der poetischen Form und vom griechischen Kostüm als Geheimsprache Gebrauch zu machen, wäre also nicht zuletzt auf Hegel und auf seine Sorge um seinen vorlauten Freund Hölderlin zurückzuführen.

50 Hellingrath VI, S. 255 f.

Nach dem Scheitern des Plans, eine Republik in Schwaben zu stiften, soll nun, bis neue Zeiten blühen, Hölderlins Ideal verschwiegen, verhüllt bleiben:

»Dreifach umschreibe du es,
Doch ungesprochen auch, wie es da ist,
Unschuldige, muß es bleiben.
O nenne Tochter du der heiligen Erd'
Einmal die Mutter (...)

Doch Muß

zwischen Tag und Nacht
Einsmals ein Wahres erscheinen.«[51] *(Germanien)*

Was mag dieses Zeichen sein, zwischen Tag und Nacht die einmalige Erscheinung des Wahren? Ist der Anklang an die eine idealistische Tat nicht deutlich, von der im *Grund zum Empedokles* die Rede ist?

Hier möchte ich eine für manche vielleicht befremdende Hypothese aufstellen.

Wir haben vorhin den geplanten Mordanschlag auf den Kurfürsten von Württemberg erwähnt, dessen Sinclair beschuldigt worden war. Höchstwahrscheinlich hat der Denunziant, Blankenstein, in den meisten Punkten die Wahrheit gesagt. Ein nachträgliches Gutachten von Heidelberger Professoren meinte auch, »daß die Behauptungen Blankensteins noch durch nichts widerlegt und beseitigt seien«. Hölderlin war wenigstens als Mitwisser und als intimster Freund Sinclairs an der Verschwörung beteiligt. Das Thema des Tyrannenmords durchläuft ja sein ganzes Werk, wie es überhaupt ein Topos der Zeit war.

1790 lesen wir in der *Geschichte der schönen Künste in Griechenland:*

»Zwei junge Helden Harmodius und Aristogiton warens, die zuerst das große Werk der Freiheit begannen. Alles war durch die kühne That begeistert. Die Tyrannen wurden ermodert oder verjagt, und die Freiheit war in ihre vori-

51 *StA*, II, S. 151 f.

ge Würde hergestellt. Nun erst fühlte der Athener seine Kraft ganz.«[52]

1793, wohl noch im Stift, übersetzte Hölderlin ein Gedicht von Alkaios, von dem ich nur eine Strophe zitiere:

> »Schmüken will ich das Schwerdt! mit der Myrthe Ranken!
> Wie Harmodius einst und Aristogiton
> Da sie bei Athenes
> Opferfest den Tyrannen
> Hipparch, den Tyrannen ermoderten.«[53]

In einem wohl gleichzeitigen, vielleicht am selben Tag geschriebenen Entwurf, sagt Hegel:

»Es ist kein Harmodius, kein Aristogiton, die ewiger Ruhm begleitete, da sie den Tyrannen schlugen und gleiche Rechte und Gesetze gaben ihren Bürgern, die in dem Munde unsers Volks, in seinen Gesängen lebten.«[54]

Weiter: in eben demselben Brief des Romans, wo Hyperion ausruft: »ich habe genug gesagt, um klar zu machen, was ich denke«, lesen wir folgende Zeilen:

»Da Harmodius und Aristogiton lebten, rief endlich einer, da war noch Freundschaft in der Welt. Das freute mich zu sehr, als daß ich hätte schweigen mögen.

Man sollte dir eine Krone flechten um dieses Wortes willen! rief ich ihm zu; hast du denn wirklich eine Ahnung davon, hast du ein Gleichnis für die Freundschaft des Aristogiton und Harmodius? Verzeih mir! aber beim Aether! man muß Aristogiton seyn, um nachzufühlen, wie Aristogiton liebte, und die Blize durfte wohl der Mann nicht fürchten, der geliebt seyn wollte mit Harmodius Liebe, denn es täuscht mich alles, wenn der furchtbare Jüngling nicht mit Minos Strenge liebte. Wenige sind in solcher Probe bestanden, und es ist nicht leichter, eines Halbgotts Freund zu seyn, als an der Götter Tische, wie Tantalus,

52 *StA,* IV, S. 200, Z. 18–22.
53 *StA,* V, S. 31, V. 11–15.
54 Hegel, *Theologische Jugendschriften,* Tübingen 1907, S. 359.

zu sizen. Aber es ist auch nichts herrlicheres auf Erden, als wenn ein stolzes Paar, wie diese, so sich unterthan ist.«[55]

Und im zweiten Band ruft Hyperion:

›Ich bin zu müßig geworden (...) zu friedenslustig, zu himmlisch, zu träg! (...) Ja! sanft zu seyn, zu rechter Zeit, das ist wohl schön, doch sanft zu seyn, zur Unzeit, das ist häßlich, denn es ist feig! – Aber Harmodius! deiner Myrthe will ich gleichen, deiner Myrthe, worinn das Schwerd sich verbarg (...) Ich will nicht zusehn, wo es gilt (...)«[56]

Das Zusammentreffen des Biographischen (des Hochverratsprozesses) und des poetischen Themas des Tyrannenmordes macht die Ode *An Eduard* zu einem höchst wichtigen Dokument. Die erste Fassung wurde vermutlich 1801 vollendet; die dritte, bruchstückhaft überlieferte Fassung mit dem Titel *Die Dioskuren* fällt wohl in das Jahr 1802. Eine Abschrift, vermutlich von der Hand der Prinzessin Auguste, wurde von ihr mit der Abschrift anderer Gedichte im Jahre 1821 dem preußischen Leutnant von Diest übergeben, doch mit dem Vermerk, daß sie das Gedicht *An Eduard* wegen verschiedener Stellen, die ihr aufgefallen waren, nicht mit abgedruckt zu sehen wünsche. Sie wußte, daß diese Verse an Sinclair gerichtet waren; sie dachte an den Prozeß und daß Hölderlin selbst damals nur knapp und durch die Intervention ihres Vaters, des Landgrafen, der Verhaftung entgangen war. Sie betrachtete die Ode also keineswegs als das unverantwortliche Spiel eines Poeten. Daß »Eduard« Sinclair war, wußte sie, und andere konnten auf die Vermutung kommen. Die Tarnung des griechischen Kostüms und des lyrischen Duktus erachtete die Prinzessin für nicht undurchsichtig genug in bezug auf des geliebten Hölderlins Sicherheit.

Ich lese die ersten Strophen der Ode *An Eduard*, in der zweiten Fassung:

55 *StA*, III, S. 63.
56 *StA*, III, S. 95.

»Euch alten Freunde droben, unsterbliches
Gestirn, euch frag' ich, Helden! woher es ist,
Daß ich so unterthan ihm bin, und
So der Gewaltige sein mich nennet?

Nicht vieles kann ich bieten, nur weniges
Kann ich verlieren, aber ein liebes Glük,
Ein einziges, zum Angedenken
Reicherer Tage zurükgeblieben,

Und diß, so ers geböte, diß Eine noch,
Mein Saitenspiel, ich wagt' es, wohin er wollt'
Und mit Gesange folgt' ich, selbst ins
Ende der Tapfern hinab dem Theuern.

Mit Wolken, säng' ich, tränkt das Gewitter dich,
Du dunkler Boden, aber mit Blut der Mensch;
So schweigt, so ruht er, der sein Gleiches
Droben und drunten umsonst erfragte.

Wo ist der Liebe Zeichen am Tag? wo spricht
Sich aus das Herz? wo ruhet es endlich? wo
Wirds wahr, was uns, bei Nacht und Tag, zu
Lange der glühende Traum verkündet?

Hier, wo die Opfer fallen, ihr Lieben, hier!
Und schon tritt hin der festliche Zug! schon blinkt
Der Stahl! die Wolke dampft! sie fallen und es
Hallt in der Luft und die Erde rühmt es!

Wenn ich so singend fiele, dann rächtest du
Mich, mein Achill! und sprächest, er lebte doch
Treu bis zulezt! das ernste Wort, das
Richtet mein Feind und der Todtenrichter!«[57]

57 *StA*, II, S. 41 f.

Man beachte besonders die Verse:

»Wirds wahr, was uns, bei Nacht und Tag zu
Lange der glühende Traum verkündet?«

wie ein Echo der vorhin zitierten Verse aus *Germanien:*

»Muß zwischen Tag und Nacht
Einsmals ein Wahres erscheinen (. . .)«

Es ist einleuchtend, daß, wenn dieses Gedicht zur Zeit des Prozesses gegen Sinclair bekannt gewesen und verstanden worden wäre, es vor den Richtern genügt hätte, um Sinclair und Hölderlin des Mordanschlags gegen den Kurfürsten zu überführen. Hölderlin wäre dann sein Leben lang ein Gast, nicht des Turms in Tübingen, sondern des Hohen Asperg bei Ludwigsburg gewesen.

Derselbe Schlüssel hilft vielleicht auch die letzte Strophe der Rheinhymne zu entziffern, von der bis jetzt keine befriedigende Deutung gegeben wurde.

Ich muß die Bermerkung vorausschicken, daß das Wort »Freiheit«, das in Hölderlins Sprachgebrauch bis 1799 unzählige Male vorkommt, nachher verschwindet; in den Gedichten nach 1800 wird es ein einziges Mal, und dann in einem bitter-ironischen Hinweis auf den Freitod, gebraucht: der Mensch

»verstehe die Freiheit
Aufzubrechen, wohin er will.«[58]

Andererseits wissen wir, daß Hölderlins Ideal der Freiheit sich nicht geändert hat, daß er ihm treu geblieben ist. Wir müssen also die unausgesprochene Idee der Freiheit unter anderen Namen suchen, so z. B. in der Umschreibung »du kennest, jugendlich, des Guten Kraft«. Oder einfach: »Gott«.

Dies im Sinne behaltend, lesen wir die letzte Strophe der Rheinhymne:

»Dir mag auf heißem Pfade unter Tannen oder
Im Dunkel des Eichwalds gehüllt
In Stahl, mein Sinklair! Gott erscheinen oder

58 *StA,* II, S. 22, V. 15 f.

In Wolken, du kennst ihn, da du kennest, jugendlich,
Des guten Kraft, und nimmer ist dir
Verborgen das Lächeln des Herrschers
Bei Tage, wenn
Es fieberhaft und angekettet das
Lebendige scheinet oder auch
Bei Nacht, wenn alles gemischt
Ist ordnungslos und wiederkehrt
Uralte Verwirrung.«[59]

Unser Vorschlag einer Deutung wäre folgender: Die beiden Situationen, »bei Tag« und »bei Nacht«, entsprächen der politischen Lage vor und nach 1799, der Zeit der Revolution und der Zeit der Reaktion. Du, mein Sinclair, du weißt, die Freiheit in ihrer dreifachen Form zu erkennen, sei es »auf heißem Pfade unter Tannen«, das bedeutet, da wo die Freiheit wie die Sonne am Mittag herrscht, z. B. in der Schweiz, sei es in verhüllter Form, im Dunkel des (deutschen) Eichwalds, sei es als Ideal der erhofften Zukunft, »in Wolken«. Doch was hat »in Stahl« zu bedeuten? »In Stahl, mein Sinklair!«, das will sagen: »nur du und ich, wir verstehen, was wir damit meinen«. Was kann der Stahl sonst bezeichnen, wenn nicht genau dasselbe wie im Gedicht *An Eduard:* »schon blinkt/Der Stahl«, nämlich die Waffe des Tyrannenmordes? Also eine Andeutung auf den Plan eines Attentats auf den Kurfürsten, den Sinclair und Hölderlin gemeinsam ausgeführt hätten.

Man nehme an, die Worte (»In Stahl, mein Sinklair!«) seien in Klammern geschrieben – oder besser noch: beim lauten Vortragen der Strophe lese man dieselben Worte im Flüsterton, als eine an Sinclair gerichtete und nur ihm vernehmliche Apostrophe, als eine ihm zugedachte und ihm allein verständlich sein sollende Anspielung auf ein gemeinsames Geheimnis – und der ganze Sinn der Strophe so-

59 *StA,* II, S. 148, V. 210–221.

wie der Widmung an Sinclair wird, glaube ich, auf einmal deutlich.

Wie gewagt – und heute noch befremdend – diese Interpretation scheinen mag, so hat sie wenigstens den Vorteil, bis jetzt die einzige zu sein. Es gibt nur zwei andere Möglichkeiten: entweder, daß man eine besser fundierte Deutung vorschlägt, oder daß man der Einfachheit halber annimmt, Hölderlin habe nur so ins Blaue hinein geredet, daß »Pfad«, »Tannen«, »Eichwald«, »Wolken« bloßes Dekor sind, Landschaft als nichtssagende Staffage: »Kunst« im bürgerlich-spießigen Sinne.

Zum Schluß ist es wohl angebracht, dem Dichter das Wort zu lassen. Worte, an die kommenden Geschlechter gerichtet, welche diesmal keines erklärenden Kommentars bedürfen, so eindeutig, hell und rein dringt bis zu uns die Stimme Friedrich Hölderlins.

Zuerst folgendes Fragment:

»und mich leset o
Ihr Blüthen von Deutschland, o mein Herz wird
Untrügbarer Krystall an dem
Das Licht sich prüfet wenn Deutschland«[60]

und zuletzt diese Verse aus dem Entwurf einer Hymne an die Madonna:

»Doch wenn unheilige schon
in Menge
und frech

Was kümmern sie dich
O Gesang den Reinen, ich zwar,
Ich sterbe, doch du
Gehest andere Bahn, umsonst
Mag dich ein Neidisches hindern.

60 »Vom Abgrund nemlich ...« *StA*, II, S. 251, V. 34–37.

Wenn dann in kommender Zeit
Du einem Guten begegnest
So grüß ihn, und er denkt,
Wie unsere Tage wohl
Voll Glüks, voll Leidens gewesen.«[61]

(1966)

61 *StA*, II, S. 215 f., V. 127–139.

Martin Walser
Hölderlin zu entsprechen

Für Friedrich Beißner

Ich erinnere an einen Unterschied zwischen Dichtern. Die einen sind immer im Mittelpunkt ihrer Situation. Sie trinken uns sozusagen zu, wenn sie ein Gedicht machen. Das nächste Mal grüßen sie aus der nächsten Situation. Ihr Leben wird zu einer Folge von Gelegenheiten. Sie betreiben ihre eigene Entwicklung fast souverän. Der Geschichte gegenüber verhalten sie sich oppositionell oder opportunistisch. Das heißt, sie sind zuerst Avantgarde, dann lassen sie sich einholen, und sind Verstärker. Vermittlung ist ihnen ein zu abstraktes Geschäft. Das ist gegen ihre rundum sinnliche Begabung. Es ist klar, daß aus diesem Material Klassiker gemacht werden.
Die anderen – man müßte von ihnen astronomisch weit weg sein, um sie unter einen Sammelnamen zu zwingen – diese anderen sind exzentrisch. Sie sind unzufrieden mit sich selbst. Deshalb eher erfolglos. Die Gesellschaft liebt am liebsten den, der sich selber liebt, und so zeigt, wie man ihn lieben kann. Nach ihrem Tode liebt man sie sehr. Sie haben es schwer, einen Begriff von sich zu bekommen. Wenn sie ICH sagen, meinen sie etwas anderes.
Es ist klar, daß Hölderlin zu diesen Dichtern gehört. Auch noch das gröbste Gerücht über ihn enthält diese Charakteristik. Der zerbrochene Jüngling, der Seher, der Prophet, das umnachtete Opfer. Auch in der Sprache der Fachleute geht diese Charakteristik nicht verloren. Ob etwa der »Fürst des Fests« in der *Friedensfeier* Christus, Napoleon, Bacchus, Herkules, der »Genius des Volks« oder der »Gott des Friedens« ist – ich halte diesen Streit für entscheidbar – ist weniger wichtig als daß jeder darin doch eine Bewegungsfigur, eine Figur zur Vermittlung sieht.

Ich habe das Gefühl, ich hätte jetzt unendlich viel über Hölderlin gelesen. Aber ich habe dadurch wenigstens erfahren, daß der Versuch, diesen Dichter durch mehr als das dankbare Gefühl zu verstehen, gefährdet wird von zu wenig oder zuviel Unmittelbarkeit. Offenbar ist es wirklich schwer, diesen Gedichten gegenüber weder zu befangen, noch zu kühn zu werden.
Hemmungslos kühn ist es, wenn einer sich etwa aus den späten Gedichten Zeilen pflückt, und dann stellt er seine Betrachtung an.
Aber zu befangen kommen mir die vor, die von Hölderlin nur sprechen, indem sie seine Haupt-Wörter um- und umwenden. Mir sind allerdings diese Zögernden lieber als die Prediger. Die zögernden Ausleger sind aber in Gefahr, aus dem überreichen Hölderlin-Material in schöner und zäher Befangenheit allmählich ein einzige begehbare Tautologie zu errichten. Es ist klar, diese Befangenheit hat Grund; man kann die späteren Gedichte Hölderlins nicht durch Zitieren in den Zustand der Unmittelbarkeit versetzen. Aber hört man nicht zu früh auf, wenn man den Anprall dieser Gedichte, durch Auftröseln der Zeilen, in einer dranglosen Nachbildung des vermutbaren Inhalts entschärft!
Was hat man davon, wenn man weiß, Hölderlin habe in einer Zeit der Götterferne den Boden bereitet für die Rückkehr der Götter!
Oder: er habe in dem und jenem Satz sich nicht »bloß eine Veränderung der historisch-sozialen Verhältnisse« versprochen, »sondern einen grundlegenden Wandel, eine metanoia, im Verhältnis der Menschen zum Göttlichen, ein Erwachen aus dem Schlummer jener Nacht, die die Nacht der Götterferne und Vereinzelung ist«.[1] Und was ich hier als befangen zitiere, gehört sicher zum Haltbarsten. Es gibt außerdem noch eine Tradition des Interlinear-Gemurmels, das als Wissenschaft sehr komisch, als Beweis für Hölder-

1 Peter Szondi, *Hölderlin-Studien,* Frankfurt 1967, S. 38.

lins hinstreckende Kraft aber doch beeindruckend ist. Wer möchte nicht lange Zeit dasitzen und nichts tun, als in immer neuem Anlauf sich vorzusagen: »Versöhnender, der du nimmer geglaubt/Nun da bist (...)«[2]
Ein luxuriöses Leben könnte man verbringen mit dem Hin- und Herbeten solcher Sätze wie »Göttliches trifft Unteilnehmende nicht (...)«[3]
Ihm gegenüber selbst das Wort zu ergreifen, das fällt schwer. Er hat ja nicht, wie Johann Wolfgang von Goethe, in Weimar, zum leichteren gesellschaftlichen Gebrauch unabhängigen Sinn in regelmäßige Hebungen und Senkungen verwandelt, Hölderlin hat, muß man wohl sagen, gedichtet. Aber wenn wir ihn mit seinen eigenen Wörtern nachbeten, gehen wir um mit Göttern, als wären die uns noch was.
Wir sind doch davon mindestens so weit weg wie die »Scheinheiligen Dichter«, die Hölderlin »kalte Heuchler« schimpft; »sprecht von Göttern nicht! Ihr habt Verstand! ihr glaubt nicht an Helios (...)«[4] Das trifft doch auf uns zu.

Also zuerst einmal so weit als möglich weg von diesen Wörtern und Sätzen des letzten Stadiums. Die Sprache, die diese Gipfelpartie bildet, hat ja Bedingungen und eine faßbare Geschichte. Hölderlin hat ja ganz offen angefangen. Hat ganz unmittelbar reagiert. Aber er hat es sehr schnell für nötig gehalten, die Unmittelbarkeit zu bremsen.
Er erlebt nichts, was er dann gleich als Gedicht hinsagen konnte. Auf jeden Fall hält er es für notwendig, dem, was er sagen will, strenge Strophen entgegenzusetzen. Und an Stelle des Erlebnisses wirkt bei ihm das Projekt.
Nichts ist ihm auch nur annähernd so wichtig wie die Zukunft. Seine Zukunft. Als Dichter. »Klopstocksgröße«[5]

2 Hölderlin, *Sämtliche Werke*, Kleine Stuttgarter Ausgabe, hrsg. von Friedrich Beißner, Bd. 2, Stuttgart 1953, S. 134.
3 *Kl St A*, Bd. 2, S. 227.
4 *Kl St A*, Bd. 1, Stuttgart 1944, S. 254.
5 In *Mein Vorsatz*, Bd. 1, S. 94.

schwebt ihm vor. Sein Thema heißt »Ehre«[6], »Vorsatz«[7], »Lorbeer«[8], die »Gewagte Bahn«[9].

Aber das Ich, das sich in diesen Gedichten so unentwegt in die Zukunft stürzt, ist merkwürdig wenig stabil. Es stürzt fast regelmäßig ab auf seiner *gewagten Bahn.* Und bei jedem Mißlingen muß das Gericht eine Zeit lang oder gar unwiderruflich in der 3. Person fortgesetzt werden. Dann sieht das ICH sich als den »Schwachen«[10], den »Armen«[11], den »Verachteten«[12]. Das ist die einzige Identität, die Hölderlin der Umwelt gegenüber erreicht. Diese Entfremdung wird seine erste Rolle. Er flüchtet in die Natur, um sich von dieser Rolle zu heilen. Einmal gelingt ihm das, da »kennt er sich wieder«[13]. Öfter aber stellt er fest, daß er zuerst den Lorbeer haschen muß. »Dann, o Natur, ist dein Lächeln Wonne.« (*Zornige Sehnsucht*)[14]. In einem Brief an die Freundin sagt er, sein Trübsinn komme aus »unbefriedigtem Ehrgeiz«[15].

Er macht also sein Selbstbewußtsein ganz und gar von einer Bestätigung in der Zukunft abhängig; von Jahr zu Jahr verspricht er, zuerst noch in Gedichten, dann nur noch in Briefen, jetzt gleich Schluß zu machen mit dem Dichten, wenn dieses Mal die Anerkennung wieder ausbleibe; vor allem der immer besorgteren Mutter verspricht er immer wieder, daß er jetzt dann gleich Vikar werde und vielleicht sogar heirate, bloß einmal noch soll sie's ihn auf »eigenem

6 *An die Ehre,* Bd. 1, S. 94.
7 Siehe Anm. 5.
8 Siehe *Zornige Sehnsucht,* Bd. 1, S. 91.
9 Siehe *An die Ehre,* Bd. 1, S. 95 u. *Keppler,* Bd. 1, S. 80; *Die Heilige Bahn,* Bd. 1, S. 78.
10 In *Die Stille,* Bd. 1, S. 44.
11 In *An Stella,* Bd. 1, S. 21.
12 In *Einst und Jetzt,* Bd. 1, S. 97 und *An die Ruhe,* Bd. 1, S. 98.
13 In *Auf der Heide geschrieben,* Bd. 1, S. 29.
14 *Zornige Sehnsucht,* Bd. 1, S. 91.
15 *Briefe,* Kleine Stuttgarter Ausgabe, Bd. 6, hrsg. von Adolf Beck, Stuttgart 1959, S. 56.

Wege«[16] (wie sie es nenne) probieren lassen. Zum letzten Mal verspricht er das während der Arbeit am *Empedokles;* und jedes Mal macht er nach nicht erfüllter Erwartung doch weiter; ohne Identität sozusagen; dem Freund Neuffer, der auch dichtet, aber auch als Pfarrer wirkt, schreibt er: »Dein Selbstgefühl ruht auch noch auf anderer glücklicher Tätigkeit und so bist du nicht vernichtet, wenn du nicht Dichter bist«[17]; er ist vernichtet, wenn es ihm nicht gelingt, Dichter zu sein.

Die Ausschließlichkeit, mit der er dieser Bestätigung oder Vernichtung entgegenarbeitet, und die vollkommene Unfähigkeit zum Ersatz zwingen dazu, Hölderlin schon hier in einer Art Trema[18] zu sehen, jenem Vor-Stadium der späteren Krankheit. Diese Krankheit ist in seinem Fall nicht ein unausweichliches Schicksal; sie hätte wohl bis zuletzt, also mindestens bis 1802, noch gehemmt, wenn nicht gar geheilt werden können. Grob gesagt: durch Liebe. Auch in der Form der öffentlichen Anerkennung.

Also, dieses andauernd aufgeschobene Leben, diese ununterbrochene Spannung vor dem Auftritt, dieses Noch-nicht-dasein ist auf jeden Fall Hölderlins erste Bedingung. Dann arbeitet er seiner Hoffnung einen immer genauer bestimmten Inhalt. Das Projekt *Lorbeer* wandelt sich vom blank-abstrakten Ehrgeiz-Unternehmen zu einem Arbeitsprogramm. Er leidet zwar von Jahr zu Jahr mehr an seiner Namenlosigkeit, aber diese Klage versteckt sich jetzt lieber in den Briefen. Noch einmal, in der Ode *An die Deutschen,* geht ihm das ICH verloren, aber nur an die 2. Person, er spricht sich an als »Armer Seher«, der hinunter muß, »Ohne Namen und unbeweint«[19].

Das ist längst nicht mehr der private Gekränkte; diese Entfremdung ist schon Klage über einen aktuellen politischen

16 *Kl St A,* Bd. 6, S. 314
17 *Kl St A,* Bd. 6, S. 262.
18 K. Conrad, *Die beginnende Schizophrenie,* Stuttgart 1958, S. 32 ff.
19 *Kl St A,* Bd. 2, S. 11.

Mangel. In seinen Gedichten hat Hölderlin da dem Dichter schon die Funktion erkämpft, die ihm in der Gesellschaft verweigert wurde.
Und die von da an in vielen Versen immer genauer und kühner und blühender gefaßte Dichter-Figur läßt kaum mehr ahnen, wie erfolglos und alleingelassen der Schreiber dieser Figur in Wirklichkeit war.
Noch in Tübingen hat Hölderlin mit der Arbeit begonnen, dieses andauernd zwischen Vergangenheit und Zukunft, zwischen Griechenland und zukünftiger Selbstverwirklichung hin- und hergerissene Ich in ein Verhältnis zur Gegenwart zu bringen.
Die französische Revolution, durch Mömpelgarder Stipendiaten im Stift vertreten, lenkt ihn in die Zeit.[20] »(...) und bete für die Franzosen, die Verfechter der menschlichen Rechte«[21], schreibt er an die Schwester.

Als er von einem Ausflug in die Schweiz zurückgekehrt war, wurde ihm bewußt, daß er in den Alpen einer freiheitlicheren Tradition begegnet war. Er schämt sich für das Vaterland. Wieder wird fast mit den selben Worten vermerkt wie in der *Zornigen Sehnsucht*, daß unter diesen Umständen die Natur nicht hilft, da »lächelt Himmel und Erd (...)/Mir umsonst.«[22]
Aber noch hofft er, oder ruft es sich doch im Gedicht zu, daß sich »Scham und Kummer« einmal in »erfreuende Tat« wandeln werden.[23] Diese Illusion muß er bald durchschaut haben. In dem Aufsatzfragment über zwei Homerhelden schämt er sich wieder. »Ich bin nun entschlossen, es koste, was es wolle.« Und sofort der Umschlag: »Du müßtest sehen, wie ich der ernsten Mahnung meines Herzens gar künstlich fröhliche Farben aufzwang, um sie mir

20 Pierre Bertaux, *Hölderlin und die Französische Revolution,* Frankfurt 1969 (edition suhrkamp 344), S. 51.
21 *Kl St A,* Bd. 6, S. 85.
22 In *Kanton Schweiz,* Kl St A, Bd. a, S. 149.
23 Siehe Anm. 22.

erträglicher zu machen, und sie wie einen guten Einfall belächeln, und vergessen zu können.«[24] Literatur als folgenlose Abfuhr. Das ist die schlechte Alternative zum Täter, der er nicht ist. Er hat sich nicht dauerhaft mißverstanden. In der Ode *An die Deutschen* kommt er sich näher, wenn er frägt, ob die Tat aus dem Gedanken komme, wie aus dem »Gewölke der Strahl. Leben die Bücher bald?« In der zweiten Fassung wird der allenfalls denkbare Anteil des Dichters sogar noch zurückhaltender gefaßt, »die Bücher« werden ersetzt durch »die stille Schrift.«[25]
Das ist keine Resignationsstufe; Hölderlin traut der Stille viel zu; er hat den Büchern damit einfach eine feste Qualität zugesagt. Und dank der zufallsfreien Genauigkeit seines Sprachgebrauchs wird man Zeuge, wie dieses Wort an sein Ziel gelangt, wie es genau als das selbe Wort zur Wirkung kommt, die ein Wort haben kann, nämlich zur vermittelnden. In der *Friedensfeier* tritt der bis dahin meistens laute Gott der Zeit aus seiner Werkstatt als »Der stille Gott der Zeit«.[26] Das ist der Vermittlungskraft der »stillen Schrift« gelungen. Allerdings: nur im Gedicht.
Daß man in schöner Voreingenommenheit aus vielen Zeilen jakobinischen Klang herausklopfen kann, vor allem wenn man dazu bemerkt, daß diese Zeilen nur der Zensur wegen nicht deutlicher jakobinisch seien[27], das liegt einfach daran, daß Hölderlin diesen Vorauston hat; nicht den der Avantgarde, sondern den des historischen Prozesses. Aber er wäre doch nicht Hölderlin, sondern ein liebenswürdiger Schwärmer, wenn er seine Mitwirkungsmöglichkeiten nicht ganz genau zur Sprache gebracht hätte.
»Tatlos selber, und leicht, aber vom Aether doch auch ange-

24 *Kl St A*, Bd. 4, Stuttgart 1962, S. 229.
25 *Kl St A*, Bd. 2, S. 9.
26 Hölderlin, *Werke und Briefe*, hrsg. von Friedrich Beißner und Jochen Schmidt, Frankfurt 1969, Bd. 1, S. 166. (*Die Friedensfeier* ist erst nach dem Erscheinen des Bandes der Stuttgarter Ausgabe, der die Gedichte nach 1800 enthält, aufgefunden worden.)
27 Bertaux, a.a.O., S. 114 ff.

schaut«[28], so sieht er den Dichter. Und seiner Wortgenauigkeit entsprechend verwendet er dieses leicht für diese Einschätzung nicht nur einmal; er gebraucht es, vergleichend, in *Dichtermut*[29]; auch in der *Elegie*[30], bezeichnet es eine Voraussetzung des »Singens«; im *Archipelagus*[31] das Sprechen; in *Wie wenn am Feiertage*[32] und *Am Quell der Donau*[33], bleibt das Wort ganz im Feld, wenn die Dichter einmal von der Natur erzogen werden in »leichtem Umfangen« und das andere Mal der Dichter die »guten Geister« bittet: »umgebe mich leicht«. Geradezu identisch ist der Gebrauch da, wo es noch einmal darum geht, den Täter vom Dichter zu unterscheiden, in der Ode an den Freund Sinclair, der daran arbeitete, die Revolution über den Rhein zu bringen; da ist es eindeutig Sinclair, den der »Zeitengott« ruft: »dich ruft, / Dich nimmt der mächtige Vater hinauf; o nimm / Mich du, und trage deine leichte / Beute dem lächelnden Gott entgegen!«[34] Er folgte dem Freund, wohin der will, aber: »mit Gesange folge ich, selbst ins / Ende der Tapfern, hinab dem Teuern«.[35] Und dann noch die Zeile »Wenn ich so singend fiele (...)«[36]
Gibt das schon den Revolutionär Hölderlin her? Zumindest nicht den Politiker, den Aktiven, den Eingreifenden. Singend ist er dabei, auf der Seite der Revolution, daran ist kein Zweifel, aber eben doch: singend. Hyperion hält sie ja auch nicht aus, die Tat. Und Empedokles wurde von Hölderlin in sorgfältiger Anstrengung immer reiner zum Opfer präpariert. Hölderlin arbeitet in diesen Neunzigerjahren verteidigend, bittend, planend, klagend und unab-

28 In *Stuttgart, Kl St A,* Bd. 2, S. 92.
29 *Kl St A,* Bd. 2, S. 66.
30 *Kl St A,* Bd. 2, S. 78.
31 *Kl St A,* Bd. 2, S. 110.
32 *Kl St A,* Bd. 2, S. 122.
33 *Kl St A,* Bd. 2, S. 133. Vgl. auch Bd. 6, S. 316: das Sprechen von der Gottheit wird als das »Leichte« Opfer bezeichnet.
34 *Kl St A,* Bd. 2, S. 41.
35 *Kl St A,* Bd. 2, S. 42.
36 *Kl St A,* Bd. 2, S. 43.

lenkbar an seiner Funktion, seiner Identität, seiner Bestimmung: als Dichter. Empedokles scheine, sagt Hölderlin, zum Dichter geboren, er scheine »in seiner subjektiven tätigen Natur schon jene ungewöhnliche Tendenz zur Allgemeinheit zu haben, die unter andern Umständen (...) zu jener Vollständigkeit (...) des Bewußtseins wird, womit der Dichter auf ein Ganzes blickt.«[37] Das halte ich für unmittelbare Auskunft. Die Vollständigkeit des Bewußtseins, der Blick auf das Ganze, die Tendenz zur Allgemeinheit, das umschreibt einen Teil des Arbeitsprogramms, das er gegen Mode und Nichtachtung ausbildet. In seinen Briefen kann man lesen, daß er sich für die »Tendenz zur Allgemeinheit« eher geniert hat. Schiller hat ihn deswegen kritisiert. Hölderlin hat allmählich Begriffe entwickeln müssen, um seine »Scheue vor dem Stoff«[38] zu verstehen und zu rechtfertigen. Er hatte sich gegen die Erlebnislyrik zu wehren.

Er hielt es nicht für »hinreichend, aus sich selber zu schöpfen, und seine Eigentümlichkeit, wäre sie auch die allgemeingültigste, blindlings unter die Gegenstände hineinzuwerfen.«[39] Also will er Vollständigkeit des Bewußtseins.

Er konnte nichts davon halten, aus einem brunnentiefen und ebenso festen ICH zu schöpfen. Er hatte keins.

Doch, er hatte eins, aber nur soweit, als es ihm von außen versichert wurde. Er mußte sich in anderen erfahren. Das muß jeder. Das Individuum ist eine glänzende europäische Sackgasse. Hölderlin kennt sich erst, wenn er sich mitgeteilt hat, wenn er sich im Gegenüber erfährt. Natürlich hat er sich zuerst an Menschen gewandt.

Man könnte sich vorstellen, daß er von seinen Freunden die Bestätigung erwartete, die ihm das »Vaterland«[40] vor-

37 *Kl St A,* Bd. 4, S. 162.
38 *Kl St A,* Bd. 6, S. 268.
39 *Kl St A,* Bd. 6, S. 281.
40 Siehe Anm. 37.

enthielt. Der Briefwechsel mit Neuffer, der andauerndste Freundesbriefwechsel Hölderlins, hörte bald auf, als Neuffer einmal etwas kritischer geschrieben hatte. Dazu kommt, daß Hölderlin durch jede Beziehung in fortwährende Bewegung geriet. Es riß ihn hin. Er konnte nicht vorsichtig sein. »Jede Beziehung mit andern Menschen und Gegenständen nimmt mir gleich den Kopf zu sehr ein, und ich habe dann meine Mühe, sobald ich irgend ein besonderes Interesse bei mir zum Vorschein und zur Sprache kommen lasse, wieder davon weg und auf etwas anderes zu kommen.«[41]

So klar ist ihm seine Krankheitsbedingung geworden. Aber es ist mehr als rührend, wenn er dann zur Begründung sagt: »so bin ich ein schwerfälliger Schwabe.«[42]

Das war also seine Bedingung: er kann sich ohne andere nicht erfahren, also sucht er andere, sucht er ein Gegenüber, ein »harmonisch Entgegengesetztes«[43], dadurch gerät er aber zu sehr außer sich, oder das andere nimmt ihn zu sehr ein, er ist in Gefahr, sich zu verlieren. In Griechenland, im Freund, in der komischsten Hauslehrerpflicht. Trotzdem muß er für ein bißchen Identität sich immerzu in solche Bewegung bringen und dann die schwere Umkehr suchen.

Er ist einmal in Tübingen quer über die Straße gerannt und hat einem Stiftsangestellten, der ihn nicht gegrüßt hatte, den Hut vom Kopf geschlagen.[44] Das ist eine grelle Anekdote zu seinem Identitätsproblem.

Und weil er keine privaten und schon gar keine öffentlichen Verhältnisse findet, in denen er sich wirklich bestätigt sehen kann, wird ihm fast alles nur noch zur Störung.

41 *Kl St A*, Bd. 6, S. 416, und S. 340, 328 f.
42 *Kl St A*, Bd. 6, S. 416.
43 Siehe *Kl St A*, Bd. 4, S. 251 ff. *Über die Verfahrungsweise des poetischen Geistes*.
44 Wilhelm Michel, *Das Leben Friedrich Hölderlins*, Frankfurt 1967, S. 43 f.

Die einzige Ausnahme ist, eine Zeit lang, die Beziehung zu Frau Gontard, und dann vielleicht noch die Freundschaft zu Sinclair. Immer enger drängt ihn die Erfahrung zu Mutter, Schwester und Stiefbruder hin. »Es geht uns«, schreibt er der Schwester, »wie ichs oft bei den Herden auf dem Felde gesehen habe, daß sie zusammenrücken und aneinanderstehn, wenn es regnet und wittert. Je älter und stiller man in der Welt wird, um so fester und froher hält man sich an erprüfte Gemüter.«[45] Er war da 28 Jahre alt.

In seinen Briefen stellt sich Hölderlin sehr schmiegsam auf den Adressaten ein; nur ein Thema zieht sich schlechterdings grell durch alle Briefe: Störung und Ruhe. Mit immer denselben Worten klagt er, daß er zu bewegt ist, zu störbar, zu zerstörbar, »ewig Ebb und Flut«[46], ewig zwischen »Hoffnung und Erinnerung«[47], andauernd mit seiner Rettung beschäftigt, immer kämpfend um einen »festen« und »getreuen Sinn«.[48] Und diese Lebensbedingung wird ganz direkt die Grundlage seines Arbeitsprogramms. Weil er nicht erfolgreich leidend und zielstrebig Jahresringe ansetzen kann wie der Klassikgründer in Weimar – bitte, meine Damen und Herren, man kann nicht Hölderlin rühmen und den Weimarer Goethe *nicht* schmähen –, weil er dieses seiner selbst immer ungewisse, auf riskante Erfahrung angewiesene, das heißt also auf Bewegung angewiesene ICH hat, deshalb fällt ihm zum Beispiel in der Geschichte »das Vorübergehende und Abwechselnde der menschlichen Gedanken und Systeme fast tragischer auf (. . .) als die Schicksale, die man gewöhnlich allein die wirklichen nennt.«[49] Das ist seine Tendenz zur Allgemeinheit, seine Angewiesenheit auf Bewegung, seine dialektische Na-

45 *Kl St A,* Bd. 6, S. 296.
46 *Kl St A,* Bd. 6, S. 63; 220; 265.
47 *Kl St A,* Bd. 6, S. 105.
48 *Kl St A,* Bd. 6, S. 331 f; 130; 275 ff; 282 ff; 324 f; 351 f; 416; 432.
49 *Kl St A,* Bd. 6, S. 323.

tur, was soviel ist wie ein weißer Schimmel. Die Kehrseite davon ist seine »Scheue vor dem Stoff«[50], seine Angst, ein »leerer Poet«[51] zu werden; aber er bestimmt sich dazu, die Wirklichkeit, in der Stoff und Störung daheim sind, nicht zu meiden.

Er schreibt: »Weil ich zerstörbar bin als mancher andere, so muß ich um so mehr den Dingen, die auf mich zerstörend wirken, einen Vorteil abzugewinnen suchen, ich muß sie nicht an sich, ich muß sie nur insofern nehmen, als sie meinem wahrsten Leben dienlich sind. Ich muß sie, wo ich sie finde, schon zum voraus als unentbehrlichen Stoff nehmen, ohne den mein innigstes sich niemals völlig darstellen wird. Ich muß sie in mich aufnehmen (...)«[52] Das ist Kafka, möchte man sagen. So erarbeitet er sich dann die »Verfahrungsweise« des »poetischen Geistes«; was er aber als solche beschreibt, ist eine Schilderung der menschlichen Entwicklung als dialektische. Daß Hölderlin diese Denkart nicht bloß beim Freund Hegel im Stift gehört hat, zeigt sein Verhältnis zur Natur. Hölderlin war kein Idealist. Für ihn ist die Natur nicht, wie für Hegel, etwas, was der menschliche Geist hinter sich gelassen hat, ein Bereich, in dem sich nichts mehr tut. Der Satz von Engels, daß die Natur »eine wirkliche Geschichte durchmacht«[53], wird in Hölderlins Gedichten immer wieder vollzogen. Und was noch zu Hölderlins Lebzeiten in Heilbronn von Julius Robert Mayer gedacht wurde – die Entdeckung der Erhaltung und der Verwandlung der Energie –, das ist Hölderlin nicht fremd; daß nichts »umsonst« ist, hat der für Kräftebewegungen ungemein empfindliche Hölderlin andauernd bemerkt.

Nun wirkt das ja alles immer gleichzeitig, das ist das Schwierige in unserer auf Nacheinander angewiesenen Auf-

50 Siehe Anm. 32.
51 *Kl St A*, Bd. 6, S. 334.
52 *Kl St A*, Bd. 6, S. 312
53 Friedrich Engels, *Anti-Dühring*, Berlin 1948, S. 26.

fassungsgabe: französische Revolution; die Enttäuschung, daß sie im Vaterland nicht wirkt; die Beschämung, tatenlos zusehen zu müssen; die ausbleibende Bestätigung des Dichters durch die Deutschen; also das immer aufgeschobene Leben; die allmähliche Reduktion der Beziehungen auf die Verwandschaft, vor allem nach der abgewürgten Liebe zu Frau Gontard; Ersetzung der gegenwärtigen Welt durch Natur und Geschichte und Zukunft, auch im Arbeitsprogramm; und, durch all diese Umstände bedingt, der Fortschritt der Krankheit; und all diese Umstände wieder durch die fortschreitende Krankheit weiter verschärft.

Die Krankheit gehörte so sehr zu den Bedingungen seines Stils, daß es keinen Sinn hat, sich auch da noch pseudohölderlinisch auszudrücken und zu sagen, er sei in eine »Umnachtung« gefallen, gar noch in eine seelische.

Abgesehen davon, daß das die fürchterlichen Vorgänge unterschlägt, von den Rasereien gegen Mutter und Schwester in Nürtingen, zur Verladung in die Kutsche in Homburg, bei der er den Transporteuren mit seinen verwilderten Fingernägeln heftig blutende Gesichter schlug[54], bis zur Zwangsjacke und Gesichtsmaske im Tübinger Klinikum, abgesehen davon ist die Krankheit schon sehr viel früher eine Lebensbedingung für Hölderlin als es die Mär von der plötzlichen Umnachtung nach 1800 wahrhaben will. Im vorläufigen Stadium wird in steigender Spannung das Bevorstehende erlebt, sagt die Psychiatrie: Selbstwertminderung oder Steigerung, ein Drittes gibt es nicht.[55] Der Überspanntheit folgt der Spannungsabfall, die Mutlosigkeit, das »Umfeld« erhält »einen befremdlichen neuen physiognomischen Zug, den es bisher noch niemals hatte. Es sieht kalt und feindselig auf den Erlebenden, wie auf einen, über dem man den Stab gebrochen hat.«[56] Schon 1795

54 Werner Kirchner, *Der Hochverratsprozeß gegen Sinclair,* Frankfurt 1969, S. 180 und S. 219.
55 K Conrad, a.a.O., S. 19 f.
56 K. Conrad, a. a. O., S. 46.

schildert der Freund Magenau, den aus Thüringen gescheitert nach Nürtingen zurückgekehrten Hölderlin so: »abgestorben allem Mitgefühl mit seines Gleichen, ein lebender Todter«.[57] Und daß das keine Übertreibung ist, bestätigt Hölderlin selbst. In einem Brief an Schiller schreibt er im September 1795: »Ich fühle nur zu oft, daß ich eben kein seltner Mensch bin. Ich friere und starre in den Winter, der mich umgibt. So eisern mein Himmel ist, so steinern bin ich.«[58] In diesem Winter im September ist der neue »physiognomische Zug« unübersehbar. Und die dafür notwendigen Wörter setzen sich durch. Das Wortfeld: einsam, kalt, klanglos, sprachlos, stumm, setzt sich fort mit ehern, eisern.[59]

In dieser Zeit gewinnt er sich in der Natur jene ihm notwendige »harmonische Entgegensetzung«, also eine bewegte, lebendige Beziehung, ohne daß er gleich Zerstörung fürchten muß. Durch christliche Erziehung und durch Irritation durch die idealistischen Fremdlinge Schelling, Schiller, Hegel und Fichte war ihm Natur etwas Verhülltes geworden; bis in die Zeit der Tübinger Hymnen. Ein solches Verhältnis hat bei Hölderlin immer eine zuverlässige sprachliche Entsprechung. Der Mäher »entkleidet« die Wiese[60], die Heide ist »nackt«[61], vor Homer steht die Natur »mit abgelegten Hüllen« da[62], und in dem Hölderlin-Hit heißt es dann, rückblickend: »Da ich noch um deinen Schleier spielte (...)«[63] Danach wird die Natur vorzüglich durch Wortbildungen mit All- gefeiert: Allumfassende, Allesbelebende, Allesverwandelnde. Allgegenwärtige.[64] Vor

57 W. Michel, a.a.O., S. 128.
58 *Kl St A,* Bd. 6, S. 197.
59 Vgl. *Kl St A,* Bd. 1, S. 95; 97; 204; 232; 298; 304; Bd. 2, S. 10; 11; 12; 75; 81; 87; 121; Bd. 6, S. 357; 431; 433.
60 *Kl St A,* Bd. 1, S. 60.
61 *Kl St A,* Bd. 1, S. 199.
62 *Kl St A,* Bd. 1, S. 182.
63 *Kl St A,* Bd. 1, S. 198.
64 *Kl St A,* Bd. 1, S. 177; 259; Bd. 2, S. 23; 34; 122.

allem aber wird ein Wort vollkommen der Anwendung auf Menschen entzogen und ausschließlich in den Dienst des Ausdrucks der Natur gestellt: das Wort »lächeln«. Nach der Tübinger Zeit kommt es, wenn ich nichts übersehen habe, kein einziges Mal mehr für Menschen vor. Jetzt lächelt »das Bild der Erde«[65], Helios, der Aether. Licht und Luft werden von Hölderlin ganz konkret »himmlisch« genannt. Als Himmlische nennt er sie Götter; und vom Wort Natur aus, die ihm jetzt immer »lächelt«, wird »lächeln« auch für das Auffallendste in der Natur möglich, also für den Aether, für die Luft, das Licht, für die Himmlischen, die Götter.[66] Das Lächeln wird geradezu zu einem Rangabzeichen in den späteren Gedichten. Kommt es vor, weiß man, es handelt sich um einen Gott. Aber was ist das, ein Gott? Einmal also verdankt er sich der physiognomiesetzenden Kraft[67] des von der Gesellschaft nicht Aufgenommenen, des schwer erschütterten Einsamen. Im Jahr 1798 schreibt Hölderlin dem Bruder: »So müssen wir auch der Gottheit, die zwischen mir und dir ist, doch wieder von Zeit zu Zeit das Opfer bringen; das leichte, reine, daß wir nämlich zueinander sprechen von ihr.«[68] Die Beziehung zum Bruder, die Verwandtschaft ist hier eine Gottheit.

In einem späten hymnischen Entwurf heißt es: »Was ist Gott? unbekannt, dennoch / Voll Eigenschaften ist das Angesicht / Des Himmels von ihm. Die Blitze nämlich / Der Zorn sind eines Gottes. Jemehr ist eins / Unsichtbar (. . .) schicket es sich in Fremdes. Aber der Donner / Der Ruhm ist Gottes.«[69] Das ist, glaube ich, das Endstadium dieses Wortes bei Hölderlin.

Vorher waren die Himmlischen jene ganz konkreten Natur-

65 *Kl St A,* Bd. 1, S. 197.
66 *Kl St A,* Bd. 1, S. 94; 159; 182; 185; 195; 197; 214; 258; Bd. 2, S. 8; 23; 43; 51; 60; 85; 123; 151; 153; 154; 156, 159, 213, 221.
67 Vgl. K. Conrad, a.a.O., S. 71.
68 *Kl St A,* Bd. 6, S. 316.
69 *Kl St A,* Bd. 2, S. 218.

kräfte. Sie wurden ihm zum Zeichen. Er fühlte sich gemeint. Deutlich kann man sagen: Gott ist alles, was sich noch an ihn wendet. Jede noch mögliche Beziehung. Und je wehrloser er wird, desto übermächtiger die Erscheinungen, also desto größer Gott. Kein Wort kommt in den späteren Gedichten auch nur annähernd so häufig vor wie »Gott« und »Götter« und »göttlich«. Ich habe in der Böschenstein-Konkordanz[70] flüchtig gezählt: rund 320mal. An zweiter Stelle: »Himmel« und »Himmlische«, an die 280mal. Als drittes folgen Wörter mit »Liebe«! Dann folgt »Leben«, dann »gehen«, dann »kommen«, dann »Tag«, dann »sehen« und »schauen«, dann »Mensch«, »Zeit«, »sagen« und »nennen«, dann »Erde«, »Geist«, »Freude«. Es hilft wenig, zu sagen, er sei einfach fromm gewesen. Fromm war er sicher und in dem allerbestimmbarsten Sinn, daß er sich nämlich als Teil eines Prozesses sah, als Einzelnes, das ohne Aufhebung im Ganzen kalt und klanglos stumm war.

Ich möchte noch einmal die Psychiatrie hereinbitten. Zur beginnenden Schizophrenie gehört, nach Jaspers, »das unmittelbar sich aufzwingende Wissen von Bedeutungen«[71]; ein anderer Wissenschaftler stellt fest, im Wahn bestehe ein »gesteigerter und erweiterter Vorrang von Wesenseigenschaften an bestimmten Wahrnehmungsgegenständen«.[72] Und als unübersehbar wird an den Erkrankten immer wieder festgestellt: sie hätten das Gefühl, alles werde ihretwegen veranstaltet. Viele hören Stimmen. Davon ist Hölderlin frei. Aber nur allzu oft spricht er von seinem Auge und den Zeichen. Er fühlt sich gemeint, betroffen von den Himmelszeichen.

Darüber gibt deutlich Auskunft das Wortfeld Himmel-

70 Bernhards Böschenstein, *Konkordanz zu Hölderlins Gedichten nach 1800,* Göttingen 1964.
71 K. Conrad, a.a.O., S. 46.
72 K. Conrad, a.a.O., S. 59.

Wolke-Strahl-treffen-Wort-Gabe-nennen-entzünden-schlummern-wecken.[73] Die Psychiatrie hat beobachtet, wie außerordentlich empfindlich die Erkrankten auf ihre Umwelt reagieren. Wie treffbar sie sind. Wie wehrlos. Und noch eins: den Psychiatern ist offenbar auch ganz geläufig, daß die Betroffenen eine sonst völlig unbekannte Fähigkeit haben, die »Tiefe«[74] eines solchen, für andere nicht weiter wichtigen Ereignisses zu empfinden. Im Betroffenen hat sich, sagt der Psychiater, ein »abnormes Bedeutungsbewußtsein entwickelt«.[75]

Der Psychiater K. Conrad zitiert von einem Schizophrenen folgenden Satz: »Ich glaubte, ich strebte zum Licht, aber es war immer nur die Angst vor dem Dunkel«.[76] Dieser Satz wurde nicht in tiefsinniger Absicht fabriziert, sondern damit schilderte der Kranke ganz einfach, wie er durch eine Bahnunterführung gegangen war. So wirkt diese Krankheit selbst auf einen Nicht-Hölderlin. Conrad bezeichnet in seiner Gestaltanalyse die zwei Hauptphasen dieser Krankheit mit Apophänie und Apokalypse, also mit dem Wort »offenbaren«.
Auch in diesem Umkreis steht Hölderlin. Schmälert es ihn denn, wenn er der ihm aufgehalsten Krankheit nun noch Fähigkeiten abgerungen hat? Freud, zum Beispiel, hat die Psychose nicht nur als Krankheit gesehen, sondern auch als Versuch einer Heilung. Hölderlins Abwendung von den Menschen ist ein Heilungsversuch.[77] Der ungeheure Ausbau seiner Mittlerrolle in Natur und Geschichte ist ein Heilungsversuch. Wie er dann das, was ihm da in Natur und Geschichte entgegenkommt, erlebt, wie sehr es ihn

73 Vgl. entzünden: 1, 255; 259. 2, 123; 136; Gewölk, Strahl, Flamme: 2, 9; 41; 48; 95; 127; Gabe, Wort, senden, treffen: 2, 71; 72; 96; 97; 98; 103; 123; 124; 131. Sichtbarste Erscheinung dieses Wortfeldes: *Wie wenn am Feiertage . . .*
74 Vgl. Bd. 2, 122 ff. K. Conrad, a.a.O., S. 89.
75 Vgl. K. Conrad, a.a.O., S. 20.
76 K. Conrad, a.a.O., S. 82.
77 Leo Navratil, *Schizophrenie und Sprache,* München 1968, S. 38.

betrifft und was er deshalb daraus macht, das hat auch mit einer von der Krankheit erzeugten Fähigkeit zu tun.
Auf diesem Wege, glaube ich, wurden dem immer wehrloseren, treffbareren, einsameren Hölderlin die Naturerscheinungen zu so gewaltigen Adressen an ihn selbst. Erstaunlich dabei ist, daß er nicht noch früher erstarrte; daß er diese Szene andauernd in der Vermittlungsbewegung hielt; daß es ihm gelang, diese Götter solange als Prozeßfiguren zu sehen und sie nicht einfach anzubeten. In den Gedichten, in denen »Gott«, »Götter«, »göttlich« etwa 320mal und »Himmel« und »Himmlische« etwa 280mal vorkommen, kommt drei Mal das Wort »beten« vor.
»(...) daß (...) / Furchtlosrege der Geist (...) / (...) sich üb, und die Göttersprache, das Wechseln / Und das Werden versteh (...)« *(Der Archipelagus)*[78]
Also, die Götter sind Prozeßkräfte und nichts Geoffenbartes, auf das man mit Verehrung reagieren könnte. Man muß sie aufnehmen, daß sie als Wirkung zu sich kommen. Wenn man noch Hölderlins übermäßigen reflexiven Gebrauch der Verben dazunimmt, wird noch deutlicher, daß es sich nicht um Offenbarung in irgend einem bekannten Sinne handeln kann.
»Positive Offenbarung ist ihm wörtlich ein Unding (...) wo der Offenbarende nur alles dabei tut, und der, dem die Offenbarung gegeben wird, nicht einmal sich regen darf, um sie zu nehmen, denn sonst hätt er schon von dem Seinen etwas dazugebracht.«[79] Er will andauernd zeigen, daß nichts für sich sein kann, »alles greift ineinander und leidet, so wie es tätig ist (...)«[80] Seine Himmlischen, auch sein immer mehr hervorragender Gott, sie sind nie für sich. Es gehört immer erst ein anderes dazu, daß eines *sich* wieder kennt, oder neu *sich* fühlt, oder einst *sich* nennt, oder überhaupt *sich* wieder findet. Der Geist im Menschen-

78 *Kl St A, Bd. 2, S. 116.*
79 *Kl St A.* Bd. 2, S. 323.
80 *Kl St A,* Bd. 2, S. 323.

wort, der Vater unter den Lebenden, das Licht in den Frohen (...)[81] »(...) gleichwie auch an den Pflanzen / die Mutter Erde sich und Licht und Luft sich kennen.«[82]
Da uns das dialektische Vermögen und das Vermögen der Dialektik durch geschichtliche Erfahrung seitdem bekannter geworden sind, bringt die Ausschließlichkeit, mit der er eine Sache auf Vermittlung stellt, ihn uns nur näher. Ohne weiteres sind uns die Stromgesänge als schönste Vermittlungsmodelle deutlich. Ohne weiteres seine Vorliebe für die großen Vermittler Rousseau, Herkules, Bacchus, Christus und Kolumbus. Ich halte es für grotesk, daß er Mythen gebildet haben sollte. Und selbst wenn er's getan hätte, so müßten wir, wie er es Sophokles gegenüber tat, die Mythen »beweisbarer darstellen.«[83]
Aber es genügt schon, sein prozessuales Denken ernst zu nehmen. Da gibt es keine dualistische Eingeteiltheit in Geist und Materie, Kunst und Leben, Kunst und Wirklichkeit. Hölderlin konnte den Prozeß auch nicht nur denken. In einem Aufsatzentwurf spottet er über die Weisen, die, »nur mit dem Geiste, nur allgemein unterscheiden« und dann »schnell wieder ins reine Sein zurückeilen« und den Prozeß enden lassen.[84]
Hölderlin fühlte sich bis zur Unerträglichkeit in diesem Prozeß beschäftigt, von ihm ergriffen. Er fühlte sich verantwortlich, denn ohne Vermittlung verwildert der Prozeß. Aber der Dichter ist kein Individuum. Als einzelner wäre der immer sinnlos.
Dichter, das bezeichnet ganz genau einen Beruf, eine Vermittlungsfunktion. Und die Gesänge des Dichters sind ausschließlich dem Vaterland zur Hilfe bestimmt. Aber was

81 Die letzten vier Strophen der Ode *Ermunterung* hören so auf: »sich entfaltet«; »sich findet«; »sich ausspricht«; Bd. 2, S. 36 f. Vgl. 1, 41 (sich sehnen); 1, 67 (sich begrüßen); 1, 307 (sich erfreue); 1, 309 (sich gesellen); 2, 122 (sich fühlen); 2, 127 (sich finden); Hölderlin, *Werke und Briefe,* a.a.O., Bd. 1, S. 165 (sich erfahren).
82 Hölderlin, *Werke und Briefe,* a.a.O., Bd. 1, S. 166.
83 *Kl St A,* Bd. 5, *Übersetzungen,* Stuttgart 1954, S. 292.
84 *Kl St A,* Bd. 4, S. 247.

fehlte denn dem Vaterland? Litt es an der Götterferne? Was hat er denn den Deutschen vorgeworfen? Daß sie zu sehr am Eigenen klebten, daß sie nicht aufbrächen, daß sie sich nicht im Fremden erfahren wollten, daß sie sich »an ihren Erwerbnissen und Ererbnissen zu Tode schleppen«, einen Mangel an Trieb zur Erfahrung.[85] »Die republikanische Form in unseren Reichsstädten (ist) tot und sinnlos geworden, weil die Menschen nicht so sind, daß sie ihrer bedürften, um wenig zu sagen.«[86]

Er hat, in anderer Stimmung, innig gehofft, daß es sich nur um einen Schlaf handeln möge, rundum, daß in der geschichtlichen Stagnation sich insgeheim etwas vorbereite, und an dessen Weckung wollte er mitarbeiten. Er hatte ja dieses schöne und riesige Vertrauen in den »Genius des Volks«. Er hat dieses eine große Beispiel gegeben, den Aufbruch nach Griechenland, um im Erfahren des Fremden den schwierigen Gebrauch des Eigenen, des »Nationellen« zu erlernen.[87] Und er hat das andere Beispiel gegeben: die Erfahrung des Eigenen in der Natur. Politisch sah er um sich her das ausfaulende Reich. Der Natur gegenüber sah er, von Leibniz bis Fichte und in jeder christlichen und feudal-bürgerlichen Kleinigkeit, nur ein Herr-Knecht-, ein reines Ausbeutungsverhältnis.
Also: Anstoß, Erweckung, Wirkung, Veränderung. Deshalb wird ihm schließlich jedes Gedicht zum Medium, in dem sich der erwünschte Prozeß andauernd ereignet. Hölderlin hat sich nie ganz vom Prozeß der französischen Revolution abgewandt und er hat sie auch nicht erst gegrüßt, als sie in einem Kaiser zur Erstarrung gekommen war.
»Es ist nur ein Streit in der Welt«, schreibt er seinem Karl, »was nämlich mehr sei, das Ganze oder das Einzelne«.[88]

85 *Kl St A*, Bd. 6, S. 326.
86 *Kl St A*, Bd. 6, S. 365.
87 *Kl St A*, Bd. 6, S. 456.
88 *Kl St A*, Bd. 6, S. 448.

An Sinclair schreibt er, in jedem »Produkt« könne »der Anteil, den das Einzelne am Produkt« habe, »niemals völlig unterschieden werden, vom Anteil den das Ganze daran hat.« Es sei »sogar die erste Bedingung alles Lebens und aller Organisation, daß keine Kraft monarchisch ist (...)« Und so weiter.[89] Überall, wo man ihn anrührt, dieses vollständige Bewußtsein, dieser Blick auf das Ganze. Man könnte davon träumen, was geschehen wäre, wenn Deutschland diesen Anstoß empfunden hätte.
Er wollte schließlich, daß der Inhalt seiner Gedichte, das Vaterland unmittelbar anginge.
Das höchste Vorstellbare für ihn: der »Geist des Vaterlands« sollte sich in seiner Sprache finden.
»So krönet, daß er schaudernd es fühlt, / Ein Segen das Haupt des Sängers / Wenn dich der du / Um deiner Schöne Willen, bis heute / Namlos geblieben, o göttlichster! / O guter Geist des Vaterlands, / Sein Wort im Liede dich nennt.«[90]
Davon hat er uns eine kräftige Ahnung gelassen. Das »Nächste Beste«, das stand auf seinem Programm!
»Abendlich wohlgeschmiedet / Vom Oberlande biegt sich das Gebirg (...)«[91] Er wollte das nicht versäumen. Griechenland sei an diesem Versäumnis zugrundegegangen.
Ich glaube auch nicht, daß wir Hölderlin entsprechen, wenn wir meinen, er hätte in seinem Prozeßgedicht immer nur den Dichter exponieren wollen. Und auch noch als etwas Besonderes. Im *Hyperion* heißt es: »Da übte das Herz sein Recht, zu dichten, aus (...) Und, wie die Vergangenheit, öffnete sich die Pforte der Zukunft in mir.«[92] Dichten ist also ein allgemeines Verhalten. Ein Nichteinschlafen im Augenblick. Jeder, der mehr von Vergangenheit und Zukunft als von Gegenwart lebt, ist ein Dichter.

89 *Kl St A,* Bd. 6, S. 322 ff.
90 *Kl St A,* Bd. 2, S. 212 f.
91 *Kl St A,* Bd. 2, S. 246 ff.
92 *Hyperion.* In: *Kl St A,* Bd. 3, Stuttgart 1958, S. 73.

Auch der Dichter ist, wie Gott und die Götter, nur eine Prozeßfigur. Er ist einfach der gesellschaftliche Teil in dieser Vermittlungsbewegung. Auf jeden läuft doch andauernd Zukunft zu. Jeder ist doch andauernd in Gefahr, bei sich einzuschlafen; das Neue, das Nächste, das Kommende abzuwehren oder um sein Recht zu betrügen. Dazu ist er abgerichtet im Interesse des Herrschenden oder der Herrschenden. Er läßt sich die Rolle verpassen, die von der Gesellschaft scharf verfügte und noch schärfer überwachte Identität. Karyatiden-Identität. Ein System aus gefangenen Bewegungen. Wie hätte sonst das Wort »Systemimmanenz« zu solchen Ehren kommen können! Systemimmanenz und Tautologie, das ist der süße Senf, der alles so konsumierbar macht. Nicht über uns hinaus, das ist das eherne Limit. Wer den Widerspruch produziert, die Entgegensetzung, der erhält viele Arten von Prügeln. Schon Unsicherheit wird bestraft. Am liebsten eben das schwerpunktsichere Raubtiergemüt. Bewegungen nur wegen Beute.
Und andauernd wird uns Angst eingebleut vor der Zukunft. Die Herrschenden, das verfügende Bürgertum, sie machen uns zu ihren Komplizen. Auch wir sollen Angst haben vor Veränderung. Das ist gelungen. Wir haben Angst. Wir kennen uns schier selbst nicht mehr vor Stillstand. Wir müssen uns wahnsinnige Sachen vorführen lassen, damit wir uns ein bißchen erfahren. Und weil uns die Gesellschaft, die nicht nach unserem Interesse, nicht nach dem Interesse der Mehrheit bestimmt ist, nur ein nirgends hinreichendes Selbstbewußtsein erlaubt, deshalb sind wir sehr verletzlich und gegeneinander so feindselig. Sogenannte Individualisten. Damit wir ja nicht zusammenfinden. Wir erfahren uns nicht mehr in Bewegungen, sondern in Fixierungen. Das macht uns verbotssüchtig, zukunftsscheu, nervös, arbeitssam, rücksichtslos und traurig.
Hölderlin hat wohl *beides* in hartem Wechsel andauernd an sich selbst erfahren, die Gefahr zu erstarren und, im Bewußtwerden dieser Gefahr, den Trieb aufzubrechen, sich

riskant dem Entgegengesetzten auszusetzen, sich in ihm zu verlieren. In Homburg war sein Zimmer mit den Karten der 4 Weltteile dekoriert.[93] Er hat gewußt, daß »vaterländische Umkehr« in die »Wildnis« führen kann oder »in die neue Gestalt«.[94]

Er hat gewußt, daß man in diesem Entscheidungsprozeß nicht neutral sein kann. Er hat sich Versöhnungsfeiern vorgestellt, Brautfeste der Tendenzen.

»Vollendruhe. Goldrot«.[95]

Das ist seine Utopie. Und wir sind so wenig in die Schule bei ihm gegangen, daß wir uns ohne weiteres am Ziel der Geschichte wähnen. Wir glauben, den Prozeß überlisten zu können. Zwei Parteien rotieren bewegungslos. In ihrer Umarmung soll der Prozeß endgültig einschlafen. Dabei ist das Entgegengesetzte, der Sozialismus, innerhalb der deutschen Tür.

Nicht als unser Untergang, sondern als Übergang. Und nicht als sein Untergang, sondern als Übergang. Hölderlin hat sich der Spannung solcher Geschichtsaugenblicke ausgesetzt.

»Ist ein solches Phänomen tragisch, so gehet es durch Reaktion, und das Unförmliche entzündet sich an Allzuförmlichen.«[96] Reaktion, das ist das äußerste Gegenteil von dialektischer Vermittlung. Wir leben in diesem Zustand. In der auf nichts als auf Reaktion gestellten Auseinandersetzung, »streiten die Beteiligten nicht mehr um die Wahrheit«, sagt Hölderlin; das Charakteristische sei, sagt er, »daß sie als Personen im engeren Sinne, als Standespersonen gegeneinander stehen, daß sie sich formalisieren.«[97]

Ich will ihn nicht viel länger so unmittelbar herbitten. Aber ihm zu entsprechen, das heißt, nicht, bei sich selbst wie am Ziel stehen zu bleiben, das hieße vielmehr, den Wider-

93 *Kl St A*, Bd. 6, S. 378.
94 *Kl St A*, Bd. 5, S. 295.
95 *Kl St A*, Bd. 2, S. 262.
96 *Kl St A*, Bd. 5, S. 295.
97 *Kl St A*, Bd. 5, S. 295 f.

spruch, den der Zustand doch aus sich selbst produziert, nicht unterdrücken und betrügen zu wollen, sondern sich in ihm zu erfahren und mit ihm die »neue Gestalt« heraufzuführen.

Der Anstoß Hölderlins ist bis heute schöne Literaturgeschichte geblieben. Das heißt, es gelingt uns offenbar nicht, ihn zu verstehen. Oder: wir nehmen ihn nicht ernst. In der vollendeten *Friedensfeier* hat er mitgeteilt, wohin die Geschichte nach allen Vermittlungen gelangen soll, sein zukünftiges Jetzt heißt – und daraufhin wollen wir uns dann einmal anschauen: »(. . .) jetzt, / Da Herrschaft nirgends ist zu sehn, bei Geistern und Menschen.«

(1970)

II

Peter Weiss
Notizen zum »Hölderlin«-Stück

10. Dezember 1970
Mein Stück ist zu verstehen als ein persönlicher Kommentar zu Hölderlins Gedichten, zu den Dokumenten über sein Leben. Obgleich Hölderlin selbst kaum zitiert wird, nehmen seine eigenen Schriften für mich den Vordergrund des Stückes ein, sie sind es, die zunächst gelesen werden müssen, will man ein Bild von seiner Bedeutung gewinnen. Daß Hölderlins Werk zu meinem geistigen Besitz gehört, zu einem Besitz, der mich ständig begleitet, ist die Voraussetzung zu dieser Arbeit. Doch kann ich dieses Werk immer nur teilweise aufschlüsseln, es regt jedes Mal zu neuen Deutungen an. Obgleich ich es seit Jahren kenne, kann ich nicht sagen, daß ich es im Ganzen verstehe. Einige Zeilen genügen mir, selten nur habe ich ein Gedicht, mit all seinen Wortbildern, all seinen Ausblicken und Vertiefungen, all seinen Schwankungen in der zeitlichen und räumlichen Dimension, vom Anklang bis zum Abtönen, fassen können. Zwar ist mir ein großer Teil der Literatur über Hölderlin bekannt, ich habe die wissenschaftlichen Erläuterungen, die Lesearten der Gedichte studiert, vor allem aber habe ich sie subjektiv aufgenommen, habe meine eigenen Erfahrungen in sie hineingelesen. Ich erhebe keinerlei Anspruch darauf, ein Hölderlinkenner zu sein, ich greife aus dem Werk, das seinem Umfang nach gering, seinem Inhalt nach jedoch umfassender ist als das der meisten Klassiker, immer nur Visionen heraus, auf die mein Blick gerade stößt. Diese Visionen sprechen immer von der Gesamtheit. Ich könnte keine Zeile finden, die für sich dasteht, sie erhält ihren Widerklang, ihre Weiterführung, Modulierung, Variation in jeder andern Einzelheit. Ich versuche, den Blick auf Hölderlins Lebensart, seinen Lebenskonflikt, seine ungeheure gedankliche Beweglichkeit zu lenken. Das

Schreiben dieses Stückes macht nur einen geringen Teil aus von meiner Beschäftigung mit Hölderlins dialektischem Dasein. Nach dem Schreiben des Stücks werde ich untersuchen, in welcher Hinsicht ich Hölderlin verstanden oder mißverstanden habe. Diejenigen, die sich mit fundierten Kenntnissen der Literaturgeschichte, der Poetik, der Philosophie mit Hölderlin befassen, und darin ein Spezialistentum entwickelt haben, werden ihren Dichter, in der Gestalt, die ihm hier zugeteilt ist, vielleicht gar nicht wiedererkennen. Sie werden meinen, es seien ihm hier Dinge zugeschrieben, die mit dem Dichter Hölderlin nichts zu tun haben. Wie beim Lesen seiner Niederschriften, so hole ich mir auch beim Schreiben dieses Stücks Hölderlin in meine Gegenwart, und benutze das, was er in mir anregt dazu, eine Gestalt entstehen zu lassen, die eine Problematik ausdrückt, die für mich aktuell ist. Es ist weder ein dokumentarisches, noch ein historisches Stück. Es ist ein Stück aus dem Gegenwärtigen, verfremdet nur durch die Hineinversetzung in eine vergangene Epoche. Hölderlins psychologische Reaktionen sprechen von den gleichen Gefahren, die auch uns bedrohen. Er gibt ein extremes Beispiel dafür, wie der Druck der Außenwelt einen solchen Grad von Unerträglichkeit annehmen kann, daß nur noch die Flucht in die innere Verborgenheit übrigbleibt. Daß er in eine totale Entfremdung geworfen wurde, steht über allem Zweifel, es wäre sonst nicht möglich, nach einem Jahrzehnt intensivster poetischer Aktivität, vier Jahrzehnte in der Isolierung des Turms auszuharren. Doch scheint ihm, nach der ungeheuren Anspannung bei der Suche nach einer neuen universalen Sprache, der Sinn für die Zeit gewichen zu sein. Er lebt in einem gleichbleibenden Zustand, in einer Grenzregion dahin. Im Stück vermag ich diesen Zustand nur andeutungsweise darzustellen. Diese vierzig Jahre forderten ein eigenes Stück, das zu schreiben ich noch nicht fähig bin. Ich verwende bei der Arbeit Hölderlins eigene Souveränität, mit der er sich über die Begrenztheiten, die

Normen und Gesetze des realen Lebens hinwegsetzte. Sein Griechenland, das er nie gesehen hatte, ist der gleiche Handlungsraum, der auch einem Trotzki, einem Che Guevara bekannt war. Die Unmenschlichkeit, die Ignoranz und Brutalität der Außenwelt, die ihn schließlich niederstreckte, ohne ihn jedoch zu besiegen, ist die gleiche, die vielen heutigen Revolutionären allmählich die Kraft nimmt, und sie in die Irrenhäuser und Hungertürme der zeitgemäßen Übermächte wirft. Wenn er seinem Jakobinismus abschwört, so tut er dies nur, weil er unter den gleichen Terror geriet, dessen Wahngebilde in den politischen Prozessen unsres Jahrhunderts den Angeklagten die Umnachtung aufzwangen. Ich bewerte dieses Stück, mehr als irgendeine andre meiner bisherigen Arbeiten, als Unterlage für meinen eigenen Versuch, die Widerstände, Widersprüche und Verbautheiten ringsum in mein Blickfeld zu rücken und mit ihnen fertig zu werden.

20. Dezember 1970
Im Verlag, und bei Martin Walser, liegen jetzt Kopien des Manuskripts, doch bedeutet dies nicht, daß das Stück fertig ist. Es konfrontiert sich, versuchsweise, mit der Außenwelt, wartet auf Reaktionen. Die Arbeit geht weiter. Viele Stadien müssen noch durchlaufen werden, ehe der Punkt erreicht ist, an dem Hölderlin auf die Bühne steigt. Der Mechanismus ist immer der gleiche, kaum ist ein Zyklus im Prozeß des Schreibens abgeschlossen, bahnt sich schon der nächste an, auf dem Rückweg von der Post, nach der Versendung des Pakets, richten die Gedanken sich bereits auf alle die Einzelheiten ein, die verändert werden müssen. Die Hauptfrage ist, wird das Gegensatzverhältnis deutlich zwischen der Titelfigur und denen die ihn umgeben, an denen er sich mißt, von denen er sich abhebt. Ist die Verschärfung in der Zeichnung der Kontrahenten überzeugend, ist es statthaft, Hegel, Schelling,

Schiller, Goethe und Fichte in dem Sinn gegen Hölderlin auszuspielen, wie es das Drama verlangte. Trotz der Bedeutung, die diese Klassiker in der Geschichte besitzen, habe ich darauf verzichtet, ihren Entwicklungsgang ausführlich zu beleuchten, ich habe an sie nur einen Aspekt gelegt, und zwar denjenigen, in dem ihre negative Auswirkung auf Hölderlin zutage tritt. Während Hölderlin sich kontinuierlich, konsequent bewegt, von Anfang an, bis zu seinem Ende, nicht abweicht von seiner Vision, in Übereinstimmung bleibt mit sich selbst, auch in der Zeit noch, die Umnachtung genannt wird, sind seine großen Zeitgenossen, vernünftiger als er, normaler als er, den Forderungen der Außenwelt in solchem Maß ausgesetzt, daß viele ihrer ursprünglichen Ideale verloren gehn, daß gesagt werden kann, sie haben gegen Ende ihres Lebens das betrogen, was einmal ihr Ausgangspunkt gewesen war. Hegel, Schelling und Fichte werden demnach aus der zugespitzten Sicht behandelt, die sich aus ihrem Spätwerk ergibt. Der Reformismus des alten Hegel, seine betonte Abwehr der Volksmacht, der Revolution, sein Aufgehn in der preußischen Monarchie wird zum stärksten Detail seiner Charakteristik. In ihm tritt die Gestalt des Sozialdemokraten hervor, der sich in unserm Jahrhundert als Feind des Revolutionärs entpuppen wird. Sein philosophisches Werk steht hier nicht zur Diskussion, behandelt wird hier nur sein zur Anpassung neigendes Wesen, das sich als Bremsklotz auswirken muß gegenüber dem expansiven Utopismus Hölderlins. Die mit mythologischen Zügen durchsetzte Utopie Hölderlins ist jedoch nicht weltfremd, obgleich Hegel, vor allem in der Empedokles-Szene, ihm dies vorwirft, sie ist bedingt von praktischen Erwägungen über das Reich der Freiheit, in dem die staatlichen Begrenzungen zertrümmert sind. Für ihn, den Jakobiner, der sich an Babeuf, an Buonarotti orientierte, bedeutete der von Hegel vertretene Nationalstaat, mit König, Heer und Finanzgewalt, eine unerträgliche Regression. Das Furchtbare in der Beziehung

Hölderlin-Hegel liegt darin, daß der Freund, der sich in seiner Jugend gegen die Tyrannei des Feudalismus wandte und sich für die grundlegende Veränderung der Gesellschaft einsetzte, später zum erklärten Gegner eben dieser Veränderung wurde, während Hölderlin mehr und mehr allein stand mit seinem Glauben an die Notwendigkeit der Revolution. Schelling war, außer einer kurzen Periode schwärmerischer Begeisterung, der Revolution nie nah. Die Frage nach der Verwirklichung des Reichs Gottes auf Erden wurde von ihm nie so verstanden, daß der Mensch fortan die schöpferischen Kräfte selbst zu tragen habe und für die Errichtung erträglicher Zustände verantwortlich sei. Die praktischen Schwierigkeiten beim Kampf gegen die Nutznießer der Revolution, die unausweichlichen und blutigen Zusammenstöße, unter denen der große Anlauf zermahlen wurde, schreckten ihn so ab, daß er bald zu seinem außerirdischen Gott zurückgelangte. Was Schiller und Goethe betrifft, so werden sie im Stück gezeichnet, wie sie sich Hölderlin tatsächlich darstellten. Es ist zu bedenken, mit welchen Erwartungen Hölderlin, nach der qualvollen Isolierung in Waltershausen, nach Jena kam, um endlich literarische Anerkennung zu gewinnen, und wie verständnislos und überlegen sich die beiden Dichterfürsten ihm gegenüber verhielten. Auch in diesem Fall geht es nicht darum, dem Werk Schillers und Goethes gerecht zu werden, sondern sie nur in den Situationen zu zeigen, da sie dem jungen Poeten gegenüberstanden, dessen neuartige Versuche sie in autoritärster Weise abtaten. Zu Fichtes Auftritt sodann ist zu sagen, daß er das von ihm gepriesene Recht auf Revolution und auf den Gebrauch revolutionärer Gewalt später aufgab. Anstatt sich zu verwirklichen als Revolutionär, verwirklicht er sich als der ewige Liberale, festhaltend am Recht auf Eigentum und plädierend für den mit allen Machtbefugnissen ausgestatteten Staat, dessen Bestimmung es ist, »jedem das Seinige zu geben«. Fichte scheiterte an der damaligen Unaufhebbarkeit der Widersprüche der bürgerlichen Gesellschaft, und überdies zeigt sich in seiner Gestalt das Phänomen, dem deutsche Philosophen und Politiker oft ausgesetzt sind, daß sie mit sich selbst nicht identisch werden können. Hölderlin, als einziger, hebt sich von dieser Schwäche ab, nichts kann ihn dazu zwingen, sein Gedankenbild zu verleugnen, und wenn der Druck der alltäglichen Forderungen so übermächtig geworden ist, daß er sich in der Außenwelt nicht länger halten kann als der, der er ist, tut er den letzten genialen Schritt in die freiwillige Einkerkerung. Vielleicht ist er, in seinem Turm, von allen der am wenigsten Gebrochene.

Peter Weiss
Fünf Varianten des Epilogs

Epilog der ersten Fassung

Auftritt Hegel, Hiller (-Schmid), Neuffer, Schelling, Sinclair: gekleidet wie am Anfang des Stücks. Sie tragen Girlanden und Kränze. Auch der Sänger hat sich den schwarzen Stiftsmantel umgelegt. Er führt Hölderlin nach vorn. Alle stellen sich zum Tableau einer Apotheose auf.

SÄNGER

Epilog

HÖLDERLIN

Wol könnt ihr Worte von mir lesen die ich hinterliess
worinnen ich Verbessrung und Erneurung pries
und was an Liebe ich fürs Einzelne besass
wie fürs Gesammte davon gabs im ÜberMaass
doch wollt es mir trotz aller Mühen nicht gelingen
innre und äussre Krafft zum Einklang zu bringen
Ich war der Revoluzion idealisch so gewis
dass es mich grauenhaft aus den Zusammenhängen riss
als das Versprochne sich nicht mehr erkennen liess
und ich Gefangenschafft nur fand anstatt ein Paradis
Am Ende zwischen all den übermächtigen Gewalthen
vermocht ich nur mir mein Verstummen zu erhalten

ALLE

Und bliebst dann mehr als deine halbe LebensZeit
lieber in vollkommener Zurükgezogenheit
als dich noch einzulassen mit der Welt auf Streit

HÖLDERLIN

Wir haben die Gestalt des Hölderlin so angelegt
dass er sich drinn befindet und bewegt
als spiegle er nicht nur vergangne Tage
sondern als ob die gleichen Aufgaben er vor sich habe
wie sie sich manchen von den Heutigen stellen

welche nach Lösung suchend drann zerschellen
Sein Wunsch ist dass man ihn nicht mehr verkenne
dass er sich nicht mehr opfre und verbrenne
will dass man ihn als einen zwischen vielen zählt
der Sprache sich zum Ausdruk und zur Kunst gewählt
nicht trennen will er aus dem Wircklichen den Thraum
es müssen Fantaisie und Handlung seyn im gleichen Raum
nur so wird das Poetische u n i v e r s a l
bekämpfend alles was verbraucht und schaal
erloschen und versteinert uns bedrängt
und was mit Zwang und Drohung unsern Athemzug beengt
Nie mehr will er in stiller Abgeschiedenheit vergehn
sondern als Lebender im Krais lebendger Stimmen stehn
Auflösung des Tableaus.

SÄNGER
Als weggesunken aus der Stadt er war
und in der Erde lag da war der Thurm noch da
und als zu Erde er geworden ganz und gar
und man von ihm nur noch den GrabStein sah
stand nah am Nekar immerdar
sein Kercker nimmst ihn heut noch wahr

April 1970 – Mai 1971

1. Variante

HÖLDERLIN
Wol könnt ihr Worte von mir lesen die ich hinterliess
worinnen ich Verbesserung und Erneuerung pries und was
an Liebe ich fürs Einzelne besass
wie fürs Gesammte davon gabs im ÜberMaass
doch wollt es mir troz aller Mühen nicht gelingen
innre und äussre Krafft zum Einklang zu bringen
Am Ende zwischen alleden übermächtigen Gewalthen
vermocht ich nur mir mein Verstummen zu erhalten

ERSTE ARBEITERIN
Und bliebst dann mehr als deine halbe LebensZeit

lieber in tragischer Zurükgezogenheit
als dich noch einzulassen mit der Welt auf Streit
HÖLDERLIN
Ich war der Revoluzion idealisch so gewis
dass es mich grauenhaft aus den Zusammenhängen riss
als das Versprochne sich nicht mehr erkennen liess
und ich Gefangenschafft nur fand anstatt ein Paradis
ZWEITE ARBEITERIN
Und wer giesst Thränen drüber aus und ist bereit
zu MitGefühl vor solch einer Persöhnlichkeit
ERSTER ARBEITER
Diejenigen die die Ordnung aufrecht halten wollen
von Selbstzufriedenheit und KunstGenüssen aufgeschwollen
die sind vom Unglück und von der Entsagung tiefgerührt
an die der Dichter exemplarisch sie geführt
ZWEITER ARBEITER
Vergeben gnädig ihm die Schweigsamkeit
so wie man uns den Hunger und die Noth verzeiht
HÖLDERLIN
Wir haben die Gestalt des Hölderlin so angelegt
dass er sich drinn befindet und bewegt
als spiegle er nicht nur vergangne Tage
sondern als ob die gleichen Aufgaben er vor sich habe
wie sie sich manchen von den Heutigen stellen
welche nach Lösung suchend drann zerschellen
Sein Wunsch ist dass man ihn nicht mehr verkenne
dass er sich nicht mehr opfre und verbrenne
will dass man ihn als einen zwischen vielen zählt
der Sprache sich zum Ausdruk und zur Kunst gewählt
nicht trennen will er aus dem Wircklichen den Thraum
es müssen Fantaisie und Handlung seyn im gleichen Raum
nur so wird das Poetische u n i v e r s a l
bekämpfend alles was verbraucht und schaal
erloschen und versteinert uns bedrängt
und was mit Zwang und Drohung unsern Athemzug beengt
Nie mehr will er in stiller Abgeschiedenheit vergehn

sondern als Lebender im Krais lebendger Stimmen stehn
Auflösung des Tableaus.

SÄNGER

Als weggesunken aus der Stadt er war
und in der Erde lag da war der Thurm noch da
und als zu Erde er geworden ganz und gar
und man von ihm nur noch den GrabStein sah
stand nah am Nekar immerdar
sein Kercker nimmst ihn heut noch wahr

2. Variante

HÖLDERLIN

Die Antwort auf die Fragen die der Sänger stellte
war manchmal greifbar nah dann wieder schnellte
sie weit von mir ins Dunckle weg
und ich erkannte weder ihren Sinn noch Zwek
Wol könnt ihr Worte von mir lesen die ich hinterließ
worinnen ich Verbessrung und Erneurung pries
und hätt zu andern Zeiten sicher mehr geschafft
mir aber theilte und zermürbte sich die Krafft
und zwischen all den übermächtigen Gewalthen
vermocht ich nur mir mein Verstummen zu erhalten

ERSTE ARBEITERIN

Und bliebst dann mehr als deine halbe LebensZeit
lieber in vollkommener Zurükgezogenheit
als dich noch einzulassen mit der Welt auf Streit

HÖLDERLIN

Schiller ward von der Revoluzion ganz abgeschrekt
in Fichte wurden Reflexionen drüber blos gewekt
Göthe von ihr zur bürgerlichen Stärkung angehalten
Schelling wollt danach nur noch Gott behalten
Hegel trieb sie zur miserablen Monarchie
Sinklär den Armen warf sie in die Knie
Schmid hätt sich gern mehr für sie eingesezt

war aber von den KriegsZügen zu sehr zerfezt
der Hölderlin war ihrer idealisch so gewis
dass es ihn grauenhaft aus den Zusammenhängen riss
als das Versprochne sich nicht mehr erkennen liess
und er Gefangenschafft nur fand anstatt ein Paradis

ERSTER ARBEITER

Und wer giesst Thränen drüber aus und ist bereit
zu MitGefühl vor solch einer Persöhnlichkeit

ZWEITER ARBEITER

Diejenigen die die Ordnung aufrecht halten wollen
von SelbstZufriedenheit und KunstGenüssen aufgeschwollen
die sind vom Unglük und von der Entsagung tief gerührt
an die der Dichter exemplarisch sie geführt

ZWEITE ARBEITERIN

Vergeben gnädig ihm die Schweigsamkeit
so wie man uns den Hunger und die Noth verzeiht

HÖLDERLIN

Wir haben die Gestalt des Hölderlin so angelegt
dass er sich drinn befindet und bewegt
als spiegle er nicht nur vergangne Tage
sondern als ob die gleichen Aufgaben er vor sich habe
wie sie sich manchen von den Heutigen stellen
die sich um Lösung mühend drann zerschellen
Sein Wunsch ist dass man ihn nicht mehr verkenne
dass er sich nie mehr opfre und verbrenne
will dass man ihn als einen zwischen vielen zählt
der Sprache sich zum Ausdruk und zur Kunst gewählt
will nicht in stiller Abgeschiedenheit vergehn
sondern im Krais lebendger Stimmen stehn

SÄNGER

So hat in allem was du profezeit
verworfen und erhofft im Widerstreit
die Sprache doch für dich Beständigkeit

HÖLDERLIN

Wenns eine Sprache ist u n i v e r s a l

bekämpfend alles was verbraucht und schaal
erloschen und versteinert und bedrängt
mit Zwang und Drohung unsern Athemzug beengt
An dieser Sprache halt ich weiter vest
weil sie in dem Zertrümmerten immer den Rest
von einer Möglichkeit enthält
mit der sich einmal vielleicht beschreiben lässt
eine bewohnbare Welt
Auflösung des Tableaus.

SÄNGER
Als weggesunken aus der Stadt er war
und in der Erde lag da war der Thurm noch da
und als zu Erde er geworden ganz und gar
und man von ihm nur noch den GrabStein sah
stand nah am Nekar immerdar
sein Kercker nimmst ihn heut noch wahr

3. Variante

HÖLDERLIN
Wol könnt ihr Worte von mir lesen die ich hinterliess
worinnen ich Verändrung und Verbessrung pries
und was an Liebe ich fürs Einzelne besass
wie fürs Gesammte davon gabs im ÜberMaas
doch wollt es mit trotz aller Arbeit nicht gelingen
innre und äussre Krafft zum Einklang zu bringen
Idealisch war ich der Erneurung so gewis
dass es mich grauenhaft aus den Zusammenhängen riss
als das Versprochne sich nicht mehr erkennen liess
und ich Gefangenschafft nur fand anstatt ein Paradis
Am Ende zwischen all den übermächtigen Gewalthen
vermocht ich nur mir mein Verstummen zu erhalten

ALLE
Und bliebst dann mehr als deine halbe LebensZeit

lieber in vollkommener Zurükgezogenheit
als dich noch einzulassen mit der Welt auf Streit

HÖLDERLIN

Wir haben die Gestalt des Hölderlin so angelegt
dass er sich drinn befindet und bewegt
als spiegle er nicht nur vergangne Tage
sondern als ob die gleichen Fragen er vor sich habe
wie sie sich manchen von den Heutigen stellen
die unablässig sich bemühn sie zu erhellen
Sein Wunsch ist dass man ihn nicht mehr verkenne
dass er sich nicht mehr opfre und verbrenne
will dass man ihn als einen zwischen vielen zählt
der Sprache sich zum Ausdruk und zur Kunst gewählt
nicht trennen will er aus dem Wircklichen den Thraum
es sollen Fantaisie und Handlung seyn im gleichen Raum
doch muss auch Deutlichkeit im Wort ihn schüzen
dass seine Feinde nicht sein Werck zu ihren Zweken nüzen
Er will dass man ihn fortan nur zu denen zählt
die durch alle Widerstände den Weg zur Revoluzion gewählt
Nie mehr will er in Abgeschiedenheit vergehn
sondern als Lebender im Krais lebendger Stimmen stehn

Auflösung des Tableaus.

SÄNGER

Als weggesunken aus der Stadt er war
und in der Erde lag da war der Thurm noch da
und als zu Erde er geworden ganz und gar
und man von ihm nur noch den GrabStein sah
stand nah am Nekar immerdar
sein Kercker nimmst ihn heut noch wahr

Auftritt Hegel, Hiller (-Schmid), Neuffer, Schelling, Sinclair: gekleidet wie am Anfang des Stücks. Sie tragen Girlanden und Kränze. Der Sänger führt Hölderlin nach vorn.
Alle stellen sich zum Tableau einer Apotheose auf.
Hinzutretend die Arbeiter und Arbeiterinnen.

SÄNGER
Epilog

HÖLDERLIN
Wol könnt ihr Worte von mir lesen die ich hinterliess
worinnen ich Verbessrung und Erneurung pries
und was an Liebe ich fürs Einzelne besass
wie fürs Gesamte davon gabs im ÜberMaass
doch wollt es mir trotz aller Mühen nicht gelingen
innre und äussre Kraft zum Einklang zu bringen
Am Ende zwischen all den übermächtigen Gewalthen
vermocht ich nur mir mein Verstummen zu erhalten

ALLE
Und bliebst dann mehr als deine halbe LebensZeit
lieber in vollkommener Zurükgezogenheit
als dich noch einzulassen mit der Welt auf Streit

HÖLDERLIN
Ich war der Revoluzion idealisch so gewis
dass es mich grauenhaft aus den Zusammenhängen riss
als das Versprochne sich nicht mehr erkennen liess
und ich Gefangenschafft nur fand anstatt ein Paradis

ERSTE ARBEITERIN
Und wer giesst Thränen drüber aus und ist bereit
zu MitGefühl vor solch einer Persöhnlichkeit

ERSTER ARBEITER
Von der Entsagung die der Dichter vor geführt
sind immer die Zufriedenen nur tief gerührt

rgeben gnädig ihm die Schweigsamkeit
wie man uns den Hunger und die Noth verzeiht

HÖLDERLIN

Wir haben die Gestalt des Hölderlin so angelegt
dass er sich drinn befindet und bewegt
als spiegle er nicht nur vergangne Tage
sondern als ob die gleichen Aufgaben er vor sich habe
denen auch manche von den Heutgen gegenüber stehn
ohne die Lösung aus den Widersprüchen noch zu sehn
Sein Wunsch ist dass man ihn nicht mehr verkenne
dass er sich nicht mehr opfre und verbrenne
will dass man ihn als einen zwischen vielen zählt
der Sprache sich zum Ausdruk und zur Kunst gewählt
nicht trennen will er aus dem Wircklichen den Thraum
es müssen Fantaisie und Handlung seyn im gleichen Raum
nur so wird das Poetische u n i v e r s a l
bekämpfend alles was verbraucht und schaal
erloschen und versteinert uns bedrängt
und was mit Zwang und Drohung unsern Athemzug beengt
Nie mehr will er in stiller Abgeschiedenheit vergehn
sondern als Lebender im Krais lebendger Stimmen stehn

Auflösung des Tableaus.

SÄNGER

Als weggesunken aus der Stadt er war
und in der Erde lag da war der Thurm noch da
und als zu Erde er geworden ganz und gar
und man von ihm nur noch den GrabStein sah
stand nah am Nekar immerdar
sein Kercker nimmst ihn heut noch wahr

Dezember 1971 – April 1972

Volker Canaris
Interview mit Peter Weiss

Canaris: Wie sind Sie auf den Stoff gestoßen, was hat Sie gereizt, ein Stück über Friedrich Hölderlin zu schreiben?

Weiss: Wie beim *Marat* kommen die Impulse, die Gedanken und Ideen, die mit dem Stück zusammenhängen, aus frühester Jugend. Wohnte als Zwölfjähriger ein halbes Jahr in Tübingen, in unmittelbarer Nähe des Hölderlinturms, bei Verwandten – übrigens der gleichen Familie Autenrieth, deren Vorfahre zu Hölderlins Zeiten das Klinikum leitete. Der »geisteskranke« Dichter im Turm spukte in meiner Phantasie, lange bevor ich überhaupt Gedichte von ihm kannte. Seine Situation: jahrzehntelang eingesperrt in einem Turm, verkannt und vergessen von der Außenwelt – vierzig Jahre lang, man stelle sich das einmal vor – nur in seinen eigenen Träumen lebend, seinen eigenen, persönlichsten Vorstellungen immer treu – dies gab einen ähnlichen dramatischen Anlaß wie die Situation Marats: in der Badewanne, krank, isoliert, und doch ungeheuer von seinen eigenen Visionen und Utopien erfüllt. Auch Trotzki war wohl eine Station auf dem dramatischen Weg zu Hölderlin: es ist ständig der gleiche Konflikt – der Dualismus von Utopie, Wunschbild, Traum, Poesie, Humanismus, Veränderungstrieb kontra Außenwirklichkeit, Dogma, Erstarrung, Zwang, Kompromiß, Repression. Immer handelt es sich um Menschen, die sich mit ihrer ganzen Person einsetzen für eine grundlegende Umwandlung der existentiellen Verhältnisse und die von der Realität in die Enge gedrängt und bis an den Rand der Vernichtung oder bis in die tatsächliche Vernichtung getrieben werden.

Trotzdem möchte ich diese Charaktere nicht als tragische ansehn: selbst wenn sie untergehn, so bleiben sie ihrer Umwelt doch überlegen, sie lassen sich nicht korrumpieren, sie betrügen ihre Ideale nicht, sie betrügen sich selbst nicht, sie halten an ihrer Wahrheit fest – so scheint mir auch in diesem Stück Hölderlin der am wenigsten Gebrochene: nicht er ist umnachtet – die Welt, in der er lebt, ist umnachtet.

Canaris: Wie lange haben Sie am *Hölderlin* gearbeitet?

Weiss: Fing mit dem Schreiben des Stücks kurz nach der *Trotzki*-Niederlage im Frühjahr 1970 an, entwarf das ganze Stück, betrieb ausführliche Studien, doch alles wurde im Juni unterbrochen, als ich ziemlich krank wurde und die Arbeit drei Monate lang aufgeben mußte. Während der Krankheitszeit verdichtete sich der Stoff, als ich im Lauf des September wieder mit dem Schreiben begann, ging die Arbeit schnell: Ende Dezember 1970 war die erste Fassung fertig. Hatte dann ausführliche Gespräche über das Stück, vor allem mit Martin Walser, verarbeitete die Kritik und die Anregungen, und im Frühjahr 1971 war der Text dann so weit fertig, daß er den Theatern vorgelegt werden konnte. Zahlreiche Änderungen wurden dann aber noch bis in den Sommer hinein am Stück vorgenommen – möglich, daß für eine Neuauflage des Buches auch noch einige Änderungen, bei der praktischen Bühnenarbeit entstanden, hinzukommen werden.

Canaris: Hat es mehrere Fassungen gegeben oder waren die Szenen des Stückes gleich beim ersten Entwurf da?

Weiss: Es gibt also mindestens zwei Vorfassungen des Stücks, und danach sehr häufige Änderungen, noch bis in den letzten Umbruch des Buches hinein.

Canaris: Das Stück wird in den kommenden Wochen und Monaten u. a. von so verschiedenen Regisseuren wie Palitzsch, Peymann, Hollmann, Heyme inszeniert werden. Arbeiten Sie, wie Sie das früher oft getan haben, an einer Inszenierung mit – und glauben Sie, daß ähnlich wie beim *Marat* aus den Erfahrungen der verschiedenen Aufführungen eine veränderte Fassung entstehen wird?

Weiss: Ich habe mich diesmal entschlossen, an keinerlei

Proben mitzuarbeiten. Will es diesmal ganz den Regisseuren überlassen, mit ihrem Ensemble und ihren Technikern, völlig unbehelligt vom Autor, an das Stück heranzugehn. Wenn ich jemals wieder bei Proben dabei bin, so nur als Regisseur, Ko-Regisseur und Mitglied eines demokratischen Theaterkollektivs – nie mehr als Schreiber, vom Parkett aus beobachtend, sich halb einmischend und halb sich diplomatisch zurückziehend. Ich habe gelernt, daß diese halbe Mitarbeit nur von Schaden ist, sowohl für den Regisseur, als auch für den Autor selbst. Entweder Arbeitsteilung: Ich liefere den Text, andere übernehmen die Ausführung, oder: ich nehme total an der Verwirklichung des Textes teil, in nächster Zusammenarbeit mit dem Ensemble. Sicher werden bei den Erstaufführungen jetzt sehr verschiedene Auffassungen und Ausformungen zutage treten, an denen sich die positiven Seiten und die Schwächen des Stücks zeigen werden.

Canaris: Hölderlin ist schon vor der Uraufführung ein Erfolgsstück, es wird in dieser Spielzeit an mehr als einem Dutzend Theatern gespielt werden. Ihr letztes Stück, *Trotzki im Exil,* ist insgesamt nur zweimal inszeniert worden (in Düsseldorf und Hannover). Wie erklären Sie sich diese unterschiedliche Rezeption?

Weiss: Was das Stück vor der Bühnenaufführung ist, weiß ich nicht. Ich habe die unterschiedlichsten Reaktionen vernommen, doch das alles besagt nichts. Vom *Marat* wußte auch niemand, was aus ihm werden sollte, ehe er auf die Bretter ging. Auf der Bühne zeigte das Stück dann seine Möglichkeiten, die, glaube ich, immer noch nicht erschöpft sind: Ich kann mir Aufführungen des *Marat* vorstellen, wie sie bisher noch nicht verwirklicht wurden. Zum Beispiel als sehr verhaltenes Kammerspiel. Das »Theatralische« im *Marat* hat sich oft als schädliche Eigenschaft gezeigt.

Warum der *Trotzki* nur zweimal gespielt wurde, hängt in den bürgerlichen Ländern ausschließlich mit dem Stoff zu-

sammen. Eigentlich ist es ja ein Stück, das in revolutionären Ländern gespielt werden sollte: nur dort kann man die Problematik richtig verstehn. Das ganze Stück ist ein einziger riesiger Traum von der Revolution, muß auch gespielt werden als Vision, als ungeheures, episches Ereignis – in seiner ganzen Länge, vier, fünf Stunden lang. In einer Kürzung geht das Stück kaputt. Kann sich ein bürgerliches Theater so etwas leisten?
Nachdem die sozialistischen Länder noch unter dem Tabu der Stalinzeit stehn und sich an das Thema Trotzki nicht heranwagen, wird das Stück vorläufig liegen bleiben. Ich hörte jedoch, daß Bremen im nächsten Frühjahr das Wagnis noch einmal unternehmen will, es auf die Bühne zu bringen. Viel Glück! Man sollte dort versuchen, das Stück zu spielen, so wie es geschrieben ist, sich viel Zeit nehmen, sehr gründlich und wissenschaftlich arbeiten und im Ensemble die notwendige politische Auffassung herstellen. Wenn es nicht gelingt, diesen großen Fluß der historischen Ereignisse darzustellen, so wie sie sich in der Phantasie der Titelfigur spiegeln, dann sollte man es lieber bleiben lassen.
Canaris: Hölderlin knüpft nicht nur formal (Knüppelverse, Chöre, Ansagen durch Sänger, Spielen auf mehreren Ebenen usw.) an den *Marat* an, das neue Stück bezieht sich nicht nur inhaltlich mehrfach auf jenes – auch der Grundkonflikt des *Marat* scheint mir im *Hölderlin* aufgehoben: die theoretische Einsicht in die Notwendigkeit der Revolution *und* das praktische Unvermögen, diese Revolution auch wirklich zu machen, sind in der Figur Hölderlin zusammengezwungen – unter dem Druck dieses Widerspruchs zerbricht Ihr Hölderlin. Inwieweit hat dieses Exempel einer deutschen Misere Beweiskraft für die Situation eines Schriftstellers heute, für die Situation des Schriftstellers Peter Weiss heute?
Weiss: Die Form ergibt sich aus dem Inhalt. Gewisse dramatische Eigenarten, die an den *Marat* erinnern, hängen

mit dem verwandten Ideenkreis zusammen. Marat ist eine der Endfiguren des französischen Jakobinismus. Hölderlin ist der letzte deutsche Jakobiner. Marat wird erschlagen, ehe er von der neuen historischen Periode zerbrochen worden wäre. Hölderlin scheint zwar zu zerbrechen, der »Umnachtung« zu verfallen, vielleicht kann man bei ihm auch von einer Flucht in die Krankheit sprechen, doch ist aus seinen Lebenszeugnissen nie ganz zu ersehn, ob er nicht doch geistig intakt blieb, und beinahe listig handelte. Es blieb ihm gar nichts anderes übrig, als sich in sich selbst zurückzuziehn. Man hätte ihn sonst entweder als Hochverräter eingekerkert, oder ihn auf andere Weise unschädlich gemacht. Er stand als einziger mit seinem revolutionären Bewußtsein einer restaurativen Zeit gegenüber. Alle seine Freunde, ein Hegel, ein Schelling, um von den großen »Kulturpersönlichkeiten« Goethe, Schiller, Fichte gar nicht zu sprechen, hatten sich von ihm abgewandt, hatten ihn verraten, hatten sich selbst dem Konservatismus angepaßt. Nach langem Spießrutenlaufen blieb für Hölderlin nur noch das Gefängnis übrig, und da war der Turm für ihn noch die beste Lösung.

Eine Misere ist das schon – vielleicht ist es im besonderen eine deutsche Misere –, aber der Konflikt tritt überall auf, heute wie gestern. Der Autor des Stückes kämpft weiterhin gegen diese Misere an. Natürlich zeigt die wiederkehrende Wahl dieses Themas, daß der Autor selbst davon betroffen ist, nach den Erfahrungen mit dem *Trotzki* mehr denn je, doch will ich es nicht allzu persönlich sehn. Wir alle, die gleichzeitig mit dem Kampf um die Veränderung der Gesellschaft uns auch um die Revolutionierung der künstlerischen Welt bemühen, müssen in dieses Dilemma geraten.

Canaris: Hölderlin scheint mir das poetisch reichste und zugleich das am wenigsten kämpferische Stück zu sein, das Sie seit dem *Marat* geschrieben haben. Woher kommt das?

Weiss: Für mich ist der *Hölderlin* ebenso revolutionär wie der *Trotzki* oder wie das *Vietnam*-Stück (das ja in der Bundesrepublik auch kaum gespielt wurde). Im Grunde bezieht es die gleichen politischen Positionen, wie sie, mehr plakativ, in den dokumentarischen Stücken angegeben wurden. Nur versuche ich hier, neben der betonten Notwendigkeit der gesellschaftlichen Umwälzung, eine einzelne Figur besonders stark hervorzuheben: in ihr wird die Bemühung um eine Ganzheit ausgetragen.

Canaris: Ihre Erfahrung mit der Dramaturgie des dokumentarischen Theaters, Ihre Arbeit an den großen gesellschaftlichen Gegenständen, Ihr Studium des Marxismus – welche Impulse sind von dieser Ihrer Arbeit der letzten acht Jahre in *Hölderlin* eingegangen, in welchem dramaturgischen und politischen Zusammenhang sehen Sie *Hölderlin* mit der Kette Ihrer Stücke seit dem *Marat?*

Weiss: Ich glaube, diese Frage ist bereits beantwortet. Natürlich habe ich gelernt, meine Figuren zu sehn als Bestandteil bestimmter historischer, ökonomischer Epochen. Ihr Bewußtsein ist weitgehend vom gesellschaftlichen Sein bestimmt. Doch bemüht sich Hölderlin, wie Trotzki, wie Marat, die Geschichte voranzutreiben, zu neuen Einsichten zu gelangen. Wie die Geschichte ein Kontinuum ist, so sind alle diese Stücke auch Glieder in einem Entwicklungsprozeß. Motive werden aufgenommen, weiterverarbeitet, verwandelt.

Canaris: In der letzten Szene Ihres Stückes sagt der junge Marx zu Hölderlin: »Zwei Wege sind gangbar / zur Vorbereitung / grundlegender Veränderung / Der eine Weg ist / die Analyse der konkreten / historischen Situation / Der andre Weg ist / die visionäre Formung / tiefster persönlicher Erfahrung.« Taucht hier nicht das Bild eines Dichtertums auf, das sich auf sich und seine Visionen zurückzieht und das Vorbereiten grundlegender Veränderung den anderen, den »Praktikern« überläßt? Und andersherum gefragt: Demonstriert Ihr *Hölderlin* nicht gerade, daß der Versuch, Sprache als »Rammbock gegen die Wirklichkeit« (eines verrotteten Staates) zu benutzen, qualvoll scheitert?

Weiss: In meinem persönlichen Leben fasse ich es als Mangel auf, daß ich nicht in größerem Maß praktisch politisch arbeite. Es bleibt mir dazu einfach nicht die Zeit und die Kraft. Wie wenig wir mit Stücken, mit Büchern erreichen können, das ist mir natürlich bewußt. Aber das Schreiben ist nun einmal mein Handwerk, ich versuche, das Bestmögliche daraus zu machen, und neben dem Schreiben, auf andern Frontabschnitten, meine politische Solidarität deutlich darzustellen. Auch innerhalb der konkreten politischen Arbeit sind wir ja ständig der Gefahr des Scheiterns ausgesetzt, stoßen uns an Unverständnis, Vorurteilen, Ignoranz, verknöcherter Unbeweglichkeit. Und doch setzen wir unsre Tätigkeiten fort.
Canaris: Bevor Hölderlin in Ihrem Stück seinen Kommilitonen die große revolutionäre Utopie seines *Empedokles* vorträgt, sagt er, sein Stück spiele »Fünfhundert Jahr eh / unsre Zeitrechnung begann / und heut«. Inwiefern glauben Sie, spielt Ihr Stück über Hölderlin auch »heut«?
Weiss: Für Hölderlin war Empedokles eine historische Figur, er griff sie auf, weil er an ihr eine Problematik darstellen konnte, die für ihn aktuell war. Hölderlin griff weit in die Antike zurück, um sein gegenwärtiges Anliegen verfremdet in seine Zeit hineinzuheben.
Dieses phantastische *Empedokles*-Fragment nun zeigte sich mir beim Lesen in seiner ganzen Aktualität. So wie Hölderlin sagen konnte, daß sein Stück auch heute, also 1799, spielen konnte, so erhält es für den gegenwärtigen Leser einen neuen Aspekt, der tief mit seinen eigenen Erfahrungen verbunden ist. Empedokles, in Hölderlins Welt verschlungen, für mich heute zudem in die Welt des Che Guevara verschlungen, behält seine zentrale Aussage.
Aber wie weit dieses »heute« auch für andere als den Autor aktuell ist, das kann erst die Aufführung des Stückes zeigen.

III

Ernst Wendt
Hölderlin oder Die Einführung des Wahnsinns

Peter Weiss hat ein neues Stück vorgelegt, *Hölderlin,* das den Dichter als einen deutschen Jakobiner entdeckt, verzweifelnd an der Korrumpiertheit seiner berühmten, erfolgreicheren geistigen Zeitgenossen, wahnsinnig werdend über den deutschen Zuständen und verstummend vor dem Verlauf – blutiger, zurückschlagender – Geschichte, der einer schreibend nicht beikommen kann.

Im *Hölderlin* gibt es eine Szene – Begegnung zwischen Hölderlin, Schiller und Goethe –, einen literarischen Disput, in dem gezeigt wird, wie das vor sich geht: die Verdrängung des Politischen durch ein vages Postulat des Humanen. »Ich will in den Gedichten«, sagt Hölderlin, »was die Stürmer der Bastille wollten« – Goethe aber denunziert die als »Putschisten«, »die sich als Neugestalter wähnen« und »das große Maul führen«, und Schiller schwätzt davon, daß

»Eh die Structuren der Gesellschaft
sich verändern lassen
muss erst der Mensch
verändert werden«.

Hölderlins Antwort, dagegengesetzt:

»SchaamRöthe
wird es einmahl dem
ins Gesicht treiben
der heut noch in der eiskalten
Zone des Bestehenden
verharrt«

Er spricht von der »ununterbrochenen Auflösung« der Welt, und Weissens Stück macht klar, was der Begriff »Auflösung« für Hölderlin bedeutete: eine Umschreibung des Wortes »Revolution«. Der französische Germanist Pierre Bertaux hat darauf hingewiesen, daß sich in Hölderlins drittem *Empedokles*-Entwurf auf 174 Zeilen gleich 44mal das Wort »auflösen, Auflösung« findet, eine naheliegende – notwendige – Verschlüsselung, um einen Aufsatz über Revolution im damaligen Württemberg überhaupt zum Druck zu bringen. Bertaux hat das traditionelle Hölderlin-Verständnis durcheinandergebracht, er hat auf Hölderlins entschiedenes Jakobinertum verwiesen und auf dessen Verschlüsselung in den Werken aufmerksam gemacht.

»Dies ist die Zeit der Könige nicht mehr«

– heißt es im *Empedokles,* an die Bürger gerichtet –

»Schämet euch,
Daß ihr noch einen König wollt; ihr seid
Zu alt: zu eurer Väter Zeiten wärs
Ein anderes gewesen. Euch ist nicht
Zu helfen, wenn ihr selber euch nicht helft.«

Peter Weiss hat diese aufrührerische Botschaft Hölderlins aufgegriffen und in seinem Stück in kräftigen Gegensatz zu den Verhaltensweisen anderer Figuren deutscher Geistesgeschichte gesetzt; neben Schiller und Goethe treten unter anderm auf: Hegel, Schelling und Fichte. Weiss – die Forschungen Bertaux' und anderer auswertend – zeigt den Lebensweg und die Werkgeschichte Hölderlins als zunehmende Verzweiflung über die eigene, in die deutsche eingebundene, Misere, als Weg ins Verstummen und den Wahnsinn; und diesen Weg als Konsequenz schriftstellerischer Entscheidung. Der Versuch, die Grenzen des eigenen Denkens zu erweitern und gleichzeitig die notwendigen Veränderungen der Zustände zu denken, wird entschieden durch die Übermacht der Zustände: die verweisen den Unruhigen, der daran leidet, wie die politische Aktion mit dem politischen Ideal zu vereinbaren sei, in die Vereinsamung.

Wo die poetische Aktion nicht mehr ausreicht – weil die Zeiten nicht danach sind –, bleibt dem Schriftsteller (so die Darstellung Bertraux') nur das »Selbstopfer«. Das kann man aber auch konkreter, roher formulieren, Weiss hat es getan: Hölderlin bleibt auf der Strecke, seine Zeitgenossen dagegen schwindeln sich in die Sublimierungen oder doch

wenigstens in die Ämter; und die wenigen anderen, die es nicht tun, Freunde Hölderlins, verrecken an ihrer Aktion.
Noch in der Geschichtsschreibung setzt sich das Scheitern fort, sie höhnt das Opfer, indem sie es als dichterisches Ereignis verklärt und ihm damit seinen politischen Sinn raubt. Den gibt Peter Weiss ihm zurück, er stellt, die Forschungen vor allem Bertaux' theatralisierend, nicht nur ein verdrängtes, unerkanntes Stück deutscher Geschichte zur Diskussion, sondern fragt, eindringlich, zugleich nach ihren Folgen für heute, wo sich dem Schriftsteller – auch dem Schriftsteller Weiss – der Konflikt zwischen politischer Vorstellung und der zu ihrer Realisierung nötigen praktischen Gewalt neu und ebenso unauflösbar aufdrängt – auch heute nur auszutragen in der Reflektion und auf die Gefahr hin, erneut darüber wahnsinnig zu werden?
Peter Weiss zeigt, daß Hölderlins lange währendes Ende – der fast vierzig Jahre währende Rückzug ins Tübinger Turmzimmer – nicht der schicksalhafte Übergang dichterischer Existenz in das ist, was man, geniert, so gern mit »Umnachtung« umschreibt – wobei allerdings bereits ein solches verbales Fluchtmanöver verrät, daß die Ursachen nicht so poetisch sind wie das Wort, mit dem ihre Folgen ins Private abgeschoben werden sollen. Das Stück *Hölderlin* geht vielmehr darauf aus, das Verstummen und die Regression des einsamen alternden Mannes im Turm als Ergebnis dessen auszuweisen, was die politischen Zustände ihm zugefügt haben.
Hölderlin, verstört und schließlich zerstört von den Ordnungen, an denen die Jugendfreunde Schelling und Hegel ihre Karriere emporranken; in die die großen Dichter-Kollegen Goethe und Schiller willig oder naiv sich einpassen lassen. Diese Ordnungen funktionieren so geschmeidig, Hölderlin ist ihnen nicht gewachsen; weder den Domestizierungen in den mühsam durch Fürsprache – gleichsam als Gnade – errungenen Anstellungen als Hauslehrer, noch einer bürgerlichen Heuchelei, die Moral sagt und ökono-

misches Interesse meint, wenn sie ihm die Susette Gontard zu lieben verweigert. Und schon gar nicht ist Hölderlin der Ordnung dort gewachsen, wo sie ihr gewalttätig restauratives Wesen entdeckt, in Frankreich die letzten bewunderten Revolutionäre (Buonarotti) vernichtend, in Württemberg den beständigen Freund, Sinclair, einkerkernd und den über allem Verzweifelnden, Hölderlin, ins Irrenhaus steckend:

»Am 11. September« – heißt es lakonisch bei Bertaux – »wurde Hölderlin mit Gewalt nach Tübingen abtransportiert. Überzeugt, er sei verhaftet und ins Gefängnis geführt, setzte er sich zur Wehr und versuchte zu flüchten; doch vergeblich. Als der Wagen in Tübingen ankam, war Hölderlin wirklich wahnsinnig (...) Die in der Autenriethschen Klinik vorgenommene Kur verschlimmerte nur Hölderlins Krankheit.«

Weiss versucht – siebentes Bild des Stückes – in einer Irrenhausszene dem verstummenden Hölderlin auf die Spur seiner Verweigerung zu kommen. Während Hölderlin, in einer Zwangsjacke verschnürt, vom Anstaltsleiter Autenrieth und dessen Studenten untersucht wird, zwingt Weiss die Figuren der Vergangenheit, der persönlichen und politischen Erinnerungen, an dem Delirierenden, Schreienden, Wimmernden, Tobenden vorbei: Buonarotti, die Freunde Sinclair und Siegfried Schmid, Susette, die Mutter. Die Halluzinationen entreißen ihm Wahrheit, Bild- und Wortfetzen über die Verstörungen, die ihm die Nachricht vom qualvollen Tod Susettes und dann der Frankreich-Aufenthalt – die Flucht aus Bordeaux durch »die schreckliche Vendée (...) wo es von Leichen aus der Erde schrie«; und in Paris der Aufstieg der Restauration, Napoleons Wahl zum Konsul, die Verfolgung der Revolutionäre – zugefügt haben.

Er verscheucht die Geschichte, schreiend:

»Weg mit allen Jacobinern
vive le roi

vive le roi
(...)
Ich will kein Jacobiner seyn«

Er verleugnet den Freund Sinclair:

»Den hab ich nie
nie hab ich den gesehn«

Und er verdrängt die aufsteigende Erinnerung an den Freund Schmid, »welcher das Schreiben aufgab, um ins Feld zu ziehn« – und blessiert zurückzukommen und im Wahnsinn zu verrecken.

Hölderlin entzieht sich der Realität, taucht ein ins Schweigen, entsagt den revolutionären Hoffnungen, widerruft – »ich kann meinem Allergnädigsten Churfürsten mit gutem Gewissen unter die Augen treten« – seine jakobinische Vergangenheit; krank oder listig oder höhnisch?; oder alles in einem, in unauflösbarem Übergang, antwortlos, weil andre als verzweifelte und höhnische Antworten nicht mehr möglich sind und weil listige zwischendurch, um zu überleben, gegeben werden müssen?

Weiss hat in dieser Irrenhausszene die spärlichen zeitgenössischen Dokumente zu Hölderlins Krankheit und die Vermutungen einer Forschung, welche den Wahnsinn nicht als schicksalhaft verordnet akzeptieren mag, sondern seinen gesellschaftlichen Grund aufsucht, kühn zusammengerafft zu einem Bild, in dem die Zeit aufgehoben ist, in dem ein über Jahre gehender schleichender Prozeß sich plastisch ausstellt. Im Wechsel-Spiel eines medizinischen und eines Selbst-Verhörs wird die Würdelosigkeit eines Zustands sichtbar, der den Menschen so lange zwingt, verschlüsselt sich auszudrücken und in Briefen und Gedichten die politischen Ideen zu tarnen, bis dieser Verschlüsselungs-Zwang pathologisch wird und Verstellung in Wahnsinn übergleitet. Er und andre – schreibt Sinclair noch im August 1804 an die Mutter, zu einer Zeit, für die Biographen dem Hölderlin schon »eine bedenkliche geistige Verfassung« zuschreiben – er und andre seien »überzeugt, daß das, was Gemüts Verwirrung bei ihm scheint, nichts weniger, als das, sondern eine aus wohl überdachten Gründen angenommene Äußerungs Art ist.« Entzog sich Hölderlin durch seinen »verwirrten Gemütszustand« der Verhaftung und Einkerkerung auf dem Hohenasperg? Schützte er sich mit seinen »wahnsinnig« scheinenden Rufen: »Ich will kein Jacobiner seyn«, die der Denunziant Blankenheim in der Hochverratsanzeige gegen Sinclair verwirrt notiert, vor dem Schicksal, das den Freund traf?

Weissens fiktive Montage preßt die Ungewißheit über Beginn und Verlauf der Krankheit das Äußerste an Wahrheit – das einem Schriftsteller eher als dem Historiker zu erobern möglich ist – ab: Hölderlins geistiger Rückzug wird erkennbar als ein politischer, erzwungen von übermächtiger politischer Gewalt. Der zunehmenden Restauration korrespondiert die zunehmende Hoffnungslosigkeit, geistige und ökonomische Abhängigkeit – die Leiden als Hofmeister, die Ignoranz der in eine Art feudaler »Kulturindustrie« aufgestiegenen früheren Weggenossen aus der Tübinger Studentenzeit – stiftet allmählich jene Regression, die, sich verschlingend mit dem Zwang zur Verrätselung, nur noch in Krankheit ausweichen kann. Die Zustände, die einen zu vorsichtiger, sparsamer, umschreibender Kommunikation zwingen, tragen ihren Sieg davon, als der – der Aussichtslosigkeit ins Auge blickend – die Verrätselungen nicht mehr steuern kann – oder mag – und tatsächlich unfähig wird für jede andere Kommunikation als die mit sich selbst.

Weiss zeigt den Weg der Entfremdung von den früheren Mitstreitern und Weggenossen der Jugend in einer Szene, wo Hölderlin den Freunden, unter ihnen Hegel, Neuffer, Schelling, den *Grund zum Empedokles* darlegt. Auch dieses Bild ist eine Montage aus authentischem Material und Spekulation; Weiss collagiert eine literarisch-politische Diskussion unter den Freunden, denen Hölderlin seinen Helden und die Absicht seines Stückes entwickelt, mit Zitaten aus dem *Empedokles*, Reflektionen des Chors und schließlich einer freien, als Vision Hölderlins erscheinenden Ausdeutung und Komplettierung der Fragment gebliebenen Fassungen. Er fügt den drei Entwürfen Hölderlins gleichsam einen weiteren Plan zum Empedokles – einen heute erkennbaren und denkbaren – hinzu, indem er die politische Substanz des Stückes zu ihrer äußersten Konsequenz treibt: Wo Hölderlin, griechisches Kostüm überwerfend, die Situation im Paris des Konvent beschreibt und den Empedokles als einen Denker seiner eigenen Zeit entwirft, verwickelt in den Übergang zu einer neuen und ihr sich opfernd – da verschärft Weiss die Figur, indem er sie zu seinem, unsrem Zeitgenossen macht. Der Empedokles, den Peter Weiss den Hölderlin visionär sehen läßt, versammelt in den Bergen – verfolgt von den Söldnern der Herrschenden – Kampfgefährten, Bauern, Feldarbeiter, sie leisten Widerstand, sie erliegen der Übermacht; Empedokles entweicht den Söldnern:

> »Getroffen schwer
> in Brust und Bein
> mit lezten Kräften
> stemmend sich
> durch das Gestein
> erreicht die Kuppe er
> des Aethna
> Stürtzt sich hinunter
> in den riesgen Schacht
> des Feuers«

Das Selbstopfer erscheint als politisches Beispiel, andren den Weg weisend:

> »Dauerhaft nur bleibt
> die Handlung dieser Wenigen
> die zu Vielen werden«

Die sinnlos dünkende Tat – den »schreckenhaft davon betroffenen« Freunden bleibt sie auch unverständlich – offenbart sich als politische Geste nur denen, die sie unmittelbar angeht; von den Freunden begreift nur der abgerissene Bettel-Soldat Siegfried Schmid diesen Empedokles als einen Mann, der den unbequemsten Weg geht und sich auf die Seite derer stellt, »die geschunden und betrogen sind«.

Hölderlins Held als ein Intellektueller im Befreiungskampf, im Untergrund, als eine Art – mit aller Vorsicht sei's gesagt – Guevara? Geht Weissens Fiktion da nicht zu weit im Umgang mit Hölderlin? Die Frage gilt nichts, es mag denn sein für Philologen. Gerade in solch ausgreifenden Szenen, die nicht banale Analogien zurechtkrampfen, sondern aus übergenauer Lektüre und aus einer politischen Sensibilität, die Weiss sich offenbar nicht ohne Schmerzen zurückgewonnen hat, fiktive Szenen entwickeln, legitimiert sich das Stück *Hölderlin* als Beitrag zu einem aktuellen – das heißt: anwendbaren – Hölderlin-Verständnis und übersteigt den gedankenlos-witzigen Denkmals-Sturz, den Dieter Forte in *Luther & Münzer* betreibt, bei weitem. Weiss könnte sich wohl gar bei seinem *Empedokles*-Entwurf auf Hölderlin selbst berufen: Im *Frankfurter Plan* zum *Empedokles* findet sich eine Stelle, aus der Peter Weiss nur noch die heute einzig mögliche politische Konsequenz zu ziehen brauchte: »In den kleinen Szenen, die er (Empedokles) noch hie und da mit den Bewohnern der Gegend hat, findet er überall Bestätigung seiner Denkart, seines Entschlusses.«

Gleich nach Hölderlins Tode hat Caroline von Woltmann in einem Brief an Alexander Jung, der später die erste umfassende Studie über Hölderlin schrieb, etwas prophezeit, was Bertaux – der diesen Brief zitiert – als »das wahrste Wort zu Hölderlins Dichtung« bezeichnet: »Hölderlin wird aufsteigen am literarischen Himmel Deutschlands wie ein Stern, wenn Deutschland Dichter von seiner Großartigkeit der Begriffe und Einfachheit des Ausdrucks vertragen kann.« Was an dieser Äußerung zunächst überrascht – die Charakterisierung: »Einfachheit des Ausdrucks« – ist von Peter Weiss wörtlich genommen worden; sein Stück vermittelt uns Hölderlin als einen Autor, dem eine – an der Vernebelung interessierte? – Interpretation bisher den sinnlich-konkreten, den politischen Ausdruck geraubt hat, indem sie ihre eigene, zur Ideologie verkommene Metaphysik in sein Werk hineingeheimnist hat. Diesen Müll abzuräumen, mit ebenso sinnlich-konkretem, politischem Ausdruck, ist nicht das geringste Verdienst dieses Stückes, das nach seiner Uraufführung sicher heftig diskutiert werden wird, aber hoffentlich auch Folgen hat.

Weissens Geschichts-Drama greift Formen neu auf, die im *Marat/Sade* entwickelt wurden: die bis zum holzgeschnitzten Knittelvers vereinfachende, dann wieder auch frei rhythmisierte Sprache; den Moritaten-Sänger, der die Ereignisse ankündigt, kommentiert und zusammenrafft; die szenische Vision, in der Erinnerungen oder Zukunft zusammengezogen und mit dem historisch handelnden Subjekt konfrontiert werden; die dialogische Entgegensetzung von philosophischen Positionen, die maskenhafte Darstellung von Welt, von Gesellschaft.

Weiss benutzt diese Mittel weniger exzessiv als früher, nicht so sehr überrumpelnd theatralisch, sondern auswählend, dramaturgisch bedachtsam. Der Wechsel der Formen – politische Demonstration, Familienszene á la *Hofmeister,* lemurenhafter Gesellschafts-Tanz, politische Diskussion, literarischer Disput, Theaterentwurf auf dem Theater, Verhör und Vision im Clinicum – schießt zu neuem theatralischen Reiz zusammen und belegt, vielleicht, daß der Geschichte, wenn ihr differenziert begegnet werden soll, am ehesten mit einer Vielfalt der formalen Möglichkeiten beizukommen ist. Der Formenpluralismus, die Möglichkeiten der Collage können als Instrumente der Erkenntnis dienen, wenn sie historische Augenblicke in die je »ähnliche« ästhetische Form einbringen, um sie derart – theatralisch – auf den Begriff zu bringen und ihren politischen Sinn heraustreiben. Die Bedenkenlosigkeit einer Collage, die Mischung aus getrost auch disparaten Formen: ist sie nicht redlicher und angemessener als die Bedenkenlosigkeit – Gedankenlosigkeit –, mit der gemeinhin ein Stoff an eine alles überstülpende Form verraten wird? Die Brisanz eines Stoffes – richtiger: die affektive Verletzbarkeit der vielen, die ihre politischen Vorurteile angetastet oder gar unmittelbare Interessen gefährdet fühlen – sorgt gelegentlich dafür, daß dieser Verrat, soweit es den Theater-Erfolg eines Stückes angeht, ohne Folgen bleibt.

Das ist aber ein nur kurzfristig sich auszahlender Irrtum: Rolf Hochhuth konnte schon in den *Guerillas,* seinem letzten Stück, nur noch zu jener Einheit finden, die selber die korrumpierteste ist: die der Kolportage; er konnte oder mochte (noch?) nicht erkennen, daß die theatralische Auffaltung konkret zu bezeichnender gesellschaftlicher Zustände sich nicht mehr an Formen binden läßt, deren Zwang zum Idealischen genau jene Haltung noch einmal reproduziert, die diesen Zuständen schon lange unterlegen ist. Nur Formen, in denen der Autor sich seinen Reichtum an Erkenntnis und eine Möglichkeit zu dialektischem, nicht bloß aufgeregt idealistischem Denken bewahren – und in denen er diese Form des Denkens gar vermitteln kann –, taugen, denke ich, zur Umwertung von Geschichte und zur Wertung von Gegenwart. Das schließt Leidenschaftlichkeit, auch leidenschaftliche Einseitigkeiten so wenig aus wie eine Solidarität, ein Mit-Fühlen und Mit-Leiden mit einzelnen Figuren: an Weissens *Hölderlin* läßt sich das sehr genau ablesen.

Reinhard Baumgart
Ein linkes Helden Lied – ein rother Schimmel

Daß die Revolution hochleben soll, wird gleich in der ersten Szene groß in den Bühnenraum geschrieben, doch in diesem Stück lebt sie tatsächlich immer nur allzuhoch in Schriften, Reden und Köpfen, in bürgerlichen Köpfen. Protestliteraten, Anpassungsphilosophen, kunstsinnige Kaufleute treten auf, lauter Ideologen des dritten Standes, und was sonst noch als »Volk« kurz über die Bühne huscht, hier zwei jammernde Mägde, dort ein paar graue Arbeitsmänner, das ist mit so flüchtiger Lesebuch-Sentimentalität skizziert, wie um noch einmal zu beweisen: ans »Volk« wird hier zwar groß und schwärmerisch gedacht, doch es selbst hat in diesen hochfliegenden Diskussionen nichts zu suchen, nicht auf der Bühne und kaum im Zuschauerraum. »Wann werd ich gelangen an sie / die ich erreichen will / sie mit dem reinen Blik / dem offenen Gehör«, so sagt dieser Hölderlin genannte Peter Weiss. Die bange Frage kommt diesmal zu spät, denn wenn nicht Hegel und Babeuf, Goethes Realismus-Konzept oder Fichtes liberalistisches Super-Ich wenigstens ahnungsweise Begriffe sind, dem wird dieses Schauspiel auf weite Strecken ein leeres Dröhnen bleiben. *Hölderlin,* das ist ein Angebot an die höheren Stände, sehr gebildet über ihre eigene Abschaffung nachzudenken.

Peter Weiss hat also versucht, Hölderlins Lebenslauf rückwärts von hinten nach vorn zu lesen. Ende und Anfang sollen sich reimen, der Tübinger Turm aufs Tübinger Stift, der Aufbruch in Wahnsinn mit der französisch inspirierten Hoffnung aufs Reich der *zukünftigen Demokratie.* Dazwischen liegen Stationen eines Martyriums, ein Bilderbogen jener deutschen Misere, an der die Idee einer *heilen* Welt sich wund läuft. Nichts in dieser szenischen Biographie verkommt ins Anekdotische, alles wird zum Beweis.

Hier könnte schon die erste, noch naive Frage einfallen

und sich erkundigen, was denn historisch richtig ist an diesem Beweisgang. Naiv, soweit da die Deckungsgleichheit einer literarischen Figur mit ihrer Vorlage erwartet, ja geradezu vorausgesetzt wird, es gäbe einen »wahren«, einen lückenlos verifizierbaren Hölderlin. Doch das geschichtliche Material ist verhältnismäßig geduldig und neutral, und wer es dramatisieren, zu Antithesen überspitzen will, kann mit Zitaten immer viel und restlos nichts beweisen. Weiss, das immerhin ist klar, brauchte für sein Stück eine politisch radikalere Figur als den in seinen Texten überlieferten Hölderlin, denn der hat gerade in der bis heute für bürgerliche Intellektuelle entscheidenden Frage, in der Frage des revolutionären Terrors, entschieden girondistisch reagiert, hat die Ermordung Marats (als »Lohn« für seine »unmenschlichen Entwürfe!«) und auch die Hinrichtung Robespierres (»gerecht, und vielleicht von guten Folgen«) in Briefen ausdrücklich begrüßt.
Genau das wollte und konnte ihm der Verfasser des *Marat/Sade* nicht durchgehen lassen. Für seinen Bühnen-Hölderlin beginnt also mit dem Thermidor statt neuer Hoffnung gerade das Entsetzen. Der Girondist, umgestülpt zum Jakobiner auch der letzten Stunde, der arkadische Enthusiast einer »richtigen« Idee als Befürworter auch ihrer terroristischen Exekution – ist das eine Fälschung? Weiss wollte seinen Helden offenbar heil durch den Widerspruch von Theorie und Praxis kommen lassen, um seine Gegenspieler Hegel, Schiller, Goethe um so drastischer entstellt, gebrochen und verkommen durch eben jene Widersprüche zu zeigen, von denen Hölderlin so gnädig verschont bleibt.
Doch eine zweite, immer noch naive Frage: Hilft diese strikt jakobinische Interpretation des Hölderlinschen Lebenslaufs bei der Lektüre seiner Werke? Soviel wie alle biographische Erklärung, also wenig genug und nur stellenweise. Wer *Heidelberg* oder *Heimkunft* wieder liest, wird den Weg von diesen Zeilen zurück zu Bastille und Marats Badewanne weit, verschlungen, widersprüchlich finden. Ihm

wird dann einleuchten, weshalb gerade der Hölderlin der größten lyrischen Jahre in diesem Szenarium nicht auftaucht, das von 1799 direkt ins Jahr 1806, vom *Empedokles* in die Schizophrenie hinüberspringt.
Das ist nicht Willkür, sondern hat Methode. Pierre Bertaux, die Autorität über Hölderlin und die Französische Revolution, hat unmißverständlich ausgesprochen, was den Beweisgang von Weiss gestört hätte: »Er (Hölderlin) ist bei der Begeisterung der arkadischen Periode stehengeblieben (...) (beim) Frühling der Französischen Revolution.« In Hölderlins Gedichten, soweit sie politisch von Zukunft träumen, haben die frühen jakobinischen Hoffnungen girondistisch überwintert, dem Zugriff der historischen Realität entzogen, rein, heiter vor Widerspruchslosigkeit. Dem Zug der Zeit, dem Auftrieb aus deutscher Misere in Höhe, in Äther, in Idealismus, konnte auch er sich nicht entziehen. »Seine Utopie«, schrieb bündig Lukács, »ist rein ideologisch.« Noch im *Marat/Sade* hat Weiss diesen girondistischen Himmel der Harmonien, auf den kein irdischer Wegweiser hinweist, in einem satirischen Couplet blamiert. Jetzt wird Hölderlins Girondismus, um der Blamage zu entgehen, schlichtweg wegradiert.
Darüber können Philologen und Marxisten klagen, Hölderlin-Leser ratlos werden – doch über Weissens Stück entscheidet nicht die Belegbarkeit seiner Fakten und Argumente, sondern allein die Stimmigkeit der Absicht, die sich hier historisches Material entschlossen zubereitet hat. Trägt dieser Hölderlin, für den sich Weiss entschieden hat, als Figur ein Stück, auch auf der Bühne, und mit welcher vermutbaren Wirkung?
So verschroben hier die Sprache gearbeitet ist, verzerrt nach oben und unten, in schrill überhöhte und platt triviale Töne wie schon im *Marat/Sade,* so klar ist die Gliederung des Ganzen, wie mit dem Lineal gezogen. Auf eine Station der Erwartung (Tübinger Stift: das »Reich Gottes« als irdische Demokratie) folgen Stationen der Erfahrung (Haus-

lehrermiseren, Repression durch Dichterfürsten, unmögliche Mesalliance), dann enthebt erst Vision (Vortrag des *Empedokles)* und schließlich Wahnsinn allen drohenden Widersprüchen. Doch schon diese Phasen sind sehr unterschiedlich von Gewicht, denn von »Erfahrungen« Hölderlins läßt sich eigentlich nur in Anführungszeichen sprechen. Weiss hat die Figur von vornherein mit einer anti-empirischen Legierung überzogen: Sie nimmt Erfahrungen kaum an, bleibt konsequent bei sich, um das Tübinger Stift nur ja heil in den Tübinger Turm zu retten.

Wie aber ist eine solche Figur zu spielen, die kaum durch Druck von außen sich definiert, also Umriß gewinnt, sondern ständig einen inneren Überdruck, ihr Pathos ausdrücken soll? Wurde der Hölderlin schwach, labil, der Umwelt ausgesetzt vorgeführt (so von Peter Roggisch in Stuttgart), so zerfiel er bald undeutlich und rührend, das Zentrum des Stücks löste sich auf. Je stärker, unangreifbarer, autistischer er aber auftritt (wie Hans-Peter Hallwachs in Berlin), desto überflüssiger scheinen alle Prüfungen, denen er ausgesetzt wird, weil die ihm kaum etwas anhaben können. Hier liegt auch schon der Hund des Stücks begraben, der auf den Begriff gebracht nichts weiter ist als sein geheimer, notdürftig verschleierter Idealismus, moralisch, aber auch erkenntnistheoretisch. Denn diese ganze szenische Erfahrungswelt ist offensichtlich nur mittelbar wirklich, ist Welt als Wille und Vorstellung nur für Hölderlin, für einen allerdings, der, so die These des Stücks, recht hat.

Auf ihn wartet das rührendste Martyrium über die gerechteste Sache der Welt: die Zuflucht in Wahnsinn, hier (wie bei Ronald Laing und Michel Foucault) verstanden als die konsequente Antwort auf eine weit aus ihrer möglichen Ordnung ver-rückte Welt. Der Wahnsinnige lebt nicht richtig, aber »wahr« – das ist die schöne Seite der Medaille. Der Wahnsinnige, endgültig eingemummt in seine Innerlichkeit, der »fixen Idee« treu, doch sie verbergend,

endgültig immun gegen Realität, der Wahnsinnige ist aber auch der konsequente, radikale Idealist – das wäre die Kehrseite. Wer wagt an diesem wehen Denkmal einer großen Verweigerung schon zu kratzen?
Doch Peter Weiss hat vor den Wahnsinn noch ein zweites Beispiel revolutionär gedeuteten Escapismus' in sein Stück gesetzt. Wenn er Hölderlin den *Empedokles* deklarieren läßt, der »aus der Idee sich / raus sprengt / und alles aufgiebt / was Gewohnheit Sitte / und Verordnung ist«, mußte ihm unweigerlich Che Guevara einfallen. Auf dessen Bild wird nun Empedokles stilisiert, die Flucht in den Ätna wird zum Aufstand in Bolivien, womit freilich 2500 Jahre Abstand nur umgetauscht werden in 10 000 Kilometer Entfernung. »Er zeigte«, hatte Peter Weiss 1968 nach Ches Tod geschrieben, »das einzig Richtige ist, ein Gewehr zu nehmen und zu kämpfen.« Das war schon damals heiße Luft, Gesinnungs-Rhetorik und ist es bis heute geblieben. Wäre es ein Deut mehr, wäre es auch nur halbernst zu nehmen, dann hätte dem Stückeschreiber 1971 zu Empedokles ein anderes, näherliegendes, folglich gefährlicheres Beispiel wilder Verweigerung, aussichtslosen Guerilla-Heroismus einfallen müssen: die Baader-Meinhof Gruppe. Deren Apotheose allerdings hätte ihm kein deutsches Stadt- und Staatstheater mehr aufgeführt. Eine theatralische Che-Devotionalie dagegen ist akzeptabel, unschädlich, weil ohne alle begriffliche, geschweige denn praktische Konsequenz, für die Theater, für uns und auch für Peter Weiss. Meint er überhaupt, was er sagt, oder versteht er alles Gesagte nur als Geste, gleich als Theater?
Ob Hölderlin, ob Empedokles, ob Guevara: von großen, reinen Haltungen ist Peter Weiss fasziniert. Nach Wirkungen wird nicht gefragt, im Gegenteil: Gerade die Wirkungslosigkeit, notwendiges Resultat jeder Art Totalverweigerung oder innerer Emigration, scheint die Conditio sine qua non dieser theatralischen Heiligsprechung. Woran hier strikt idealistisch geglaubt wird, das ist nur die Wir-

kung von Andenken, Ruhm, Legende. Für dieses Nachleben im Geist müssen vorbildiche Haltungen poetisch konserviert werden: »Weil eine mythische Figur / erscheinen muss / jezt / da der FeuerBrand der Grossen / Revoluzion erloschen / und in Vereinzelten nur / noch weiterglimmt«. Che in fernen Gebirgen, Hölderlin im Turm, Empedokles auf dem Ätna; lauter herrlich ferne Opfer- und Andachtsbilder, folgenlose Explosionen radikaler Innerlichkeit. »Ich beginne«, sagt Schelling, »die That des Empedokles / zu verstehn als / poetische Handlung«. Weiss/Hölderlin nennen sie also »mythisch«, Hegel scheint sie »hirnverbrannt utopisch«. Jeder nach seinem Wortschatz, doch auf eines laufen die scheinbaren Widersprüche hinaus: Die schöne Haltung fordert zu nichts weiter auf als zu schöner Haltung. »Die Revolution als Geisterschiff wird verlangt«, so Hartmut Lange in *konkret,* »die Reinheit der Existenz, der Jakobiner auf Lebenszeit.« Hier gilt als Maßstab für eine revolutionäre Figur nicht ihr Nutzen für eine Revolution (der möglicherweise auch über ihren Kopf hinweg zustande kommt: der Fall Hegel), sondern der existentielle Grad ihres Gesinnungsadels und ihrer Gesinnungskonsequenz. Auf sich selbst als weitaus besten Menschen in verkommener Umgebung weist dieser Hölderlin andauernd hin.

Eine materialistische Kritik solcher idealistischen Ethik, angewandt auf dieses Stück, um es vom Kopf auf die Beine zu stellen, müßte genau die Figuren aufwerten, über die hier eilig die Nase gerümpft wird, könnte gerade Hegels Pakt mit dem Bestehenden zeigen als unheldisch vernünftige, Brechtsche List und dafür Hölderlins reine Haltung denunzieren als reine Nutzlosigkeit und vollkommene Entfremdung, sein mythisches Singen als vieldeutig, die Vieldeutigkeit als Mitschuld an der chauvinistischen Rezeption in den Tornistern zweier Weltkriege, den Tübinger Turm als ein anderes, noch entlegeneres Weimar, vergleichbar weltflüchtig, nur unproduktiver – die Vorzeichen sind belie-

big vertauschbar, je nach den Absichten. Doch Weiss, dieser bestenfalls einäugige Marxist, ist nicht interessiert an solcher Kritik des deutschen Idealismus, sondern gerade auf der Wallfahrt zu dessen reinstem Geschöpf.
Folgt eine Inszenierung dieser treuherzigen Intention (wie die sehr folgerichtige von Peter Palitzsch in Stuttgart), so drückt sie diesen schlimmen, doch rührenden Jakobiner ihren Abonnenten ganz unfehlbar ans Herz. Denn daß jede rücksichtslos reine Gesinnung als »Hybris« an einer (ach!) dafür nicht eingerichteten Welt zerbricht, diese Resignation samt dem Hochgefühl ihrer Katharsis ist dem Publikum in zweihundert Jahren deutscher Theatergeschichte sehr sanft und gründlich eingeblendet worden. Oder rettet Karl Marx, der im letzten Bild hereinschaut, um Hölderlin (und Peter Weiss) die Absolution fürs reine Dichten und Trachten zu erteilen, das Stück vor falschem Gebrauch?
Nicht Hegel, der es verdient hätte, sondern Hölderlin, der es braucht, empfängt Trost und Besuch des jungen Marx, der nun prompt eine Ehrenrettung des deutschen Idealismus spricht: denn auch »die visionäre Formung / tiefster persönlicher Erfahrung«, auch »mythologische Ahnung« dienen dem Projekt »grundlegender Veränderung«. Mit diesen Formeln freilich hätte man auch alle hier so patent verhohnepipelten Philosophie- und Literatur-Heroen, auch Schelling, Goethe, Schiller, Fichte frei- und lossprechen können – wären sie nur überhaupt aufgetreten als sie selbst, als Figurationen der damaligen Verhältnisse, statt nur wie Scheinwerfer, selbst rostig, Hölderlins Reinheit klarer auszuleuchten.
Lassen sich also Aufführungen denken, die diesen Zug zu entweder Verklärung oder Denunziation, diese pathetischen Antinomien durchbrechen? Schon Claus Peymann in Hamburg und schärfer noch Hans Hollmann in Berlin sind in ihren Inszenierungen des Stücks immer deutlicher in seine Kritik hineingeraten, um dann auf halbem Wege steckenzubleiben. Riesige Theaterapparate wurden aufgeboten, um

Weissens moralisierende Theatralik, sie übertrumpfend, zur Kenntlichkeit zu entstellen, doch erreicht wurden nur Zustände der Parodie, in denen die grellen, reichen Mittel vor allem sich selbst zeigten, statt die in ihnen aufgehobene Sache. Ist das, hat Henning Rischbieter ganz folgerichtig gefragt, überhaupt ein Stück für riesige Apparate oder nicht vielmehr ein Anlaß für »armes« Theater?
Tatsächlich sieht sein Text ziemlich zerrissen und zerschunden aus, doch gerade der hält, gelesen, das Stück in einer Einheit, die in den Aufführungen bisher immer glänzend zerfiel. Weissens merkwürdig verwachsene, unfrische Historiensprache, mit Buckeln, Gichtgelenken, Fisteltönen, Paroxysmen reich ausgestattet, hält nämlich *alle* Figuren fest in ihrem Gefängnis, die Reinen wie die Kompromittierten, stilisiert alle auf den gleichen Abstand, auf Fremdheit. Diese Sprache, von Palitzsch angenehm geglättet bis fast ins Natürliche, bei Hollmann dann sinnlos manieriert entzwei deklamiert, wäre die erste Sperre gegen jene gläubige Identifikation, zu der dann Weiss wie hinter seinem eigenen Rücken doch ausruft. In ihr erscheint auch Hölderlin, wie damals Peter Steins *Tasso*, als Kreatur jener Misere, der er so hochherzig sublimierend entschweben möchte.
Doch der entscheidende Schritt zu einer realistischen Benutzung dieses idealistischen Szenariums wäre, den Idealismus beim Wort zu nehmen, Weissens Theatralik also von dorther zu verstehen, zu entwickeln und – zu kritisieren, wo sie ihren Ursprung hat: in Hölderlins Kopf. Dann wäre Goethe nicht mehr Goethe, sondern Hölderlins Alptraum von ihm, aber auch die Revolution nicht mehr die Revolution, sondern ein schwäbisch-griechisches Abziehbild ihrer selbst, selbst Marx nicht mehr Marx, sondern Hölderlins vage imaginierter Repräsentant von Hoffnung. Schöne Vorschläge – aber wie macht man das: in Hölderlins Kopf eindringen, die Bühne als Schauplatz eines idealistischen Bewußtseins einrichten, dem steilen Gesinnungspathos von Weiss die leider auch lächerlichen Widersprüche nachlie-

fern? Peymann in Hamburg, der die Weimarer Dichterfürsten auf güldenen Kothurnen paradieren ließ und schon damit aus allem Ähnlichkeits-Illusionismus heraushob, der bei Marxens Auftritt das Bühnenlicht heller und heller werden ließ, als wäre funktionierende Theatertechnik schon erfüllte Hoffnung – er hat in solchen Augenblicken schon bewiesen, wie fragwürdig Idealismus gerade dann wird, wenn man ihn genau abbildet, statt ihn nur feurig nachzuspielen.

Ästhetisch, ornamental und bestenfalls Korrekturen wären solche Inszenierungsversuche gegen den Strich, wenn sie nur mit einem schadenfroh guten Geschmack dem scheinbar Schlechten von Peter Weiss heimleuchten wollten. Auch wer die Stärke des Stücks, sein Pathos, das gedankenarme Pochen auf den Antithesen von Feigheit und Mut, Anpassung und Reinheit, verlogener Affirmation und ehrlichem Wahnsinn, gerade als Schwäche durchschaut, kann auch diese Schwäche ernst nehmen, nicht als Zufall, Laune eines leider begabten Autors, sondern als Zeichen einer bestimmten historischen Situation. Dieser *Hölderlin* bearbeitet nicht nur einen fast zweihundert Jahre alten Stoff, er bearbeitet ihn auch mit einer unaufhaltsam veraltenden Stimmung: er liest sich wie ein Nachruf auf die antiautoritäre Phase der linken Bewegung. Gefeiert und verklärt wird hier politische Gesinnung statt politische Arbeit, die schön fordernde Geste als Revolutionsersatz, ein Heldentum ohne Wirkungsaussicht, die große Verweigerung als der erschütternd richtige Trip, und alle, die sich auf der Bühne nicht mitnehmen lassen auf diese Reise, sehen kraft romantischer Logik verkniffen, allzu nüchtern, widerlich materialistisch aus, kurzum: Philister.

Diese Treue nicht nur zu Hölderlin, sondern auch zur ersten Stimmung der APO macht das Stück doppelt historisch. Jede inszenierende Naivität könnte es nur tiefer hineinspielen in diese doppelte Vergangenheit, als linke Schmerzensmannlegende, die den Kopf still legt und die

Hände faltet. Jede linke Totalkritik aber, die diesen Text als unmarxistische Dummheit aus der Welt wischen möchte, sollte sich klar machen, was sie damit negiert: die falschen Illusionen samt den richtigen Hoffnungen der antiautoritären Jahre. Zwischen frommem Ja und krassem Nein ist genügend Platz für Dialektik, für einen Gebrauch dieses Stücks, der das doppelt Vergangene an diesem *Hölderlin* kenntlich macht, ihn »aufhebt« im doppelten Sinn, negierend und bewahrend, ihn mit Mißtrauen und mit Bewunderung annimmt als ein Stück spätgeborene Tradition: »Altes Gold, nicht altes Eisen«, wie Martin Walser einmal gesagt hat.

Klaus L. Berghahn

»Wenn ich so singend fiele . . . .«

Dichter und Revolutionär, gestern und heute, Hölderlin und Weiss

Natürlich sind die Gedanken frei, besonders im Westen und erst recht auf dem Theater. Wie sollte es an staatlich subventionierten Bühnen in einem demokratischen Rechtsstaat auch anders sein. Wer Talent besitzt, darf Revolutionäre auf die Bühne stellen und sogar linke Propaganda treiben gegen die Gesellschaft, die befrackt im Parkett sitzt. Als freischwebendes Spiel und als schöner Schein erlaubt man dem revolutionär gesinnten Dramatiker, ein bißchen Dampf abzulassen und das saturierte Bürgertum ein wenig zu kitzeln. Doch wehe, wenn sich solch radikale Gesinnungen außerhalb der Kultstätten zeigen, dann schützt man die Freiheit, indem man sie abschafft: Dann verbietet man Linken, Volksschullehrer zu werden, streicht sie von Berufungslisten, erteilt Rede- und Einreiseverbote und konfisziert Bücher. Was der Kunst billig ist, ist der Wirklichkeit noch lange nicht recht. In der gleichen Stadt (Berlin) zelebriert man festlich die Premiere des neuesten Revolutionsstücks von Peter Weiss und lehnt wenig später die Berufung eines Marxisten an die Freie Universität ab. Offener können die Selbstwidersprüche des Systems und die Ohnmacht der Kunst nicht zutage liegen. So zweckfrei ist in der Bundesrepublik die Kunst, daß sie sich alles leisten darf, ohne gesellschaftlich etwas zu leisten. Unter diesen paradoxen Bedingungen erscheint der zeitgenössische Dramatiker bloß noch als gesellschaftlich integrierter Überbauakrobat des Spätkapitalismus. Peter Weiss ist sich dieses Dilemmas und seiner Rolle wohl bewußt, sonst hätte er weder zum Hölderlin-Stoff gegriffen, um die Leiden eines revolutionären Dichters zu zeigen, noch Neugierigen kryptisch geantwortet: »Daß Hölderlin vierzig Jahre im Turm aushalten konnte, macht mich optimistisch.« Solch eine Art von Optimismus verdient, ernstgenommen und näher betrachtet zu werden.

Aber warum ausgerechnet Hölderlin, dieser urdeutsche Typ des Dichters und Sehers? Hätten nicht Lenz, Schubart, Forster oder Büchner, die man mit den repressiven Mitteln der Zeit zum Schweigen brachte, viel eindeutiger Zeugnis ablegen können für den engagierten Dichter, der an der Wirklichkeit scheitert? Die Stoffwahl mag mit der Entstehungszeit und einem voraussehbaren Interesse des Publikums zusammenhängen. Als Weiss das Stück 1970 entwarf, feierte man landauf, landab gerade den 200.ten Geburtstag Hölderlins. Wichtiger dürfte jedoch Bertaux' aufsehenerregende Hölderlin-Studie gewesen sein, die die Legenden vom deutschnationalen, griechen- und seinsfrommen Dichter zerstörte, um ihn zum bewußten Zeitgenossen der Französischen Revolution und Jakobiner zu erklären. Dieser Umdeutung des traditionellen Hölderlinbildes folgte Weiss. Er stiftete, was Bertaux kühn entworfen hatte, und konnte zudem noch gewiß sein, schon durch den Stoff das Publikum zu gewinnen. Das Stück wurde auch gleich von sechzehn deutschen Bühnen angenommen.

Doch Public-relations-Überlegungen allein reichen nicht aus, die Stoffwahl zu erklären. Zwar paßt sich Weiss der politisierenden Perspektive Bertaux' weitgehend an, aber sein Interesse fällt nicht notwendig mit dem von Bertaux' zusammen. Es steht zu vermuten, daß Weiss zu diesem Sujet griff, da sich in der Auseinandersetzung Hölderlins mit seiner Zeit persönliche Erfahrungen objektivieren ließen. Doch sollte man sich hüten, vom Anlaß vorschnell auf das dichterische Verfahren zu schließen. Wer nur darauf aus ist, Affinitäten zwischen Hölderlin und Weiss aufzudecken, gerät leicht in Widersprüche. Die unhistorische Parallelenjagd ist so simplifizierend, wie sie falsch ist. Das läßt sich unschwer durch zwei Überlegungen verdeutlichen: Hölderlin, der Jakobiner, wird von den Zeitgenossen verkannt, von seinen Freunden verlassen, ein Opfer der herrschenden Gesellschaft und flieht in den Turm, um der Verhaftung zu entgehen. Gleiches läßt sich vom Marxisten Weiss, der seine Revolutionsdramen aufführen darf und sogar davon leben kann, sicher nicht sagen. Das soll natürlich nicht heißen, daß hier eingestimmt wird in den Chor der rechten Presse, die hämisch auf den gut verdienenden Dramatiker in roter Weste zeigt. Es kann auch nicht so ausgelegt werden, daß dies eben die paradiesischen Früchte westlicher Demokratie seien – höchstens, daß sich die Methoden der Repression und die Anpassungsmechanismen verfeinert haben. Wirklich fatal wird solche Parallelenschnüffelei, wenn man nach der Relevanz des Schlusses fragt. Hölderlins Flucht in den Wahnsinn, um politischem Terror zu entgehen, müßte dann doch so ausgelegt werden, daß die heutigen Dichter wieder in die innere Emigration gehen sollen, Dropouts werden, die lieber Hasch rauchen als schreibend die Welt zu verändern. Nein, so kann es Weiss nicht gemeint haben. Dagegen sprechen sein dichterischer Aktivismus, seine dramatische Methode und der Aufbau des Stücks.

Weiss begreift den Stoff historischer als viele seiner Kritiker, die sich so aufgeklärt geben und doch nur die bestehende Ordnung verteidigen. Außerdem geht es ihm ja nicht allein um die Rolle des Dichters in der bürgerlichen Gesellschaft, sondern auch – und vor allem – um jene angepaßten Kritiker. Das dramatische Verfahren, mit dem Weiss heutige Zustände aufdeckt, ist historisierend, d. h. die Problematik des zeitgenössischen Dichters und Intellektuellen wird auf Hölderlin und seine Zeit projeziert, die Gegenwart mit Hilfe der Vergangenheit reflektiert. Die Einsicht in die Notwendigkeit einer radikalen Veränderung der herrschenden Zustände und das Unvermögen der Intellektuellen, sie zu verwirklichen, werden an den historischen Wurzeln aufgedeckt. Die hoffnungslos isolierte und absorbierte Lage der heutigen Intelligenz, die immer wieder erkennen muß, daß die sogenannten Taten des Geistes in unserer Gesellschaftsordnung garantiert folgenlos bleiben, wird von Weiss als Konsequenz einer verpaßten Chance dargestellt. In einem welthistorischen Augenblick, angesichts der Französischen Revolution, haben viele der deutschen Dichter und Denker versagt. Als es galt, der aufstrebenden bürgerlichen Kultur auf der Schockwelle der Französischen Revolution eine demokratische Richtung zu geben, zogen sich Goethe und Schiller als Hofdichter nach Weimar zurück, Schelling und Hegel auf Lehrstühle in München und Berlin. Durch ihre politische Passivität arbeiteten sie der Reaktion in die Hände, ja sahen tatenlos zu, wie diese in Deutschland alle Freiheiten zerstörte. Was hätten sie vollbringen können, wenn sie sich an die Spitze der fortschrittlichen Kräfte gestellt hätten, statt sich in einen ästhetischen oder philosophischen Quietismus zu flüchten? Diesen folgenreichen Verrat der deutschen Intellektuellen an der Idee einer bürgerlich demokratischen Revolution akzentuiert Weiss dramatisch, indem er den Fürstendienern und Hofphilosophen den Jakobiner Hölderlin gegenüberstellt, der sich seine Ideale nicht korrumpieren läßt. Unter solch konsequent historisierender Perspektive zerstört er einerseits die bildungsfrohe Hölderlinlegende, andererseits provoziert er die heutige Intelligenz, am historischen Modell ihre eigene Lage zu erkennen. Weiss verbindet, wenn man so will, die Klassikkritik der Jungdeutschen mit der dramatischen Theorie des *Galileo*-Dichters.

Peter Weiss hätte für sein neues Stück auch einen anderen – ihm nicht fremden – Titel wählen können, der vielleicht noch überzeugender gewesen wäre: *Der Turm*. Denn der Turm wird zum szenischen Sinnbild für die räumliche und menschliche Isolierung, in welche die herrschende Gesellschaft den Jakobiner Hölderlin treibt. Das Bild des Turmes war für Weiss der eigentliche dramatische Anlaß, und es konstituiert das metaphorische Bezugssystem im Stück. Der Dramatiker bemerkte dazu in einem Interview mit Volker

Canaris: »Der ›geisteskranke‹ Dichter im Turm spukte in meiner Phantasie, lange bevor ich überhaupt Gedichte von ihm kannte. Seine Situation: jahrzehntelang eingesperrt in einem Turm, verkannt und vergessen von der Außenwelt – vierzig Jahre lang, man stelle sich das einmal vor – nur in seinen eigenen Träumen lebend, seinen eigenen, persönlichen Vorstellungen immer treu – dies gab einen ähnlichen dramatischen Anlaß wie die Situation Marats: in der Badewanne, krank isoliert, und doch ungeheuer von seinen eigenen Visionen und Utopien erfüllt.«[1] Im Prolog, der die Thematik des Stücks anreißt, lauten die Schlußverse:

> »Als hingekommen in die Stadt er war
> zum ersten Mahl da lag der Thurm schon da
> ganz nah am Nekar drauf er runtersah
> durchs nidre Fenster seiner Cammer sonderbar
> lag dort sein Kercker und er nahm ihn wahr« (13)[2]

Der Schluß nimmt das Bild variierend noch einmal auf:

> »Als weggesunken aus der Stadt er war
> und in der Erde lag da war der Thurm noch da
> und als zu Erde er geworden ganz und gar
> und man von ihm nur noch den GrabStein sah
> stand nah am Nekar immerdar
> sein Kercker nimmst ihn heut noch wahr« (181)

Der Turm als Kerker, nicht als Asyl des »Umnachteten«, wird damit zum Symbol der Ohnmacht des revolutionären Dichters, den die herrschenden Zustände zum Verstummen brachten. So gesehen, erscheint der bekannte Hölderlinturm als neu erkanntes Wahrzeichen des geschundenen Jakobinertums in Deutschland. Davon handelt das Stück.

Der Vergleich zwischen Marat und Hölderlin bedeutet in diesem Zusammenhang mehr als einen Aperçu. Wanne und Turm verdichten sich bei Weiss zu szenischen Konglomeraten des gleichen Ideenzusammenhangs: Der Jakobiner

1 In diesem Band S. 142.
2 Peter Weiss, *Hölderlin*, Frankfurt 1971 (= Bibliothek Suhrkamp 297). Die Zahlenangaben in diesem Text beziehen sich auf diese Ausgabe.

Marat in der Badewanne hilflos der mörderischen Reaktion ausgesetzt, der »letzte deutsche Jakobiner«, Hölderlin, von der gleichen Reaktion in den Turm getrieben. Nimmt man noch Trotzkis Exil als szenische Metapher hinzu, so ist die Liste von Weiss' revolutionären Märtyrern, die »von der Realität in die Ecke gedrängt« werden, vollständig. Um Revolutionsmärtyrer nämlich handelt es sich in allen drei Dramen. So jedenfalls – und nicht als Tragödie – möchte es Weiss verstanden wissen. Die Revolutionsidee triumphiert im Opfer: »selbst wenn sie untergehen, so bleiben sie ihrer Umwelt doch überlegen, sie lassen sich nicht korrumpieren, sie betrügen ihre Ideale nicht, sie betrügen sich selbst nicht, sie halten an ihrer Wahrheit fest.« Das eben mutet an wie ein barockes Märtyrerdrama, nur daß an die Stelle einer transzendentalen Heilsgewißheit eine säkularisierte Revolutionsutopie getreten ist. In acht Stationen wird das Martyrium des Dichterrevolutionärs, der gegen Repression, Gleichgültigkeit und Anpassung kämpft, entfaltet.

Das Stück beginnt am vierten Jahrestag der Französischen Revolution im Tübinger Stift. Den Studenten des Clubs steht der Sinn nach einer Feier der neuen Zeit, doch müssen sie der inspizierenden alten Ordnung ihre Aufwartungen machen. Damit ist der Grundkonflikt gleich auf die Bühne gestellt: Revolution gegen Restauration. Die brutale Reaktion scheint sich wieder einmal gegenüber den bloß diskutierenden Studenten zu behaupten. Diese kommen über revolutionäre Wandparolen nicht hinaus und haben in Hegel schon einen zur Vorsicht mahnenden Zauderer in ihrer Mitte. Doch auf die Nachricht von der Ermordung Marats befreit sich der politische Zorn, und sie jagen den Herzog von Württemberg aus dem Stift. Für einen kurzen Augenblick des Triumphes lebt die Idee der Revolution wieder auf. Während die Stiftler noch revolutionsselig sind, hält sich Hegel abseits, nimmt eine Prise Schnupftabak – und niest.

In Waltershausen bei der Familie des Majors von Kalb wird Hölderlins revolutionäre Gesinnung auf harte Proben gestellt. Als domestizierter Hofmeister muß er erfahren, wie man in Amerika auf Seiten der Revolution kämpfen und doch ein rassebewußtes Kalb bleiben kann; wie eine junge demokratische Gesellschaft Freiheit und Menschenrechte proklamiert und doch eine Sklavenhaltergesellschaft hervorbringt; wie man sich als Frau über die gesellschaftlichen Vorurteile erheben kann und doch primär nach sexueller Freizügigkeit strebt (Wilhelmine Kirms). In seinem Amte als Hauslehrer scheitert er jämmerlich. Er erzieht Fritz von Kalb im Sinne des neuen Menschenbildes und muß feststellen, daß Pubertätsprobleme wichtiger sind. Dies alles erkennend, schlägt Hölderlin »besinnungslos und schluchzend« auf den masturbierenden Knaben ein.
Er flieht zu seinem geistigen Vater nach Jena und trifft auf Schiller und Goethe, den er nicht erkennt. Diese Diskussionsszene gerät Weiss zu einer Entlarvung der Weimarer Klassiker durch den revolutionären Idealisten, der die Ästhetik mitsamt der Gesellschaft umkrempeln möchte:

> »Ich will in den Gedichten
> was die Stürmer der Bastille wollten« (66)

Und:

> »Es wird gefragt
> wie sich der Schreibende
> dem ganzen Wesen nach
> zu seiner Zeit verhält« (64)

Oder:

> »Schreibend befinden wir uns
> im Anbruch
> einer neuen Epoche« (58)

Durch den Ernst, mit dem Weiss Hölderlin als bewußten Zeitgenossen der Französischen Revolution den deutschen Klassikern entgegenstellt, desavouiert er das Ästhetisch-Unzeitgemäße der Hofdichter und den perpetuierten Mythos der humanen Klassik, der so bequem war, weil er politisch nichts in Frage stellte. Die brillante Infamie dieser Szene besteht nun darin, daß Weiss den arrivierten Dichterfürsten ihre eigenen klassischen Maximen in den Mund legt und sie durch ihre Spruchweisheiten als Ästheten und Advokaten des Status quo entlarvt. Dabei kommt Schiller zunächst noch besser weg als Goethe, denn mit Schiller lohnt sich die Diskussion noch, während Hölderlin den pompösen Goethe kaum beachtet. Das wird szenisch durch eine sprechende Geste verdeutlicht: »Hölderlin wendet sich ostentativ an Schiller, zieht diesen, in heftigem Schritt, von Goethe weg.« (63) Aber er kann ihn nicht zu sich herüberziehen. Die Weimarer Kulturträger setzen sich mit ihrer Anpassungsästhetik über ihn hinweg. Hölderlins Verdikt:

»SchaamRöthe
wird es einmahl dem
ins Gesicht treiben
der heut noch in der eiskalten
Zone des Bestehenden
verharrt« (67),

verstört sie nicht.

In der nächsten Szene garantieren sie in Standbildpose, daß an der herrschenden Ordnung nicht gerüttelt wird. Hölderlin faßt sich ob solch verstockter Eselsdummheit, die nicht erkennen will, wem sie dient, an den Kopf und schreit verzweifelt:

»A Hi A Hi« (68)

Nicht anders ergeht es Hölderlin dann in Fichtes Jenaer Vorlesung, wo das formale Geschwätz von der Notwendigkeit der Revolution umschlägt in eine Akklamation der bestehenden Ordnung. Fichtes Vorlesung klingt fortschrittlich, zeigt jedoch den konservativen Klumpfuß, sobald er von Rechts unter Druck gerät:

»Wir riefen nach einem Staat
der von einer Elite geführt
dem Feinde giebt
was dem Feinde gebührt« (75)

Die Dialektik von Fortschritt und Reaktion zeigt Weiss, indem er Fichtes Vorlesung durch linke und rechte Studenten stören läßt, wobei die deutschnationalen Burschenschaftler die Oberhand gewinnen:

»Von Revoluzion reden dass ich nicht lache
Erwache Teutschland Teutschland erwache
treibt das rothe Gesindel raus
macht endlich Ordnung im eignen Hauss« (73)

Das tut dann auch gleich »Der Geheime Herzogliche Rath von Göthe«, indem er mit knüppelschwingender Polizei die »LehrFreyheit« des Professors Fichte wiederherstellt. Die Revolutionäre, unter ihnen Hölderlin, werden verhaftet:

»So mach
nach all dem Geschrey
die Filosofie mit der Polizey
gemeinsame Sache« (77)

Die Gartenparty im Hause des Frankfurter Bankiers Gontard im Jahre 1798 inszeniert Weiss als eine Revue der angepaßten Intelligenz. Hölderlin und seine Freunde geraten dabei mehr und mehr in eine Randposition, auch wenn sie sich protestierend als Chor noch behaupten können. Sinclair tarnt seine revolutionäre Haltung »im Frack eines fürstlichen Beamten«, spielt den Partisan im Apparat:

»Nur um im Hof mich einzunisten
und von dort aus
den ganzen Despotismus
in die Luft zu sprengen« (89)

Hegel duckt sich so listig unter das Joch der herrschenden Zustände, daß er gar zum dienstbeflissenen Verteidiger des Frühkapitalismus wird:

»Im Vordergrund steht izt
ErfindungsReichtum unternehmerische
HandlungsStärke« (90)

Und in der Korrumpierung der Französischen Revolution durch Napoleon sieht er noch die Weltvernunft hoch zu Roß:

»Es wäre falsch
den imperialen Zug der Zeit
zu ignoriren« (91)

Goethe schließlich, dem es nicht einmal auf Hölderlins Namen ankommt, schimpft auf die Sansculotten und predigt Evolution. Die Intellektuellen sind im Grunde bloß die geladene Zier für die Frankfurter Finanzaristokraten, die die Szene beherrschen. Sie dürfen mitreden, wenn sie sich anpassen, aber Bedeutung haben sie keine mehr, seit sie in Frankreich und Deutschland die Revolution verrieten. In der nachrevolutionären Wirklichkeit machen sich die bourgeoisen Pfeffersäcke breit, die sich schon im Kolonialismus üben. Für Hölderlin, der keine Kompromisse schließt, ist das die Hölle, zumal ihm Susette noch die Qualen reiner Minne aufhalst. Auch diese Liebe verklärt Weiss nicht zu einem ästhetischen Sublimationsfaktor, sondern deckt ihre gesellschaftliche Enge auf, was vor allem an Susettes Verhalten drastisch gezeigt wird. Als sie sich entdeckt glaubt, ist ihre größte Sorge, daß ja die Gäste nichts davon erfahren und die Ehre der Familie nicht leidet. Wenn der erste Akt endet, ist Hölderlin schon ein Opfer der deutschen Misere, noch bevor er im zweiten Akt als solches erscheint.

Höhepunkt des Dramas ist zweifellos die Szene, als Hölderlin den schon entfremdeten Stiftsfreunden seinen *Empedokles* vorträgt und erläutert. Die Szene erschöpft sich keineswegs in einer historisch denkbaren Diskussion der Freunde über Hölderlins Empedoklesauffassung, wodurch immerhin Hölderlins Isolierung in der politischen Situation um 1800 deutlich wird. Durch die mehrdimensionale Funktionalität des Spiels im Spiel gelingt es Weiss erst, in Hölderlins Visionen seine eigene Gegenwart zu reflektieren. Die Dialektik von Empedokles-Spiel und politischer Wirklichkeit wird nämlich durch eine dreifache Zeitschichtung noch kompliziert. Auf die Frage des Chores, wann das Stück spiele, antwortet Hölderlin:

»Fünfhundert Jahr eh
unsre ZeitRechnung begann
und heut« (112)

Hölderlin, der sich ganz im Gegensatz zu Hegel und Schelling um die Revolution betrogen fühlt, projiziert seine Problematik auf den antiken Mythos, um seine aktuelle Situation darstellend zu erläutern. Daher kann er auch sagen, das Stück spiele »heut«, d. h. 1799. Da dies aber zugleich genau das poetische Verfahren ist, mit dem Weiss sich Hölderlin vergegenwärtigt, kann dieses »heut« auch unsere eigene Gegenwart meinen. Es ist dann kein so großer Schritt mehr von Empedokles über Hölderlin zu Che Guevara, wie Weiss es auch sehen möchte: »Empedokles, in Hölderlins Welt verschlungen, für mich heute zudem in die Welt des Che Guevara verschlungen, behält seine zentrale Aussage.«[3]

Robert Minder schrieb in seinem Hölderlin-Essay einmal, daß »gewisse Aspekte des *Hyperion* und des *Empedokles* von der scharfsinnigen Marxschen Studie über den *Achtzehnten Brumaire des Louis Bonaparte* her besser zu verstehen sind als von rein schöngeistigen Erörterungen (. . .)«[4]

Daß Weiss mehr zu Marx neigt als zu den Schöngeistern, die Hölderlin »verschwarzwäldern« (Minder), bedarf keines Beweises. Aber er steht ihm nicht nur geistig nahe, sondern folgt ihm in der Empedokles-Szene aufs Wort. Im *Achtzehnten Brumaire* rechtfertigt Marx nämlich das historische Kostüm, um die Ideale der Revolution eindringlich zu beschwören. Wenn die Revolutionäre damit beschäftigt sind, lesen wir dort, »sich und die Dinge umzuwälzen, noch nicht Dagewesenes zu schaffen, gerade in solche Episoden revolutionärer Krise beschwören sie ängstlich die Geister der Vergangenheit zu ihrem Dienste herauf, entlehnen ihnen Na-

3 In diesem Band S. 148.
4 Robert Minder, *Hölderlin unter den Deutschen.* In: R. M. *»Hölderlin unter den Deutschen« und andere Aufsätze zur deutschen Literatur,* Frankfurt 1968 (= edition suhrkamp 275), S. 44.

me, Schlachtparole, Kostüme, um in dieser altehrwürdigen Verkleidung und mit dieser erborgten Sprache die neue Weltgeschichtsszene aufzuführen.« So deutet auch Weiss Hölderlins Empedoklesvisionen. Dieser beschwört die mythische Gestalt,

»jezt
da der FeuerBrand der Grossen
Revoluzion erloschen« (113)

Das reine Opfer dessen, der sich selbst treu blieb, soll als politisches Zeichen die Vielen aus der Lethargie reißen. Das können und wollen die Freunde nicht verstehen:

»Ich steh auf dem Boden
der Gegebenheiten« (110),

sträubt sich Hegel, während Schelling das Selbstopfer bloß ästhetisch, »als poetische Handlung«, gelten lassen will. Diesen Kleinmütigen, die sich längst eine Philosophie der Entschuldigung zurechtgelegt haben, schleudert Hölderlin entgegen:

»Reisst euch
aus der Genügsamkeit
Erwartet nicht
dass euch zu helfen ist
wenn ihr euch selbst nicht helft
Beginnet eure eigne Zeit
und macht euch auf den Weg« (127)

Das gilt den Freunden und dem Publikum, denn spätestens an dieser Stelle müßte der Zuschauer betroffen feststellen, daß auch er gemeint ist. Es gehört ja, wie Reinhold Grimm es jüngst fast lehrsatzartig formuliert hat, zur Dialektik von Spiel und Wirklichkeit im Revolutionsdrama, daß »das Spiel im Spiel sich zum gesamten Spiel verhält wie das gesamte Spiel zur Wirklichkeit«. Es ist geradezu konstitutiv für die Funktion des Spiels im Spiel, den theatralischen Schein als Mittel bewußt zu machen, um so über die Rampe hinweg zu wirken. Überdeutlich wird das am Ende dieser Szene, wenn der Chor sich direkt an das Publikum wendet:

»Deshalb erwägt
den Aufruf
der aus der Stille
von den Bergen kommt
und sezt ihm selbst
die Worte und
die Handlung« (138)

In der siebten Szene wird Hölderlin schließlich selbst als Opfer in der Autenriethschen Nervenklinik vorgeführt. Weiss deutet Hölderlins Wahnsinn mit Bertaux als eine »Flucht in die Krankheit«. In dem erwähnten Interview bemerkt er dazu: »Alle seine Freunde, ein Hegel, ein Schelling, um von den großen ›Kulturpersönlichkeiten‹ Goethe, Schiller, Fichte gar nicht zu sprechen, hatten sich von ihm abgewandt, hatten ihn verraten, hatten sich selbst dem Konservatismus angepaßt. Nach langem Spießrutenlaufen blieb für Hölderlin nur noch das Gefängnis übrig, und da war der Turm für ihn noch die beste Lösung.«[5] Über diese Auslegung mögen die Schriftgelehrten der Hölderlinforschung streiten. Weiss muß sich über solche Philologenskrupel hinwegsetzen, denn die Anlage seines Stücks erfordert es, Hölderlin an der konterrevolutionären Übermacht zerbrechen zu lassen. Weiss deckt daher die politischen und sozialen Gründe auf, die Hölderlin zwingen, sich in den Turm zu flüchten:

»Welche Ereignisse ihm denn
den Sinn verwirrten« (140)

Hölderlin erscheint in dieser Szene als Schmerzensmann der verratenen Revolution. Er hängt, wenn man so will, wie ein Gekreuzigter in einer Zwangsjacke, sein Gesicht durch eine lederne Maske unkenntlich gemacht. Von dem ganz seiner Menschenwürde Beraubten, dem Verstörten, Wimmernden, Schreienden werden noch einmal alle Stationen seiner menschlichen und politischen Passion in einer qualvollen Marter erfragt und als Halluzinationen szenisch

5 In diesem Band S. 146.

beschworen: die Enge des pietistischen Elternhauses, die zerstörte Liebe zu Susette Gontard, die Verhaftung Sinclairs, der Untergang seines Freundes Schmid und der Triumph der Reaktion in der Gestalt Napoleons. Das alles machte Hölderlin kaputt. Hinzu kommt noch, daß sich Hölderlin seine Flucht in den Turm teuer erkaufen mußte, indem er in Paris dem Jakobinertum abschwor und in Homburg Sinclair verleugnete, als dieser verhaftet wurde. Nochmals werden ihm die Worte abgezwungen:

»Weg mit allen Jacobinern
vive le roi« (144)

Und:

»Ich will kein Jacobiner seyn« (148)

– wie damals, als er seine Häscher täuschte, um physischer Marter zu entgehen. Das lastet auf ihm, und es wird verständlich, warum sich

»seine Wuth unerklärlich
gegen sich selbst« (139)

richtet. Hölderlin ist kein Held, sondern das bis zur Unkenntlichkeit entstellte Opfer. Er vollzieht das Selbstopfer des Empedokles nicht nach, aber er macht auch nicht mit der Restauration gemeinsame Sache wie die angepaßten Intellektuellen. Statt mit den Wölfen zu heulen, verweigert er sich, verstummt, geht in die innere Emigration. Sein Schweigen sagt mehr als das beredte Mitläufertum der Vielen. Daher erfährt auch die letzte Frage des Chores:

»Sag uns besteht für dich noch ein Hoffen
siehst du den Weg zur Erneurung noch offen« (154)

keine eindeutige Antwort. Und doch – so will es scheinen – hat Weiss diese Frage in der Szene schon beantwortet, indem er Hölderlin zu einer säkularisierten Christusfigur stilisierte.

Die letzte Szene, die Endstation, die Enge des Turms – »drinn spürt man die geschichtlichen Wandlungen kaum« (155). Man könnte meinen – und hat dergleichen auch schon vermutet –, Hölderlins Verstummen sei schlicht die Kapitulation des revolutionären Dichters vor der Wirklichkeit. Abgesehen davon, daß Weiss auch bei größter poetischer Freiheit nicht umhin konnte, Hölderlins Lebensende, so wie er es vorfand, zu akzeptieren, nimmt solche Deutung den Auftritt von Marx nicht ernst genug. Bevor es zu dieser Begegnung kommt, muß Hölderlin noch miterleben, wie die nun burschenschaftlich gesinnten Stiftler die Revolution in seinem Namen an die deutschnationale Reaktion verraten. Dann besuchen die »Hochgeehrte(n) welthistorische(n) Persönlichkeiten«, Hegel und Schelling, den Einsamen. Fast sieht es nach einem zyklisch versöhnlichen Schluß aus:

»Alles Getrennte
findet sich wieder« (165)

Bis der Verstörte nochmals die Kluft zwischen ihnen aufreißt: »Mein Nahme Buonarotti« (169) – und sie verjagt. Hier könnte das Stück enden, wenn Weiss nicht noch den genialen Einfall gehabt hätte, den 25jährigen Marx bei Hölderlin anklopfen zu lassen. Das ist eben mehr als eine bloß gut erfundene Anekdote; es ist die logische Kulmination, die dem Drama eine utopische Perspektive gibt. Hölderlins revolutionäre Visionen scheitern zwar an den deutschen Zuständen, aber zurückgenommen wurden sie nie. Sie sind der »Vorschein« auf bessere Zeiten und eine menschenwürdigere Gesellschaftsordnung. Daher kann Marx sagen:

»Zwei Wege sind gangbar
zur Vorbereitung
grundlegender Veränderungen
Der eine Weg ist
die Analyse der konkreten
historischen Situation
Der andre Weg ist
die visionäre Formung
tiefster persönlicher Erfahrung« (174)

Marx führt als wissenschaftliche Theorien fort, was Hölderlin »als mythologische Ahnung beschrieben«. Der Auftritt des jungen Marx repräsentiert, so gesehen, die eschatologische Hoffnung, die dem Scheitern und Martyrium Hölderlins einen Sinn gibt. Ohne Marx wäre das Stück eben doch eine Tragödie geworden, was Weiss verhindern mußte. Dieser Absicht dient auch das Schlußtableau, die »Apotheose« des Dichterrevolutionärs.
Weiss knüpft mit diesem Stück, wie er selbst betont, bewußt am *Marat/Sade* an – und das nicht nur thematisch, sondern auch stilistisch. Man denke nur an die Marter Hölderlins in der Autenriethschen Klinik, die mit ihren Visionen und der Christustypologie fast genau der Situation Marats in der blutgefärbten Wanne entspricht. Wieder die gleiche Prägnanz der szenischen Effekte und Bilder: Hegels Tabakschnupfen mitten im triumphalen Aufruhr der Stiftler; die Standbildpose der Klassiker im Tumult der Fichteszene; Hölderlin in der Zwangsjacke hängend. Noch immer das Vergnügen an langen Disputen, wobei die entgegengesetzten Positionen mit holzschnitthafter Einfachheit herausgestellt werden. Wieder führt uns ein Sänger als Spielleiter durch die Szenenfolge; einführend, sich einmischend, unterbrechend oder zusammenfassend zeigt er uns, was sehens- und bedenkenswert an Hölderlins Leiden ist. Unverkennbar bei Weiss ist schließlich der pathetische Stil – hier durchaus als positive Stilqualität zu verstehen. Nichts scheint dem Martyrium des revolutionären Dichters mehr zu entsprechen als pathetische Darstellung: in ihr artikuliert sich das Leiden Hölderlins an der schlechten Wirklichkeit, und zugleich beschwört sie visionär die Überwindung der politischen Misere durch Revolution. Doch bleibt diese Charakteristik noch zu allgemein, trifft nicht das Weiss Eigentümliche. Unverwechselbar erscheint das Weiss'sche Pathos dort, wo sich die Dialektik von Revolution und Leiden im szenischen Bild verselbständigt. Man erinnere sich an die Szene »Sade unter der Peitsche«, der in dem neuen

Stück Sinclairs zeremoniell ausgeführte Auspeitschung zu entsprechen scheint, nur mit dem Unterschied, daß dort Sades Masochismus, hier aber der Sadismus des herrschenden Systems entlarvt wird. Das Ende der zweiten Szene, als der verzweifelte Hofmeister besinnungslos auf den onanierenden Knaben einschlägt, wirkt, so möchte man meinen, wie eine Reprise der Schlußformel aus *Marat/Sade,* »Revolution, Kopulation«, nur daß die dialektische Beziehung zwischen Revolution und Orgasmus, die im *Marat/Sade* so zentral war, im *Hölderlin* bloß als der Ausdruck des Scheiterns an einer banalen Pubertätserscheinung zu verstehen ist. Dem gleichen Zusammenhang zuzurechnen wären auch Hölderlins verzweifelte Eselsschreie am Ende der Klassikerszene, die ausführliche Schilderung der Qualen des Empedokles, Hölderlins Folterung in Autenrieths Klinik und schließlich sein Vegetieren im Turm als absolut pathetische Situation.
Alles in allem, so könnte man schließen, ein hinreißend theatralisches Stück – fast so großartig wie *Marat/Sade.* Allerdings müßte der Interpret dann auch selbstkritisch hinzufügen, daß er bisher nur den mutmaßlichen Intentionen des Peter Weiss folgte, diese im Stück aufzudecken suchte und verteidigte, was ihm gelungen schien. Doch muß auch er zugeben, daß das Stück bei aller Großartigkeit Mängel zeigt.
Sehen wir einmal ab vom archaisierenden Sprachkostüm, das den Leser irritiert und vom Zuschauer doch nicht wahrgenommen wird, so fällt vor allem der permanente Hang zur Schwarz-Weiß-Zeichnung auf, oder euphemistisch ausgedrückt, die Parteilichkeit des Autors für den leidenden Dichter. Die geistige Elite um 1800 ist so undifferenziert negativ gezeichnet, daß selbst Hegel – von Fichte, Schelling, Goethe und Schiller gar nicht zu reden – dieser forcierten Einseitigkeit zum Opfer fällt. Wo sich ein breites Spektrum von Verhaltensmustern zur revolutionären und napoleonischen Periode hätte entfalten lassen, werden im Grunde alle nur zu Mitläufern der Restauration abgestempelt. Der

wirkliche Musterfall eines sich anpassenden Intellektuellen, Comte de Reinhard, gleichfalls aus dem Tübinger Stift, der das Kunststück fertigbrachte, der Republik, Napoleon und noch drei Königen ergeben zu dienen, wird nicht einmal erwähnt. Hegel dagegen, der sich eben nicht der romantischen Reaktion in die Arme warf, sondern die Entwicklung der nachrevolutionären Periode zur Grundlage seiner Analyse der bürgerlichen Gesellschaft machte, muß als Prügelknabe für alle Sündenfälle der deutschen Intelligenz herhalten. So einfach ist es schließlich nicht, wie bei Marx und Lukács (dessen *Hyperion*-Aufsatz von 1934 Weiss in seiner Leseliste nicht führt) nachzulesen wäre. Da es Weiss vor allem auf die Reduktion der Französischen Revolution zur Reaktion und den Anpassungsprozeß der Stiftsfreunde ankommt, werden geopolitische und soziale Faktoren, die eine Revolution in Deutschland hemmten, viel zu wenig ins Spiel gebracht. Die vielzitierte deutsche Misere um 1800 resultiert ja nicht primär aus dem Mitläufertum der Intellektuellen, sondern aus der faktischen Zerrissenheit und sozialen Ordnung Deutschlands. Viele bürgerlichen Intellektuelle haben – wie Hölderlin, Hegel und Schelling im Stift – die Französische Revolution begeistert begrüßt, nur mußten sie nach und nach erkennen, daß sie sich in Deutschland nicht nachahmen ließ. Mit Geist allein war der Misere eben nicht beizukommen. Und noch etwas kommt bei Weiss zu kurz: Um 1800 lebten in Deutschland noch rund 90 Prozent der Bevölkerung auf dem Lande. In dieser bäuerlich pietistischen Lebensordnung konnte der Funke der Revolution nicht zur Flamme werden. Daran scheiterte noch eine Generation später der Verfasser des *Hessischen Landboten,* obwohl jener immerhin erkannt hatte, daß in Deutschland allein das bäuerliche Proletariat die Revolution machen müsse.

Die Perspektive dieser Kritik ist natürlich historisch und kein Dramatiker liebt solche Besserwisserei. Ein Drama muß zwangsläufig die Komplexität der Geschichte simplifizieren, die Vielfalt auf einfache Nenner bringen. Die Fra-

ge bleibt in unserem Fall jedoch bestehen, ob der Schwarz-Weiß-Kontrast nicht doch zu einfach ist. Darunter leidet nämlich letzten Endes auch der idealistische Held, der sich selbst so treu und gleich bleibt, daß er an der Welt zerbrechen muß. Man mag bewundern, wie sein Martyrium – vergleichbar dem Selbstopfer des Empedokles – die revolutionären Ideale aufleuchten läßt. Das ist recht idealistisch schön, aber uns wäre ein Quäntchen Dialektik lieber. Wäre es nicht immerhin denkbar, die Widersprüche der Zeit und das Dilemma des Intellektuellen in Hölderlin selbst erscheinen zu lassen? Eine Prise innerer Widersprüchlichkeit hätte die Figur menschlich wie politisch glaubwürdiger gemacht. Brecht, dem Weiss viel verdankt, hat ja gezeigt, wie man parteiisch bleiben kann, selbst wenn man die historisch bedingten Widersprüche in den Figuren anschaulich macht.
Störend wirken in einem durchweg historisierend angelegten Drama auch die überdeutlichen Anspielungen auf die jüngste deutsche Geschichte, die Weiss in der romantischen Reaktion schon antizipiert. Die deutschnationalen Studenten, die Fichtes Jenaer Vorlesung stören und vor Hölderlins Turmfenster Bücher verbrennen, sind ein nur mühsam integrierter Reflex der burschenschaftlichen Nationalidee und der fatalen Wirkungsgeschichte Hölderlins. Sie gar als braune Horden auf die Bühne zu bringen, wirkt als ein simplifizierender Anachronismus. Hier wäre weniger mehr gewesen.
Doch verstehe man diese Einwände nicht falsch. Sie wollen das positive Urteil nicht aufheben. Nicht im Entferntesten will ich gemeinsame Sache mit den angepaßten Beckmessern und Spöttern machen, die das Stück verrissen, weil sie verzweifelt verteidigen, was sie nicht ändern können oder wollen. Die Entmythologisierung und Politisierung des Hölderlinbildes paßt vielen sicher nicht. Sie klammern sich lieber an das klassische nationale Erbe, an liebgewordene Bildungsklischees und wittern in einer Legendenkritik gleich eine Denkmalsschändung. Diese ewig Gestrigen wird

Weiss nicht überzeugen – und er hat es auch nicht nötig. Gefährlicher sind schon jene Kritiker, die das Stück ästhetisch diffamieren, um es politisch zu treffen. Geradezu infam erscheinen mir die modischen Besserwisser, die sich linker wähnen als Weiss; sie kanzeln das Stück als Revolutionsromantik ab und sehen im Autor bloß einen angepaßten Geschäftsmann, der sich seinen Selbsthaß vom Leibe schreibe. Man erwartet höchst naiv, als sei die große Revolution gleich um die Ecke, daß die Dichter auch Praktiker sind oder gar das Dichten an den Nagel hängen, um nur noch politisch zu agieren. Ihnen antwortete Weiss in seinem Interview überzeugend schlicht: »Wie wenig wir mit Stücken, mit Büchern erreichen können, das ist mir natürlich bewußt. Aber das Schreiben ist nun einmal mein Handwerk, ich versuche, das Bestmögliche daraus zu machen (...) Auch innerhalb der konkreten politischen Arbeit sind wir ja ständig der Gefahr des Scheiterns ausgesetzt, stoßen uns an Unverständnis, Vorurteilen, Ignoranz, verknöcherter Unbeweglichkeit. Und doch setzen wir unsre Tätigkeit fort.«[6] Es ist dieses »Und doch«, das zählt. Weiss soll sich nicht schweigend zurückziehen, sondern noch mehr und noch bessere Stücke schreiben. Der Dramatiker als Mythenzerstörer, unbequemer Kritiker seiner Zeit und Prophet einer besseren Zukunft – ist das nicht seine Aufgabe? Sollen die Dichter – um mit Bloch zu sprechen – etwa die Ärzte am Krankenbett des Kapitalismus spielen? Und was den Weiss'schen Optimismus betrifft, von dem am Anfang die Rede war, so kann man nur sagen: Ein Glück, daß seine Kritiker ihm den noch nicht ausgetrieben haben. Mir jedenfalls ist der optimistische Stückeschreiber lieber als seine forciert modischen oder resignativ angepaßten Kritiker. Wäre es ohne eine kleine Utopie nicht eh zum Verzweifeln?

6 In diesem Band S. 148.

Ulrich Schreiber

Peter Weiss' Rückzug in den Idealismus

Anmerkungen zu seinem »Hölderlin«

Das neueste, im vorigen Jahr uraufgeführte und auf die kurze Wirkzeit hin gesehen bislang erfolgreichste Theaterstück von Peter Weiss – während diese Anmerkungen geschrieben werden, haben 16 Bühnen des deutschen Sprachraums das Stück aufgeführt bzw. mit den Vorbereitungen für eine Aufführung begonnen – ist von der westdeutschen Kritik (von wenigen Ausnahmen abgesehen) recht negativ beurteilt worden. Die Vorwürfe sind, da vorderhand evident, leicht aufzuzählen. Die einen stoßen sich an der butzenscheibig verniedlichten Form, andere an der – auch im Schriftbild – antiquierten Sprache, wieder andere an der einseitigen Verklärung Hölderlins oder der ebenso einseitigen Diffamierung der Gegenfiguren Hegel, Schelling, Fichte, Goethe und Schiller; und schließlich tauchen diese Positionen in dem Urteil auf, daß Peter Weiss unhistorisch und undialektisch vorgegangen sei.

Diese Bündelung von Vorwürfen entspricht einer in der Bundesrepublik seit langem gepflegten Praktik, deren einzelne Spielarten sich unter das Wort von Jürgen Habermas »Ein Verdrängungsprozeß wird enthüllt« subsumieren lassen – wobei es unerheblich ist, daß Habermas mit seinen Anmerkungen zum *Marat/Sade* nicht auf Peter Weiss, sondern auf die Rezeption seines ersten Erfolgstücks zielte. In der Tat drängt sich jedem, der sich mit dem Werk Peter Weiss' auseinandersetzt, die Terminologie der Psychoanalyse auf; der Autor selbst hat seine künstlerische Entwicklung so stark mit Beiträgen zu seinem Selbstverständnis befrachtet, daß nichts leichter fällt, als dieses Selbstverständnis gegen seine Arbeiten auszustechen. Solche Methode, mit der Otto F. Best im *Merkur* (Oktober 1970) den »Weg des Peter Weiss« bis zum *Trotzki*-Stück verfolgte, soll hier ebensowenig praktiziert werden wie – damit zusammenhängend – eine Erörterung der »drei Wege« des Autors hin zum Engagement für den Sozialismus. Über beide Aspekte ist genug geschrieben worden.[1]

Mit dem *Hölderlin* hat Peter Weiss sich wieder der historischen Spielzeit des *Marat/Sade* angenähert, sich also von der Aktualität im *Gesang vom lusitanischen Popanz,* in der *Ermittlung,* im *Viet Nam Diskurs* und schließlich im *Trotzki* entfernt. Dieser geschichtlichen Entfernung vom Sujet entspricht die der Goethe-Zeit angenäherte Sprache ebenso wie der Verzicht auf genaue szenische Anweisungen. Peter Weiss schien offensichtlich der Tragfähigkeit seines Stoffes und dessen Zubereitung zu vertrauen, worin er durch den Bühnenerfolg bestätigt wurde. Dramaturgisch folgte er in gleicher Weise einer verbindlichen Selbstverständlichkeit. Er stellt den Weg Hölderlins vom Tübinger Stift in den Tübinger Turm in acht Einzelstationen dar, deren Sinnfälligkeit und Eindeutigkeit dem Jesuiten-Drama entnommen scheinen. In diesen Szenen wird Hölderlin mit zahlreichen Personen konfrontiert, die seinen Lebensweg gekreuzt haben, wobei Weiss überlieferte Zeugnisse in eine plausible Handlung überführt. Dabei ergeben sich erstaunliche Parallelen zu Stephan Hermlins 1970 geschriebenem Hölderlin-Hörspiel *Scardanelli.* Wie Hermlin, so sieht auch Peter Weiss Hölderlins Scheitern auf Erden als Folge repressiv-restaurativer Gesellschaftsmomente, geht aber über Hermlin insofern hinaus, als er diese in einzelnen Personen spezifiziert: das sind die Weimarer Dichterfürsten Goethe und Schiller, zum anderen Fichte als Initiator eines neuen Nationalismus und die Gefährten aus der Tübinger Studienzeit: Hegel als Begründer der preußischen Staatsphilosophie sowie Schelling als Verfasser einer reaktionären Of-

1 Es sei hier nur auf das von *Volker Canaris* herausgegebene Bändchen *Über Peter Weiss* in der edition suhrkamp (Band 408) verwiesen, das wichtige Materialien bis zur Diskussion über *Trotzki im Exil* enthält.

fenbarungs-Philosophie. Sie alle verraten bei Weiss das Gesetz, nach dem sie einmal angetreten: Tyrannenhaß und Revolution.
Daneben treten Gestalten auf, die für die deutsche Geistesgeschichte kaum, für Hölderlins Lebensweg dagegen durchaus von Bedeutung waren: etwa die Freunde Sinclair und Neuffer, Charlotte von Kalb und Susette Gontard, Hölderlins »Diotima«. Sie alle durchlaufen ebenso wenig wie die Titelfigur eine Entwicklung; Weiss stellt sein Personal wie auf Votivtafeln dar. Auch die »Entwicklung« Hegels und Schellings von der ersten bis zur letzten Szene entspricht nicht den Kategorien eines psychologisierenden Theaters, sondern mehr einer Überführung von anfänglich Latentem in die schließliche Evidenz. Am Schluß besucht der junge Marx im Tübinger Turm Hölderlin, der sich aus Enttäuschung über den Niedergang der Französischen Revolution in die »Eigentlichkeit« des Wahnsinns zurückgezogen hat und bestätigt – als einziger – dem Dichter die Richtigkeit seines Weges. Zwar insistiert Marx auf der wissenschaftlich begründeten Notwendigkeit der »Umwälzung«, konzidiert Hölderlin aber revolutionären Impuls, weil er »die visionäre Formung / tiefster persönlicher Erfahrung« betrieben und somit die Revolution »als mythologische Ahnung / beschrieben« habe.
Diesen Schlußsatz verdankt Peter Weiss einem Satz, den Thomas Mann 1928 in seinem Aufsatz *Kultur und Sozialismus* niederschrieb: »Ich sagte, gut werde es erst stehen um Deutschland, und dieses werde sich selbst gefunden haben, wenn Karl Marx den Friedrich Hölderlin gelesen haben werde (. . .)« So zierte dieser Satz denn auch einige Programmhefte der Theater, die den *Hölderlin* spielten – aber er war überall, und das darf als symptomatisch für die Arbeitsmethode Peter Weiss' gelten, des Kontextes beraubt (wie übrigens erstaunlicherweise auch in der Schrift von Georg Lukács mit dem Titel *Die Zerstörung der Vernunft*). Thomas Mann wollte keineswegs eine »kommunistische

Gemeinschaft der Geister« zwischen Hölderlin und Marx konstruieren, sondern eine antagonistische Beziehung zwischen beiden herstellen. Ihm galt Hölderlin als paradigmatischer Vertreter einer »konservativen« Kulturidee, und in einem Vorausentwurf sah er die Fruchtbarkeit einer dialektischen Beziehung zwischen Hölderlin und Marx, deren Rezeption ihm als Synthese vorschwebte. Zweifellos hat Peter Weiss diesen Ansatz aufgenommen, aber schon die Prämisse erweckt Ärger. Am Ende der Druckfassung des *Hölderlin* gibt er die Literatur an, aus der er Anregungen und Materialien übernommen hat. Dort findet sich auch der Aufsatz des französischen Germanisten Pierre Bertaux über *Hölderlin und die Französische Revolution* – in dem allerdings der Satz Thomas Manns korrekt zitiert ist.

Die Leichtfertigkeit im Umgang mit dem benutzten Material mag indes gegenüber der Konzeption Peter Weiss' sekundär sein. Denn diese Konzeption entspricht einer marxistischen Interpretationsmethode, deren Sinn im Wiedergewinn unserer entfremdeten Identität liegt und die der junge Walter Benjamin als Ausdruck der Notwendigkeit bezeichnet hat, »die Intensität der Verbundenheit der anschaulichen und der geistigen Elemente nachzuweisen, und zwar (...) an einzelnen Beispielen«. Genau das versucht Peter Weiss: eine Ideologiekritik am Deutschen Idealismus (und seinen Nachwirkungen), exemplifiziert am »Opfer« Hölderlin. Damit partizipiert er am neuesten Stand der wissenschaftlichen Hölderlin-Diskussion, deren historische Voraussetzungen für seine Position nicht unerheblich sind.

Begonnen hat die eigentliche Wirkungsgeschichte Hölderlins, sieht man einmal ab von den frühen Deutungen Wilhelm Diltheys und Hans Bethges, kurz vor dem ersten Weltkrieg. Der Tod des ersten wissenschaftlichen Hölderlin-Editors Norbert von Hellingrath vor Verdun führte, wie Robert Minder 1965 vor den leicht verstörten Festgästen der Hölderlin-Gesellschaft in Tübingen formulierte, die

junge Hölderlin-Gemeinde zur »affektgeladenen Vehemenz der Identifikation mit dem Kämpfer für Deutschland«. Die Jugendbewegung und der George-Kreis folgten solchem Identifikationsdrang und bereiteten unwissentlich die Ausschlachtung des Dichters unter einem Horizont von »Blut, Opfertod und elitärem Führertum« (R. Minder) vor. Diese bediente sich nicht zuletzt der Exegese Martin Heideggers, dessen aus Hölderlins Werk beschworenen »schicksalhaften Hingabe an den Führer«.
Nach dem Ende dieser Phase verschloß sich die deutsche Hölderlin-Forschung verständlicherweise im elfenbeinernen Turm der nicht zuletzt durch ihre Ergebnisse gefestigten »immanenten« Interpretations-Methode, bis 1954 Hölderlins *Friedensfeier* aufgefunden wurde und ins Kreuzfeuer der sich zum Teil persönlich bekämpfenden Hölderlin-Philologen geriet. Immerhin wies die Frage, wer sich hinter dem »Fürsten des Festes« verberge: ob der Genius des deutschen Volkes, Christus oder Napoleon, über immanent-philologische Aspekte hinaus; kam durch sie endlich die Frage nach Hölderlins Standort in der Geschichte seiner Zeit, konkret: seiner Beurteilung Napoleons und des Friedens von Lunéville, ins Spiel. Da die zuvor entweder nationalistisch oder »immanent« interpretierte »vaterländische Umkehr« im Werk Hölderlins jetzt auf ihre geschichtlichen Voraussetzungen befragt wurde, gewann der Dichter neue und über den Kreis von Fachgelehrten hinausgehende Aktualität. Vorbereitet durch marxistische Interpretationen, etwa der schon 1934 geschriebenen von Georg Lukács über den Briefroman *Hyperion* sowie Essays von Adorno und Peter Szondi, kam es zu einer entscheidenden Wende. Die von Robert Minder 1965 vorgetragene These, Hölderlin sei nicht nur emotional ein Anhänger der Französischen Revolution gewesen, machte die westdeutsche Forschung auf Maurice Delormes 1959 erschienene Untersuchungen *Hoelderlin et la révolution française* aufmerksam, und Pierre Bertaux schließlich untermauerte 1968 bei der Düsseldor-

fer Tagung der Hölderlin-Gesellschaft die Thesen seiner französischen Kollegen in brisanter Weise.

Peter Weiss nimmt in seinem Stück diese neueren Tendenzen der Hölderlin-Forschung auf und stilisiert den Dichter zu einem Revolutionär. Dabei mag hier die Frage ausgeklammert bleiben, inwieweit sich dieser Bühnen-Revolutionär der jakobinischen oder girondistischen Haltung nähert.[2] Entscheidend für die Beurteilung eines Bühnenstücks ist dessen innere Bündigkeit, das Zusammenstimmen von Prämissen und Tendenz. Bei Weiss scheitert der Revolutionär Hölderlin einmal, weil ihn die »arrivierten« Vorbilder und Jugendgefährten verlassen und sich der Restauration unterworfen haben. Er scheitert aber auch an der Diskrepanz zwischen revolutionärer Theorie und der politischen Realität im terroristischen und im napoleonischen Frankreich:

> »Ich war der Revoluzion idealisch so gewis
> dass es mich grauenhaft aus den Zusammenhängen riss
> als das Versprochne sich nicht mehr erkennen liess
> und ich Gefangenschafft nur fand anstatt ein Paradis«

Die Folge für Hölderlin ist der Ausbruch des Wahnsinns, in den Worten von Peter Weiss:

> »Am Ende zwischen all den übermächtigen Gewalthen
> vermocht ich nur mir mein Verstummen zu erhalten«

Dieses Verstummen vor der Welt bestätigt den schon erwähnten Satz des Bühnen-Marx, daß Hölderlin die Revolution als »mythologische Ahnung beschrieben« habe. Peter Weiss knüpft daran in seinem Epilog die Weisung, wie Hölderlin heute aufgefaßt werden muß: daß

2 *Georg Hensel* hat in *Theater heute* (11/1971) dazu das Nötige gesagt, ebenso zu der befremdlichen Deutung der historisch überlieferten Materialien durch Peter Weiss.

»nicht trennen will er aus dem Wircklichen den Thraum
es müssen Fantaisie und Handlung seyn im gleichen Raum
nur so wird das Poetische u n i v e r s a l
bekämpfend alles was verbraucht und schaal«

Erstaunlicherweise folgt Weiss hierin der neueren »bürgerlichen« Hölderlin-Forschung, speziell Lawrence Ryans 1968 veröffentlichtem Aufsatz *Hölderlin und die Französische Revolution*. Ryan hatte 1960 mit seinem (in vielen Details den Forschungen Wolfgang Binders verpflichteten) Buch *Hölderlins Lehre vom Wechsel der Töne* die »immanente« Interpretation auf die Spitze getrieben und in dem späteren Aufsatz als erster westlicher Interpret die Fehde mit den marxistisch argumentierenden Exegeten aufgenommen. Seine gegen Lukács gerichtete Grundthese lautet: Hölderlin habe sich, angewidert von der französischen Wirklichkeit, in einen »hoffnunglosen Mystizismus« geflüchtet. Diese These übernimmt Peter Weiss letztlich (»Ich war der Revoluzion idealisch so gewis (...)«) und setzt gegen sie im Epilog die heute »richtige« Lesart des Dichters:

»Wir haben die Gestalt des Hölderlin so angelegt
dass er sich drinn befindet und bewegt
als spiegle er nicht nur vergangne Tage (...)«

In diesem Schlußwort findet sich auch die schon zitierte Wendung zur endlichen Einheit von Fantasie und Handlung, Theorie und Praxis: »nur so wird das Poetische u n i v e r s a l (...)«

Der Widerspruch ist offenkundig. Zuerst versucht Peter Weiss – darin Lukács verpflichtet – zu zeigen, daß Hölderlin an den kapitalistischen Widersprüchen seiner Zeit in Schwaben, Hessen wie Frankreich zugrundeging, daß er sich flüchtete in eine »Mystik der verworrenen Vorahnungen einer wirklichen Umwälzung der Gesellschaft, einer wirklichen Erneuerung der Menschheit« (Lukács). Dieses Ziel aber verliert er gegen Ende seines Stücks aus den

Augen (bezeichnenderweise schildert er auch in seiner Bilderfolge nicht die entscheidenden, zum Wahnsinn führenden Jahre Hölderlins) und schließt sich Ryans These an, daß der Dichter sich in einem Mystizismus verlor, weil er nicht in der Lage war, von der bürgerlichen Wirklichkeit im nachrevolutionären Frankreich zu abstrahieren. Damit verschenkt er den Ansatz seines Stücks und verbannt Hölderlin in jenen Turm der »immanenten« Interpretation, aus dem er ihn befreien wollte:

> »Nie mehr will er in stiller Abgeschiedenheit vergehn
> sondern als Lebender im Krais lebendger Stimmen stehn«

Die Erfüllung dieses Wunsches findet in dem Stück sprachlich statt. Die in Lautstand, Orthopraphie und Interpunktion der Goethe-Zeit angeglichene Bühnensprache, von manchem Kritiker ob ihres holprigen Schmeicheltons als schön gepriesen, vermittelt aufgrund ihrer knüttelversigen Simplifizierung Hölderlin als ein antikes Pop-Bild an die Heutigen. So sehr sie das überschäumende Espressivo des Idioms im *Marat/Sade* ins behäbig Gefällige umformt, genauso ist auch die Dramaturgie eingeebnet: was in dem früheren Stück Bestandteil einer Ideologiekritik ist, um durch die Kunstsprache Figuren zu entlarven, hat sich im *Hölderlin* in die leicht konsumierbare Affirmation gewendet. Gewiß ist es Peter Weiss gutzuschreiben, daß er nicht die verschlüsselte Sprache zumal des späten Hölderlin adaptiert hat; aber seine These vom Rückzug des Dichters in den Wahnsinn wird sprachlich nicht einmal im Ansatz bewältigt. Der Verzicht auf Hölderlinsches Raunen ist ehrenwert, wird aber erkauft durch den Verzicht auf jene Dimension, die dem Thema Hölderlin angemessen gewesen wäre: die Nähe zur Sprachlosigkeit. Wenn beim späten Hölderlin (in der zweiten Fassung der Hymne *Mnemosyne)* gesagt wird:

> wir »(...) haben fast
> Die Sprache in der Fremde verloren«,

so wäre hier ein Ansatz gewesen, um das Problem der Entfremdung in einem sozialen und auch in einem literarkritischen Sinn aufzugreifen. Was als Sprachnot, ja als Zertrümmerung der tradierten Verständigungstechnik beim späten Hölderlin zu finden ist, hätte sowohl die Konfrontation des Dichters mit Karl Marx plausibel machen als auch Hölderlins latenten Bezug zur modernen Literatur – bis hin zu den Entfremdungs-Chiffren eines Samuel Beckett – als innere Dramaturgie eines Bühnenstücks einbringen können. Doch das, was seit anderthalb Jahrzehnten zum Allgemeingut gehört, unterschlägt Peter Weiss: die Freiheit nämlich, »alle Bilder durcheinanderzuwerfen« (Novalis), Literatur »als Schutzwehr gegen das normale Leben« (Novalis) nicht allein als These von der Entfremdung in die Welt zu setzen, sondern auch mit den von Weiss geschätzten Mitteln des Theaters zu entwickeln.
Statt dessen bedient sich Peter Weiss, um das komplizierteste Thema unserer Selbstbeschäftigung in den Griff zu zwingen, einer geschminkten Sprache, die das Unterfangen gründlich desavouiert. In der Auseinandersetzung zwischen Goethe, Schiller und Hölderlin sprechen alle Protagonisten die gleiche Sprache, der klassenspezifische Theoreme gewaltsam aufgepfropft werden. Goethe beispielsweise sagt:

»Wahr ist
dass verschiedne Classen
verschiedne Lebensweisen haben
die sich nicht
miteinander theilen lassen«

Ein Ausspruch, dessen partielle Richtigkeit für den historischen Standort Goethes durch die Formulierung ins Lächerliche gezogen wird. Aber ebenso lächerlich klingt Hölderlins Forderung nach dem »Umbruch der Gesellschaft« und dessen Spiegelung im dichterischen Werk:

»Es wird gefragt
wie sich der Schreibende

dem ganzen Wesen nach
zu seiner Zeit verhält«

Und Schiller, von Hölderlin nach seiner Stellung zur Französischen Revolution befragt, wird mit demselben Sprachmaterial flugs zum Prä-Faschisten gestempelt:

»Die grosse Stunde hat dort
nur unvorbereitete und
schwache Köpfe gefunden
Da muss erst mahl
ein kräftger Geist erscheinen
der alles Aufgerührte
zu gebrauchen weiss«

Daß Weiss hier mit Schiller auch Hegel schlägt, ist offenkundig. Diese plakative Haltung erregt um so mehr Ärgernis, als sie den derzeitigen Bestrebungen in der Bundesrepublik, aus Hegel eine materialistische Literaturtheorie zu entwickeln, wie ein Querschläger begegnet.

Wenn vorhin gesagt wurde, daß Weiss sich im *Hölderlin* an Walter Benjamin orientiert, am Nachweis der Interdependenz von Anschaulichem und Abstraktem, so müßte daraus eine Organisation des sinnlichen Materials im Hegelschen Sinne führen, als »Konkretion eines allgemeinen Gehalts in der Form einer individuellen Werkwelt«. Zwar hat Weiss diese Forderung erfüllt, aber in einer Weise, die Hegel in seiner *Ästhetik* als »Hinaussetzen« bezeichnete, als die »Zurückgezogenheit in die innere Welt der Gefühle«. Weiss adaptiert von Hegel das reaktionäre Mißverständnis der Rezipienten, nicht aber Hegels gerade heute wieder aktuelle Erkenntnis, daß das Kunstwerk »dem Gehalt des Ideals überhaupt die konkrete Gestalt der Wirklichkeit (gibt), indem es denselben als einen bestimmten Zustand, besondere Situation, als Charakter, Begebenheit, Handlung, und zwar in Form des zugleich äußeren Daseins darstellt«.[3]

Daß Peter Weiss die beschworene Genossenschaft Hölderlins mit den Heutigen nur postuliert, nicht aber sprachlich

3 Hegel, *Ästhetik*, Frankfurt 1966, Band 1, S. 242.

(und dramaturgisch) entwickelt, ist einem prinzipiellen Hölderlin-Mißverständnis zuzuschreiben: seiner Unkenntnis der von Ernst Bloch beschriebenen Einsicht, daß Hölderlins »imitatio deorum« zur »Unsterblichkeit im Werk« führt, *»während es geschieht«*.[4] Diese eigentliche Schicht im Phänomen der Entfremdung Hölderlins wird nicht ein einziges Mal berührt: das Problem der Kunst als einer sozialen Relation, eines kommunikativen Aktes im Verhältnis von Dichtung und ihrer Rezeption. Statt sein Thema – was zu erhoffen gewesen wäre – im zitierten Sinn Hegels dialektisch zu behandeln, hat Weiss ihm Ingredienzien der Pop-Art aufgepfropft. Zu fragen bleibt nur, zu welcher Form das Nachleben Hölderlins »im Krais lebendger Stimmen« unter solchen Voraussetzungen führt. Der Publikumserfolg des Stücks läßt jeden Optimismus für die Beantwortung dieser Frage als unangemessen erscheinen.

Wie Peter Weiss sich das Nachleben Hölderlins »im Krais lebendger Stimmen« vorstellt, erhellt aus der ersten Szene des zweiten Aktes, in der Hölderlin im Jahre 1799 den Freunden eine oratorische Auswahl aus (der offenbar dritten Fassung des Trauerspiels) *Der Tod des Empedokles* vortragen läßt. Daß der Opfertod des agrigentinischen Philosophen mit dem argentinischen Doktor der Medizin Che Guevara parallelisiert wird, ist – trotz aller plakativen Naivität – weniger wichtig als die Tatsache, daß er diese Aktualisierung auf Hölderlins Konzeption beruhen läßt. Die letzte Fassung des (fragmentarischen) *Empedokles* wird von der »bürgerlichen« Philologie als entscheidende Vorstufe und auch schon Ausprägung für das Selbst- und Geschichtsbewußtsein des späten Hölderlin bezeichnet: »Denn jetzt erscheint Empedokles nicht mehr als autonomes, geschichtebildendes Subjekt, sondern als das Werkzeug des Gottes der Geschichte, der sich seiner bedient, um sich selbst zu verkündigen« (Wolfgang Binder). Was Binder (Hölderlin-Jahrbuch 1965/66) als Überwindung des Idealis-

4 Ernst Bloch, *Prinzip Hoffnung*, Frankfurt, Band III, S. 261.

mus durch Hölderlin interpretiert, ist in Wirklichkeit dessen endgültiges Eingehen in eben diesen. Peter Weiss schließt sich, obwohl die permanente Hegel-Kritik in seinem Stück eine anti-idealistische Tendenz hat, dieser Lesart bedingungslos an. Was er im Opfertod des Empedokles als Selbstverwirklichung feiert, ist in Wahrheit nichts anderes als die totale Entwirklichung des Menschen. So muß er, bevor er am Ende die Einheit von Theorie und Praxis in der universalen Poesie preist, mit Empedokles auch Hölderlin (vielleicht sogar sich selbst) auf den Weg der imitatio Christi setzen. Zwar hat sich Empedokles der politischen Verantwortung durch den Freitod entzogen, aber

> »(. . .) er
> der nie sich selber
> zum Verräther wurde
> (. . .)
> er wird den nach ihm Kommenden
> zum VorBild«

Dieser Gedankengang, von Peter Weiss in keiner Weise reflektiert, ist purer Hegelianismus. Empedokles überwindet die Antinomie von Sein und Schein und damit die Entäußerung des Begriffs in der konkreten Natur (das ist bei Hölderlin die Hybris seines Helden) durch Reflexion. Diese ist das Sein, das sich als Schein weiß und deshalb sich seiner materiellen Schwere enthebt.

Peter Weiss versäumt es, hier den unumgänglichen Übergang von der idealistischen zur materialistischen Dialektik zu suchen, das von ihm sonst immer wieder beschworene Bewußtsein des revolutionären Erfahrungsgehalts von Dialektik einzubringen. Wie aus dem *Empedokles* (in der letzten Fassung), so spricht auch aus Peter Weiss' *Hölderlin* die Hegelsche Geschichtsauffassung vom absoluten Geist, die – Marx kritisierte sie in der *Heiligen Familie* – statt der empirischen nur eine spekulative Geschichte erlaubt. Marx setzte gegen diese idealistische Auffassung die Forderung, daß (historische und materialistische) Dialektik eine von jeder »vorgeschichtlichen« Naturgesetzlichkeit befreite Praxis zum Inhalt haben müsse. Dieser Gedanke, später von Hölderlin »überwunden«, strukturiert die ersten Fassungen des *Empedokles*. Das wäre für einen marxistischen Autor Gelegenheit gewesen, Hölderlins Weg von der idealistischen Binnengliederung des *Hyperion* über die »Selbstvergottung« des Empedokles in den frühen Fassungen bis hin zur ahistorischen Geschichtlichkeit, der eschatologischen Gleichzeitigkeit in der dritten Fassung des *Empedokles* sowie in Hölderlins großer Spätlyrik zu verfolgen. Das heißt, ihn sichtbar zu machen als die konkrete Gefahr des deutschen Idealismus insgesamt: der Subsumierung gesellschaftlicher Realitäten unter allgemeine Kategorien. Marx hat diese Prämisse des Idealismus als das falsche Dasein bezeichnet. Die Selbstäußerungen dieses falschen Daseins liegen, nicht nur nach Marx, auf der Hand: Abstraktionen und Mystifikationen, die eine konkrete Selbstverwirklichung des Menschen wenn nicht unmöglich machen, so doch nur in Form von entfremdeter Entfaltung erlauben. Hölderlin hat das an sich erfahren, indem er Hegel vorwegnahm. Wie dieser konkrete Geschichte in Logik überführte, so der späte Hölderlin in Dichtung. Geschichte wird so zur reinen Denkbewegung, an deren Ende steht, was ihre Prämisse ist: das Absolute.

Wenn Peter Weiss nun versucht, aus dem in einer existentiell tragischen Weise entfremdeten Hölderlin einen »linken« Dichter zu machen, so ist das angesichts der tatsächlichen Entwicklung Hölderlins ein groteskes Unterfangen. Mit seinem Bühnenstück nach Art der Heiligenlegenden folgt er – trotz seines ausgeprägten Hegel-Hasses – Hegels Begriff vom Wesen als der Auflösung einer gesellschaftlich gesetzten Realität. Zuletzt auf Friedrich Schlegel rekurrierend, verklärt er diesen Begriff am Schluß seines »Hölderlin« zur romantischen Theorie von der progressiven Universalpoesie.

Diesem Rückgriff entspricht die formale Anlage des »Hölderlin« ebenso wie der im einzelnen nachlässige, im ganzen fürchterlich vereinfachte Umgang mit den historischen Materialien. Daß Weiss Leitfiguren des deutschen Idealismus karikiert, ist sein gutes Recht als Dramatiker; daß er dabei aber dem Gedankengebäude dieser Leitfiguren naiv verhaftet bleibt, bestätigt jene Kritiker, die sich ihm mit den Kategorien der Psychoanalyse nähern. Und daß er schließlich die tatsächlichen Revolutionäre im Umkreis des Dichters entweder verkleinert (Sinclair) oder ganz verschweigt (Baz, Boehlendorff), dagegen den bramarbasierenden Siegfried Schmid zu einem kleineren alter ego Hölderlins erhöht – das enthüllt seine »Ideologiekritik« als idealistische Mythisierung. Indem er Hölderlin von allem löst, was in dessen Umkreis als Versuch in Richtung auf eine konkrete Revolution in Württemberg geschah, eliminiert er nicht nur – analog zu seiner *Empedokles*-Deutung – die geschichtlichen Widerstände gegen solche Versuche; er stilisiert den Dichter auf diese Weise zu einem reinen, in luftleerem Raum lebenden Revolutionär empor.

Dieser *Hölderlin,* das muß mit Trauer gesagt werden, ist ein Stück jener Ideologie, gegen die Weiss anzugehen glaubt. Dagegen sollte Friedrich Hölderlin das letzte Wort behalten: »Sterblichen geziemt die Scham«.

Hans Mayer
Die zweifache Praxis der Veränderung
(Marat – Trotzki – Hölderlin)

> Herangewachsen unter der Vorstellung einer unbedingten Ausdrucksfreiheit, sehen wir uns hier in unserem Vorhaben behindert – solange wir den Eigenwert der Kunst höher schätzen als ihren Zweck. Erkennen wir den Zweck, können wir auch um die Durchsetzung der kühnsten Formen kämpfen, denn wir wissen: zu einer Revolution der Gesellschaftsordnung gehört auch eine revolutionäre Kunst.
> Peter Weiss in: *10 Arbeitspunkte eines Autors in der geteilten Welt* (1965)

Im Spiel von der *Verfolgung und Ermordung des Jean Paul Marat* steht das Gegenspiel zweier Schriftsteller im Mittelpunkt: des Arztes und Publizisten Marat, und des Kranken und Romanciers Sade. Besser und genauer freilich wäre vom Gegenspiel eines Schriftstellers mit sich selbst zu sprechen. Der Marquis de Sade, nicht ausgefüllt durch Träume und selbst gelegentliche Theaterspiele mit den Insassen des Hospizes zu Charenton, erfindet sich, als Verfasser und Spielleiter, einen intellektuellen Gegenspieler in dem längst ermordeten und offensichtlich vergessenen Marat, dem »Volksfreund« aus den Jugendjahren einer großer Revolution. Es ist das Denkspiel eines Schriftstellers mit sich selbst. Die Buchausgabe des Stückes *Trotzki im Exil* (1970) illustriert als Fotografie eben diesen Stücktitel. Trotzki als Verbannter in Mexiko. Ein verbannter Schriftsteller am Schreibtisch inmitten von Büchern und Papieren, vor allem von Zeitungen: eine englische ist darunter, auch eine in deutscher Sprache. Das Bild eines, der berufsmäßig schreibt und der Aktionen stets, in einer Lebenskurve mit den Etappen Exil - immense Machtausübung - Exil - Ermordung, als Tätigkeit eines Redners und Schriftstellers konzipiert hatte. Auch Trotzki wird, wie Marat, verfolgt und ermordet wegen seines Geschriebenen.

Das Stück *Hölderlin* endlich kulminiert im Gespräch zweier Schriftsteller: eines jungen Publizisten, und eines im Exil freiwilliger und innerer Selbstverbannung lebenden Poeten: Karl Marx und Friedrich Hölderlin. Ein junger Doktor der Philosophie, diplomiert in Jena mit einer Arbeit über frühgriechische Philosophie, unterhält sich mit dem Magister und Bibliothekar Hölderlin, der in Jena zwischen die Philosophien Schillers und Fichtes geriet und der sich ihrer mit Hilfe der griechischen Philosophen und Tragiker zu erwehren suchte. Antithetische Positionen zweier Schriftsteller auch diesmal. Dr. Marx vertraut dem verehrten Lyriker, wie dessen Poesie ihn selbst veranlaßt habe, auf poetische Einübungen fortan zu verzichten und mit Hilfe der Prosa, der Rechtswissenschaft und der Philosophie »die Bedingungen zu untersuchen / unter denen die Menschen leben«.

Diese drei Stücke von Peter Weiss, geschrieben und aufgeführt zwischen 1962 und 1971, scheinen obenhin betrachtet als turbulente Staatsaktionen angelegt zu sein. Ihr innerer Zusammenhang ist im doppelten Sinne evident: durch die leitmotivische Technik, deren sich Peter Weiss dreimal bedient, um eine Aufgabe der Identitätsfindung für sich zu lösen. Andererseits durch die »Permanenz« eines revolutionären Prozesses, der als bürgerliche Revolution am 15. Juli 1789 im Sturm auf die Bastille nach außen hin sichtbar wird, alle Wandlungen einer bürgerlichen, nachbürgerlichen und gegenbürgerlichen Bewegung durchläuft, um neu zu kulminieren in der russischen Oktoberrevolution von 1917 mit den Protagonisten Lenin und Trotzki.

In seinem dramatischen Schaffen gibt Peter Weiss den Nachvollzug einer Dialektik jenes Zusammenhangs zwischen bürgerlicher und proletarischer Revolution, den ausgerechnet Stalin in einer seiner letzten öffentlichen Reden, durch ein Schlußwort zum 19. Parteitag der bolschewistischen Partei Lenins, höchst nachdrücklich und eindrucksvoll hervorgehoben hatte.

Natürlich gilt für die drei Stücke jene Regieanweisung zu Beginn von *Trotzki im Exil,* wo es heißt: »Keine Milieuschilderung. Kein Hinweis auf geographische Lage. Der Raum ist ein Provisorium«. Was offenbar heißen soll: Konkretisierung des Geschehens durch Raum und Zeit, Geschichte wie Geographie, ist tunlich zu vermeiden. Dies ist immer, im Drama von Peter Weiss, ein Spiel mit und zwischen den Zeiten. Die Auseinandersetzung zwischen Marat und Sade wird unbekümmert ins Aktuelle der sechziger Jahre eines zwanzigsten Jahrhunderts geführt. Der Zeit-Raum von *Trotzki im Exil* meint Gleichzeitigkeit eines Lebens im Augenblick des nicht erwarteten, aber stets einzubeziehenden Todes. Die Zeit hier ist Gegnerzeit und Wirkzeit Lenins und Trotzkis. Stalin als Episode. Und als Institution.

Im *Hölderlin* endlich die Rückkehr zur Welt der Freiheitsbäume und Papiergeldbündel, des permanenten Fallbeiltodes und der permanenten – und ausgiebigen – Profite. Hölderlins Poetenleben zwischen dem Sang *für* die Emanzipation und einem Konzept der Poesie, worin Sang, in einem gedankenvollen doch tatenarmen Deutschland, *an die Stelle* von Emanzipation zu treten hat.

Die Schlußbegegnung zwischen Marx und Hölderlin meint nicht den Überraschungseffekt mit Hilfe einer historisch wohlbekannten Figur, sondern die Verknüpfung des Poeten einer jakobinischen mit dem Theoretiker einer proletarischen Erhebung. Im Terror, von dem das Stück Marat-Sade handelte, konnte Rousseauismus stets auch als Marxismus gelesen werden, hinter Marat wurden die Züge Lenins oder Trotzkis evoziert. Im *Hölderlin* suggeriert alle Darstellung der Reaktion und Repression gleichzeitig die Unterdrückung einer revolutionären Poesie, die es wirklich ist und nicht bloß in der Gebärde, durch Institutionen einer stabilisierten Ordnung. Der Dichter Hölderlin in der Zwangsjacke und Irrenanstalt meint nicht bloß Deutschland und neunzehntes Jahrhundert, sondern lenkt abermals, und mit dem Willen des Autors Peter Weiss, hinüber nach Rußland und in die Nachfolge einer einstmals so verheißungsvollen und emanzipatorischen Bewegung.

In allen Fällen aber spielt sich die Verfolgung, Ermordung, Entmenschung von Schriftstellern im Widerstreit ab zwischen revolutionärer und nachrevolutionärer Lage. In drei Schauspielen immer derselbe Konflikt zwischen der Permanenz einer Schriftstellerei, die umzuwälzen gedachte und die umwälzungsbereit geblieben ist, mit Vorgängen einer Erstarrung, die sich in den Zielen als Restauration verstehen läßt, in den Mitteln als Repression.

Die Permanenz in den drei Stücken mit innerem Zusammenhang wird jedesmal erzeugt als *Praxis der Veränderung, betrieben von Schriftstellern*. Darum sind in allen drei Stücken die wichtigsten Auseinandersetzungen angelegt mit dem Thema: *Praxis als materielle Gewalt und Praxis als Idee*. Der Satz von Karl Marx ist wohlbekannt, wonach auch die Idee zur materiellen Gewalt werden kann, »wenn sie die Massen ergreift«. Jene drei Stücke von Peter Weiss hingegen demonstrieren dreimal, was sich vollzieht, wenn ihr dies nicht gelingt.

In dem Drama *Marat / Sade* ist die Diskussion zweier Schriftsteller, erdacht und ausgeführt als Gegenspiel mit sich selbst, durch den Marquis de Sade folgendermaßen formuliert: Marat erkennt, weil Sade es erkannt hat, den notwendigen Zusammenhang zwischen literarischem Konzept und materieller Gewalt:

> »Falsch Sade falsch
> mit der Ruhlosigkeit der Gedanken
> läßt sich keine Mauer durchbrechen
> Mit der Schreibfeder kannst du keine Ordnungen
> umwerfen

Wie wir uns auch abmühen das Neue zu fassen
es entsteht doch erst
zwischen ungeschickten Handlungen
So verseucht sind wir von den Gedankengängen
die Generation von Generation übernahm
daß auch die besten von uns
sich immer noch zu helfen wissen«

Aber es gibt auch die Entäußerung in den Traum. Dann wirkt Realität hinein ins Dasein und Denken des Schriftstellers, der sich gleichfalls entäußern möchte in der Aktion, im besonderen Falle durch die »sadistische Aktion«, meist aber auf die Entäußerung durch Schreiben reduziert wurde.

»In einer Gesellschaft von Verbrechern
grub ich das Verbrecherische aus mir selbst hervor
um es zu erforschen und damit die Zeit zu
erforschen
in der ich lebte
Die Schändungen und Peinigungen
die ich meine erdachten Giganten ausführen ließ
führte ich selbst aus (. . .)«

Diese Konflikte jedoch sind unlösbar. Schreiben kann, wie bei Marat, die materielle Veränderung bewirken, ohne jedoch, trotz allgemeiner Emanzipation, den Schreibenden selbst zu emanzipieren. Sade hingegen als Schriftsteller vermag sich als Schriftsteller, und nur als solcher, zu verwirklichen. Unter Verzicht freilich auf eine Praxis der allgemeinen Veränderung. Darum endet dieses Ideendrama mit offenen Fragen und stabilen Antinomien. Peter Weiss selbst hat den Konflikt kommentiert:

»Was uns in der Konfrontation von Sade und Marat interessiert, ist der Konflikt zwischen dem bis zum Äußersten geführten Individualismus und dem Gedanken an eine politische und soziale Umwälzung. Auch Sade war von der Notwendigkeit der Revolution überzeugt und seine Werke sind ein einziger Angriff auf eine korrumpierte herrschende Klasse, jedoch schreckt er auch vor den Gewaltmaßnahmen der Neuordner zurück und sitzt, wie der moderne Vertreter des dritten Standpunkts, zwischen zwei Stühlen.«

Diese Selbstdeutung ist zu eng. Sie stellt bloß ab auf inhaltliche Divergenzen zweier Schriftsteller über die konkrete Aktion und Praxis. In dem Drama von 1964 ist der emanzipatorische Vorgang eindimensional verstanden. Es gibt nur eine Praxis der Veränderung: diejenige des Jean Paul Marat. Die schriftstellerische Praxis Sades scheint den Namen einer Veränderung nicht zu verdienen.

In dem Stück *Trotzki im Exil,* das als literarischer Entwurf die gemäße Form offensichtlich noch nicht gefunden hat, ist die Grundfrage des früheren Revolutionsdramas hingegen neu gestellt. Scheinbar als Episode und ohne tiefere dramaturgische Verarbeitung. Dennoch bedeutsam und weiterführend. Jene Szene wurde mit Recht nach der Uraufführung als wichtigstes Moment eines vorerst mißglückten Stückes erkannt.

Gemeint ist die Konfrontation der Revolutionäre Lenin und Trotzki mit den *Dadaisten* im Café Voltaire in Zürich, mitten im Ersten Weltkrieg. Scheinbar bloß die Konfrontierung einer Künstlerwelt mit derjenigen von Berufsrevolutionären: als Antithese einer primär ästhetischen und einer primär ethischen Lebensführung. Peter Weiss gelingt jedoch eine Entgegensetzung, die weit darüber hinausführt. Natürlich kommt ein »Gespräch« nicht zustande, vielmehr vollzieht sich ein Nebeneinander der Aktionen und Proklamationen. Hier Lenin und Trotzki, dort Emmy Hennings und Hugo Ball, Tzara und Huelsenbeck. *In Wirklichkeit ist es die Konfrontation zwischen Wahn und Vernunft.* Darin verknüpft sich diese Szene sowohl mit dem Spiel im Hospiz zu Charenton wie mit dem Tübinger Turmzimmer des »unvernünftigen« Hölderlin.

Bereits das Spiel von der Revolution endete als Revolte der Insassen, als »Raserei ihres Marschtanzes«, in brutaler

Niederknüppelung der ekstatischen Kranken durch ihre Wärter und Pfleger. Der Lustschrei der Entflammmten skandierte beides als Einheit: die Revolution und die Kopulation. Auch hier endet das Stück als offene Frage. Die Repression durch den Anstaltsdirektor hatte nichts gelöst, auch zu nichts geführt. Weder zur Revolution, noch zur Kopulation.
Der neue Ansatz derselben Antithese findet sich in jener Szene aus dem Café Voltaire. Keine Rede davon, daß Peter Weiss als Dramatiker es zuließe, die Künstler und Dadaisten vor dem historischen Monument Lenins oder auch Trotzkis dem mitleidigen Gelächter preiszugeben. Was Hugo Ball und Tristan Tzara zu sagen haben, ist vom Autor ernst gemeint. Weiss hält die Argumente für bedenkenswert.
»Hugo Ball: Glauben Sie immer noch an die europäische Kultur, Trotzki? An ihre harmonischen Bögen, an ihre idealistischen Spitztürme? Ich hab gelesen, was Sie alles verzapft haben über Kunst und Dichtung. Merken sie jetzt nicht auch, wies in den herrlichen Fassaden knistert und bröckelt?«
»Tristan Tzara: Ich, Tristan Tzara, und Janco, und Emmy Hennings und Hugo Ball, und Richard Huelsenbeck, und das Strichmädchen von der Ecke, Anna Blume, und Max Ernst, und der Duchamp in New York, merkt euch die Namen. Eine Internationale. Wir werden in die Geschichte eingehn wie ihr.«
Daraus folgert Hugo Ball wiederum die geschichtliche Möglichkeit einer *zweifachen Praxis der Veränderung.*
»Ihr müßt euch verbünden mit uns, ihr Rationalisten, ihr Revolutionsingenieure. Ihr stürzt die Despoten, die Blutsauger in den Fabriken und Banken. Wir stürzen die Bosse, die unsre Impulse, unsre Phantasie hinter Schloß und Riegel halten. Aus den Trümmern wird sich der geschundene Arbeitsknecht, der verhungerte Gedankennarr erheben und eine unvorstellbare Kraft entwickeln. Wir müssen zusam-

mengehn. Wir, die Emotionalen, die Unberechenbaren, und ihr, die Planer, die Konstrukteure. Keine Trennung. Sonst werden unsre Revolutionen im Sand versickern.«
Als Emmy Hennings anschließend eine poetische Proklamation des Dadaismus verkündet, wahnhaft und hellsichtig in einem, fragt »Anna Blume«, das Straßenmädchen mit einem bei Kurt Schwitters entliehenen Künstlernamen, ob jene den Verstand verloren habe. Hugo Ball antwortet »Nein. Aus ihr spricht die höhere Vernunft. Die Vernunft, die sich befreit hat aus dem Joch der Vorschriften und Gesetze.«
Da jedoch repliziert Trotzki, offenbar beeinflußt durch das Erlebte: »Wir dachten mal, die Welt würde vom Bewußtsein, vom kritischen Denken bewegt. Aber das Bewußtsein ist die ganze Geschichte lang hinter den Tatsachen hergewackelt. Soweit habt ihr recht.«
An dieser Stelle freilich versucht Weiss, vom Ästhetischen her, die Gegensätze zwischen Leninismus und Trotzkismus zur Sprache zu bringen. Trotzki hatte – bei Weiss – die Möglichkeit eines Dualismus von revolutionärer und artistischer Revolution, von rationalem Machen einer Revolution und wahnhaftem Machen einer verändernden Kunst zugelassen. Lenin hingegen widersetzt sich »in heftiger Erregung« dieser zweifachen Praxis von Veränderung.
Wiederum wird die Einheit der historischen Zeit gesprengt. Was jetzt als These ausgesprochen wird, meint die Kunst und Kulturwirklichkeit der heutigen Sowjetunion: den kulturellen Konservatismus mitten in einem durch Revolution errichteten Staat. Trotzki scheint zu zögern, die Praxis der Veränderung durch Schöpfungen jenseits des Rationalen für unmöglich zu halten. Lenin durchaus nicht.
Natürlich ist diese bedeutende Szene in einem mißglückten Schauspiel zunächst einmal poetische Erfindung des Stückeschreibers Peter Weiss. Dennoch ist die historische Beziehung genau nachweisbar. Nicht zwar zwischen Trotzki und den Dadaisten in Zürich, wohl aber bei den Nachfolgern

und Weiterführern des Dada, bei André Breton und dem *Surrealismus.* Im ersten surrealistischen Manifest von 1924 bereits hatte Breton die Forderung gestellt, man müsse die Geisteskranken und Wahnhaften in eine zu befreiende Gesellschaft integrieren. »Kolumbus mußte mit Verrückten ausfahren, um Amerika zu entdecken. Und seht nur, wie diese Verrücktheit Gestalt gewonnen hat – und Dauer.«
Nun ist aber die Verbindung zwischen Surrealismus und Kommunismus evident. Führende Schüler und Freunde Bretons wie Aragon und Paul Eluard trennten sich vom Surrealismus, um Mitglieder der Kommunistischen Partei Frankreichs zu werden. *Breton jedoch mitsamt den folgerichtig gebliebenen Surrealisten entschied sich für Trotzki und den Trotzkismus.*
Trotzki in dem Schauspiel *Trotzki im Exil* ist abermals der Marquis de Sade im Gegenspiel zwischen individueller und gesellschaftlicher Befreiung, von Wahn und Vernunft, Kopulation und Revolution. Auch dieses Schauspiel endet als offene Frage: durchaus nicht, wie man in der Sowjetunion dem Autor Peter Weiss vorgeworfen hat, als Glorifizierung des Lev Davidowitsch auf Kosten des Wladimir Iljitsch. Wohl aber verkörpert Trotzki bei Peter Weiss die Zulässigkeit von zwei Formen einer verändernden Praxis: durch revolutionäre Kunst und durch revolutionäre Aktion.
Das Stück *Hölderlin* endlich gesellt sich beinahe als Synthese zu den beiden anderen Schauspielen, um mit ihnen – fast – eine gesellschaftliche Triade zu formen. Aus diesem Gesamtkonzept von Peter Weiss resultierte die künstlerische Notwendigkeit, den alternden und internierten Poeten des Jakobinismus, den Verschwörer und Geheimbündler, der sein Schauspiel um Empedókles von Agrigent als Nachgestaltung der erlebten Konspiration entwarf, genau auf der Grenze zwischen Wahn und Vernunft anzusiedeln. Nur eine oberflächliche Interpretation des Stückes konnte diesen Hölderlin als Illegalen mißverstehen, welcher den Wahnsinn spielt, um nicht verhaftet und verfolgt zu

werden. Auch bei Peter Weiss ist Hölderlin wahnsinnig: sogar darin noch, daß er sich die Permanenz eines gespielten Wahnsinns zumutet, ohne zu fragen, ob die Verkleidung notwendig sei.

Der Wahnsinn Hölderlins aber ist identisch mit der *Treue zur jakobinischen Revolution.* Der Wahn Hölderlins steckt in diesem Festhalten an den »Träumen seiner Jugend«, um ausgerechnet mit dem Schiller des *Don Carlos* zu sprechen.

Deshalb die Gegenüberstellung einer Permanenz des begriffenen und gewollten Jakobinismus bei Hölderlin und den Vertretern der Alltagsvernunft und Geschichtstreue: den Dichterfürsten Goethe und Schiller und den Philosophenfürsten Schelling und Hegel.

Die Revolution ist Hölderlins Wahn, aber damit ist sie gleichzeitig seine Vernunft. Scheinbar hatte der Geschichtsablauf gegen Hölderlin entschieden. Peter Weiss möchte jedoch zeigen, daß Hölderlin, von heute ausgesehen, recht behielt. Darum sieht neuere Hölderlin-Forschung die Größe dieses Poeten nicht bloß im schönen Gesang, sondern in der konkreten geschichtlichen Aufgabe, die Hölderlin selbst dem »deutschen Gesang« zugewiesen hatte: daß er mithelfen müsse bei der allgemeinen Veränderung. Die Antithesen zwischen Marat und Sade waren bloß scheinbar und in sich wahnhaft. Zwischen beiden gab es keine ernsthaften Antithesen. Zwischen Lenin und Trotzki und den Dadaisten gab es die schroffe Entscheidung Lenins gegen den Wahn für die Tugend, für die vernünftige Revolution der vernünftigen Revolutionäre. Trotzki als Rationalist ahnte die Möglichkeit einer Synthese und einer doppelten Praxis. Vielleicht scheiterte er, im Stück, gerade daran.

Höchst merkwürdigerweise scheitert er in dem Schauspiel *Trotzki in Coyoacan* von Hartmut Lange, das als Gegenspiel zu Peter Weiss angelegt wurde, gerade an seinem rationalistischen Individualismus, einem traditionellen Konzept vom großen Mann und großen Unbestechlichen, der alles selbst machen möchte und damit alles verspielt: sich selbst und die Revolution. Die letzte Zeile bei Hartmut Lange lautet: »Das ist die Tugend, die uns sehr erbittert.« Zwischen Lenin und Trotzki gab es bei Peter Weiss in dieser Frage einen Dissens, dafür gibt es den Konsens zwischen Karl Marx und Friedrich Hölderlin. Im Gegensatz zu Lenin und dem Leninismus konzipiert – bei Peter Weiss – der Begründer des Marxismus die Möglichkeit eines Dualismus der Aktion:

»MARX
Zwei Wege sind gangbar
zur Vorbereitung
grundlegender Veränderungen
Der eine Weg ist
die Analyse der konkreten
historischen Situation
Der andre Weg ist
die visionäre Formung
tiefster persönlicher Erfahrung
HÖLDERLIN
Jedoch
aber
MARX
Vor Ihnen
stelle ich die beiden Wege
als gleichwertig hin
Daß Sie
ein halbes Jahrhundert zuvor
die Umwälzung nicht
als wissenschaftlich begründete
Notwendigkeit sondern
als mythologische Ahnung
beschrieben
ist Ihr Fehler nicht«

Dies sind nicht mehr Antithesen, wie sie der Marquis de Sade skeptisch und höhnisch präsentiert hatte, wobei ihm der Ausgang des Spektakels recht zu geben schien, sondern Synthesen. Sicherlich nicht für den durch Lenin und Trotzki begründeten Staat, der seine normative Ästhetik auf Goethe, Balzac und Tolstoi gründet, die Dadaisten aber und Surrealisten bestenfalls als bürgerliche Dekadenz abtut, schlimmstenfalls als Wegbereiter des Trotzkismus denunziert. Dagegen ist das Konzept von Peter Weiss ein permanentes Fortschreiten von Marat zu Trotzki zu Hölderlin. Im Augenblick utopisch in jenem Sinne, daß es keine gesellschaftliche Realität gibt, die dazu adäquat wäre.
In seine *10 Arbeitspunkten eines Autors in der geteilten Welt,* die im Jahre 1965 erschienen, entwickelte Peter Weiss bereits jene beiden Formen der Veränderung, die sein Stück *Hölderlin* in Handlung umzusetzen suchte. Er sagte dabei: »Im Verlauf der Untersuchungen, die ich betreibe, um zu einer Antwort zu gelangen, sehe ich, daß es nur zwei Möglichkeiten gibt, und daß das Verharren im Außenstehn zu einer immer größer werdenden Nichtigkeit führt.« Die Paradoxie im Augenblick – sie kann eines Tages durchaus aufhören, eine zu sein – liegt darin, daß der Schriftsteller Peter Weiss eben durch das Ernstnehmen der zwei Möglichkeiten so nachdrücklich ins »Außenstehn« geriet.

Benno von Wiese
Peter Weiss »Hölderlin«
Ein kritisches Essay

Im 11. Stück seiner *Hamburgischen Dramaturgie* schrieb Gotthold Ephraim Lessing vor über 200 Jahren: »der dramatische Dichter ist kein Geschichtschreiber; er erzählt nicht, was man ehedem geglaubt, daß es geschehen, sondern er läßt es vor unsern Augen nochmals geschehen; und läßt es nochmals geschehen, nicht der bloßen historischen Wahrheit wegen, sondern in einer ganz andern und höhern Absicht; die historische Wahrheit ist nicht sein Zweck, sondern nur das Mittel zu seinem Zwecke; er will uns täuschen, und durch die Täuschung rühren.« Was Lessing schon damals gelten ließ, braucht man nicht heute unter Berufung auf die historische Wahrheit kritisch zu widerrufen. Von allen Argumenten, die gegen Peter Weiss' Stück *Hölderlin* geäußert worden sind, ist der Einwand, diese dramatische Figur sei nicht Hölderlin, am wenigsten überzeugend. Ist man so gut unterrichtet, wer Hölderlin wirklich war? Die Meinungen darüber gehen bereits bei den Germanisten sehr weit auseinander: Ein vaterländischer Dichter, ein einsamer Seher, ein politischer Kopf, Jakobiner oder Girondist? Oder doch nur ein Idylliker und großer Lyriker aus Schwaben? Antworten der verschiedensten Art gibt es genug darauf. Die Kontroversen der Gelehrten sind bis heute nicht abgeschlossen. Peter Weiss würde vermutlich nur die Achseln zucken, wenn man ihm nachzuweisen versuchte, daß Hölderlin nach seiner Jugendphase keineswegs mehr ein politischer Dichter gewesen ist, daß ferner sein *Empedokles* nirgends die Bauern und Feldarbeiter zur Revolution aufruft, sondern vom Verhältnis des Einzelmenschen und des Volkes zu den Göttern handelt, daß ferner Hölderlins direkte oder indirekte Beteiligung an einem geplanten Umsturz in Württemberg bisher nur eine unbe-

wiesene, noch dazu unwahrscheinliche Vermutung geblieben ist, daß Hegel weit eher im positiven Sinne zeichenhaft mit Karl Marx konfrontiert werden könnte als Hölderlin und daß schließlich Hölderlin an einer medizinisch klar diagnostizierten Schizophrenie erkrankte – das genaue Datum ist bis heute umstritten – und sich nicht etwa hinter der Maske des Wahnsinns verborgen hielt usw. usw...
Noch einmal sei Lessing als Kronzeuge für Weiss genannt: »aber die Geschichtsbücher erst lange (...) nachzuschlagen, lohnt die Mühe nicht. Und wie viele wissen denn, was geschehen ist? Wenn wir die Möglichkeit, daß etwas geschehen kann, nur daher abnehmen wollen, weil es geschehen ist: was hindert uns, eine gänzlich erdichtete Fabel für eine wirklich geschehene Historie zu halten, von der wir nie etwas gehört haben?« (19. Stück der *Dramaturgie)*
Leider hindert uns doch einiges daran. Weiss selbst sucht den Anschein des Dokumentarstückes zu wahren: durch historisierende Verfremdung im orthographischen Druckbild, die freilich, wenn man sie unter die Lupe nimmt, mit der Schreibung von damals nur gelegentlich übereinstimmt und daher nicht »historisch«, sondern manieristisch ist, durch Einmischung von fast wörtlichen Zitaten und durch geschichtliche oder anekdotische Anspielungen auf Personen und Verhältnisse von damals. Aber ebenso tendiert er dazu, das längst Vergangene im Lichte unserer eignen, unmittelbaren Vergangenheit zu sehen, ja darüber hinaus ihm durch Verpflanzung in die Gegenwart eine überzeitliche Note zu geben. Geschichte präsentiert sich hier in erster Linie als Weg zur zeitgenössischen Konstellation; mit ihrer Hilfe lassen sich Schemata und Modelle im voraus entwerfen, an denen typische, allgemeine gesellschaftliche Fragen demonstriert werden sollen. Die Historie ist also nur Mittel zum Zweck, der Autor aktualisiert sie. Sie interessiert ihn nur unter der leitmotivischen Frage, ob die geschichtlichen Figuranten ihrerseits der revolutionären Umgestaltung der Gesellschaft starr und damit negativ ge-

genüberstanden oder ob sich bei ihnen Ansätze für den bis heute noch nicht endgültig vollzogenen Durchbruch zu einer sozialistisch interpretierten Gesellschaft der Gleichheit und Gerechtigkeit aufzeigen lassen. Im ersten Fall gestaltet sie der Dramatiker Weiss als parodierender Karikaturist, im zweiten als pathetisch-tragischer Bühnenautor. Stellvertretend für das erste steht der gesamte Umkreis der idealistischen Tradition: Fichte, Hegel, in etwas abgeschwächter Weise auch Schelling, ferner Schiller und erst recht der »Empiriker« Goethe, darüber hinaus der Kreis des absolutistischen Fürstentums, Karl Eugen und seine Handlanger bis zu den Gendarmen und Leibgardisten hinab, und selbstverständlich alle merkantilen brutalen Repräsentanten von Börse, Kapital und hemmungsloser Vermehrung des Wohlstandes. Die pathetisch tragische Kulisse hingegen kennt eigentlich nur die eine Hauptfigur Hölderlin, mögen sich auch einige scheiternde und später meist unerfreulich in der Gesellschaft avancierende Revolutionäre und Außenseiter um ihn herum gruppieren.
Das dramatische Darstellungsprinzip fordert eine mehrdeutige Verschmelzung der Zeit-Ebenen: Die nationalistischen Studenten um Fichte herum sind ebenso die nationalsozialistischen der Hitlerzeit bis ins wörtliche Zitat hinein:

> »und sey unser Trachten noch weiter gestellt
> dass uns morgen gehöre die ganze Welt«

Oder noch deutlicher:

> »Von Revoluzion reden dass ich nicht lache
> Erwache Teutschland Teutschland erwache
> treibt das rothe Gesindel raus
> macht endlich Ordnung im eignen Hauss«

Dieser aggressive Nationalismus steigert sich in der letzten Turmszene bis zur Verfälschung des deutschen Hölderlin-Bildes, sei es noch zu Lebzeiten Hölderlins oder in den beiden Weltkriegen des 20. Jahrhunderts:

> »Hölderlin deine Oden im Ranzen
> tragen wir wenn wir die Schantzen

durchbrechen jenseits des Rhein
und falln ins Land des ErbFeindes ein«

Oder:

»Nur der reine teutsche
Geist soll bestehn
In deinem Nahmen Hölderlin
übergeben wir
das ArthFremde
dem Feuer«

Soll man dabei nur an die Bücherverbrennungen auf der Wartburg (1817) denken oder auch an die der Nationalsozialisten? Zwar werden Diderot, Voltaire, Rousseau, Marat, Saint Just usw. genannt, aber die Parolen der Burschenschaftler gegen das »Artfremde«, gegen Dekadenz und moralischen Verfall rekapitulieren ebenso bereits das damals Zukünftige, wenn auch heute bereits Vergangne. Die Namen sind austauschbar. Sie könnten ebenso Heinrich Mann, Rathenau, Tucholsky, Erich Kästner usw. heißen. Der Autor legt diese doppelte Perspektive am Ende Hölderlin selbst unmißverständlich in den Mund:

»Wir haben die Gestalt des Hölderlin so angelegt
dass er sich drinn befindet und bewegt
als spiegle er nicht nur vergangne Tage
sondern als ob die gleichen Aufgaben er vor sich habe
wie sie sich manchen von den Heutigen stellen
welche nach Lösung suchend drann zerschellen«

Entsprechend werden auch geschichtliche Gestalten wie Fichte, Hegel, Schelling, Schiller, Goethe zu versetzbaren Figuren der Historie, die der Autor zu seinen Zwecken manipuliert. Nirgends ist es ihm um die Wirklichkeit ihrer Charaktere oder um das Verständnis ihrer geschichtlichen Leistung zu tun. Nur der Schein der historischen Dokumentation wird benutzt, wenn z. B. Goethe und Schiller ihr Unverständnis für Hölderlin in zitatnahen Äußerungen bekunden, die wir aus dem Goethe-Schiller Briefwechsel oder aus anderen Quellen kennen. Weiss täuscht historische Wahrheit vor, wo er die Wahrheit der Geschichte gerade zerstören will zugunsten einer persiflierenden Substanzentleerung: Goethe *nur* als beschränkter Empirist mit obrigkeitsgebundenem Klassendenken, Schiller *nur* als Repräsentant einer kulturreformatorischen ästhetischen Bildung mit der damit verbundenen Abwendung von der französischen Revolution, Hegel, bereits in seinen Anfängen *nur* der lächerlich gemachte Philosoph des abstrakten Begriffes, der recht bald im diplomatisch abgesicherten Bündnis mit einem imperialistischen Industriestaat steht, der späte Schelling als Frömmler, der zum Gebet aufruft, Fichte als der großmäulige Prediger eines Elite-Staates, der im Stil von Göbbels nationalistische Propaganda treibt:

> »Wie verlautet in unsrer Proclamation
> wolln wir die FürstenHöfe verbinden
> zu einer einzgen Nation
> dass wir uns von fremdländischen Racen
> nicht noch mehr zerreissen
> und unterwerfen lassen
> rausschmeissen die levantinischen
> und lateinischen Buben
> die decadenten Franzosen und
> vor allem die Juden
> endlich erblühen lassen und genesen
> was verborgen liegt im teutschen Wesen«

Wie sollte Hölderlin in einer solchen Welt der reaktionären Gesinnung, ja des Hasses, atmen können, wie sollte er sich wehren gegen diese »eiskalte Zone des Bestehenden«? Durchaus konsequent werden infolge der vom Autor durchgeführten Demontage und Versimpelung die »Geistesheroen« zu komischen Figuren. Die kabarettistischen Züge überwiegen bei den meisten Personen so stark, daß der bescheidene Versuch, geringe Gradunterschiede festzuhalten – Schiller ist nicht ganz so schlimm wie Goethe, Schelling (vom Schluß abgesehen) weit positiver, aber auch farbloser

als Hegel und Fichte – in der theatralischen Darbietung verwischt werden muß.
Zwar hat Weiss in seinen *Bemerkungen zu Hölderlin* sein Vorgehen damit gerechtfertigt, daß er Schiller und Goethe in seinem Stück so »gezeichnet« habe, »wie sie sich Hölderlin tatsächlich darstellten«, so wie auch Hegel, Schelling und Fichte »aus der zugespitzten Sicht behandelt« seien, »die sich aus ihrem Spätwerk ergibt«. Jedoch bleibt das erste bloße Vermutung, das zweite wiederum mußte schon durch die Willkür der biographischen Perspektive zu gewollten Verzerrungen führen. In Wahrheit sind sie alle nicht mehr als bloße Vertreter des Bestehenden, das heißt jener Sphäre, in der die Worte »wie Automaten« klirren und die Bilder »gefrieren«. Diese persiflierende Satire als Demontage der Hölderlin-Umwelt greift jedoch noch weit über die »Großen« hinaus. Sie richtet sich nicht nur gegen den unverhüllt merkantil denkenden Jakob Gontard und den großbürgerlichen Bankier Bethmann, sondern auch gegen Hölderlins Diotima, Susette Gontard, die zwar gerne eine kleine Liebelei mit dem in ihrem Hause so gedemütigten Hauslehrer haben will, aber dafür keinesfalls ihre gehobene gesellschaftliche Stellung risikiert. Der absichtlich trivial gehaltene Dialog zwischen ihr und Hölderlin überschreitet an einigen Stellen die Grenzen des Zumutbaren. Die direkte Anfrage der eifersüchtigen, mehr naiven als empfindsamen jungen Dame, ob Hölderlin etwas mit der Charlotte von Kalb »gehabt« habe, mag man zur Not noch hinnehmen. Peinlich jedoch wird der frustrierte Sex der so sehr auf ihre »Pflichten« bedachten Susette, sobald sie ins Pathos gerät:

»Wenn ich auch abgestorben schein
und troken
so brennt es mir doch in der Tieffe
ich hab dich unaufhörlich
in mir steken Holder
und muss mich vor der Laidenschaft
bewahrn«

Hölderlins Diotima sollte hier in eine Figur ihrer kapitalistischen Umwelt verfremdet werden, die im Ungeist des Herrn Bethmann erklärt: »Armuth wirkt immer schädigend ein auf die Sitten«, obgleich in ihrem Briefe das genaue Gegenteil, »Stolz« und »Gefühl« sind ihr »lieber als alle Güther der Erde« glaubhaft zu lesen ist (*StA,* 7. Band 1. Teil, 1968, S. 61). Aber gerade die oben zitierte Stelle gibt sich hingegen scheinbar dokumentarisch. Sie kann sich auf einen geschichtlichen Beleg berufen. In den uns überlieferten Briefen heißt sie jedoch so: »Ach könnte ich hin zu Dir und Dir Trost geben Ich habe kein Geheimniß von Dir meine Seele! auch ist meine Liebe zu voll, um daß mein Herz mir sterbe, wenn ich still und trocken bin so zweifle nur nicht an mir, dann brennt es in der tieffe und ich muß wie Du mich vor der Leidenschaft bewahren, der Gram zehrt wohl ein wenig, doch die süße heilende Schwermuth kömmt immer vom Himmel zur rechten Zeit . . .)« (*StA,* 7. Band, 1968, S. 63).
Die Herabstimmung eines empfindsamen Textes in einen vulgären ist unverkennbar. Durch die eine, ganz neu hinzugefügte Zeile: »ich hab dich unaufhörlich in mir steken Holder« wird die direkte Sex-Anspielung mit Nachdruck unterstrichen, die sich nirgends im überlieferten Text findet. Der Autor spielt also nur mit dem dokumentarisch Belegbaren, um es desto wirksamer entwerten zu können. Erst in der zweiten Fassung hat er das etwas abgeschwächt, indem er das zunächst fortgelassene »wie Du« in seinen Text mitaufgenommen hat.
Solche gewollte Trivialisierung braucht an sich keine »Quellen«. Sie geschieht z. B. genauso in den gegen Hölderlin gerichteten Tiraden seines Zöglings Fritz von Kalb. Zwar hat sich dieser durch den Einfluß seines Hauslehrers von den fatalen Rassevorurteilen seines Vaters gegen die »Wilden« mehr oder weniger befreit, aber seine Sexualerziehung will dafür umso weniger gelingen. In der Terminologie einer ordinären, vom rein Physischen gequälten

Sexsprache kennt er sich so gut aus, als ob er schon die pornographische Literatur von heute gelesen hätte. Dieses Sprechen ist für den Autor jedoch nicht obszöner Selbstzweck, sondern hat seine genau vorgesehene dramatische Funktion, da es zu Hölderlins Verzweiflung über die mißhandelte, vermummende und entwürdigte Sprache kontrastiert und damit die Kluft von Ideal und Wirklichkeit bereits durch die Art des vorgegebenen Sprechens in den Blick rückt.
Aber Weiss ist hierin nicht konsequent. Wie soll man z. B. die Szene zwischen Hölderlin und Wilhelmine Kirms lesen? Wiederum geht es um Sexualität, nicht etwa um Eros oder Liebe. Der Hölderlin-Kenner und ganz sicher auch Weiss wissen, daß in der wissenschaftlichen Literatur gelegentlich die freilich bis heute unbewiesene Behauptung auftaucht, Hölderlin habe von dieser Dame eine uneheliche Tochter gehabt. Bei Weiss tritt sie als die Emanzipierte auf, die sich von der Vorherrschaft der Männer befreien will und die in recht eindringlicher, keineswegs karikierter Sprache die Ästhetik des Realismus vorwegnimmt, wenn sie spöttisch Hölderlins »innern Blick« mit dramatischen Bildern aus der Wirklichkeit des Alltags konfrontiert: »ganz plazend voll« von Leben. Wäre es nicht gerade die Aufgabe des revolutionierenden Dichters, zu sehen, was vor seinen Augen ist, und es realitätsnah zu gestalten? Aber diese in ihren Argumenten so moderne Emanzipierte gerät auch ihrerseits in eine, wenn nicht entwertende, so doch komische Perspektive, als sie die praktischen Konsequenzen aus ihrer Ästhetik zieht und sich, frei von jeder Hemmung, dem ätherischen Helden unmißverständlich mit enthüllter Brust als Sexualpartnerin anbietet: »berühr mich doch«. Hölderlins Antwort darauf ist zunächst nur Erstarren und Fassungslosigkeit und schließlich die Absage an das Gewühl der Leiber, an ihr besinnungsloses Stöhnen im Finstern und ihren Trieb, »sich zu vermehren«. Wilhelmine Kirms stört das wenig, sie geht lachend an Hölderlin vorbei. Woll-

te der Autor auch sie parodieren, obgleich nach dem Personenverzeichnis gerade diese Darstellerin zugleich die eindeutig positiv gemeinte Panthea spielen sollte? Oder ist hier nicht der empfindsame Hölderlin mit einem Male lächerlich, verglichen mit dieser Kraftnatur, die so stürmisch auf ihn eindrängt und die auf dem Theater in dieser Szene wahrscheinlich die weitaus überzeugendere Gestalt sein dürfte? Gerade, wenn man der Meinung ist, daß der Grad der politischen Freiheit mit dem der sexuellen in enger Verbindung steht, müßte hier Wilhelmine Kirms die positive Gegenspielerin zu Hölderlin sein. Die fatale, aber unvermeidliche Assoziation, ob Hölderlin mit dieser so gar nicht frustrierten Partnerin nicht doch etwas »gehabt« hat, stellt sich ein und rückt die idealischen Liebesvorstellungen des Dichters im brutalen Zusammenstoß von nackter Sexualität und empfindsamen Träumen in ein recht bedenkliches Zwielicht. Solche mögliche Fragwürdigkeit seines Helden kann aber durchaus nicht in der Linie eines Dramas liegen, das die tragische Einzelfigur ganz nach oben hebt, ohne eigentlichen Gegenspieler, außer einer bereits vorher entwerteten Umwelt, die damit Glanz und Glorie des Dichter-Helden nur umso heller hervortreten läßt. Indem Weiss nach unten persifliert und nach oben idealisiert, nähert sich sein Drama, ob nun gewollt oder ungewollt, der Kolportage. Zu diesen Unter- und Übertreibungen gehört auch, daß selbst die von Weiss bejahten Ordnungsstürmer und Anwälte der Revolution und der Massen, Sinclair, Hiller, Schmid, in ihrem späteren Entwicklungsgang weitgehend destruiert werden, so daß wiederum nur der eine, dieser Hölderlin, übrig bleibt.

Aber dieser karikierende Stil mit seinen vor der Kolportage nicht zurückschreckenden Elementen dient nicht nur der Steigerung theatralischer Bühneneffekte; er hat bei Weiss darüber hinaus eine genau berechnete Funktion für das Ganze. Er will die hoffnungslose Verworrenheit und Scheußlichkeit einer Welt treffen, in der Hölderlin damals lebte und Weiss heute leben muß und die bisher auch nicht ein Gran von ihrer banalen Beschränktheit und profitgierigen Brutalität geopfert hat, immer noch im Bündnis mit Kirche und Staat, wenn auch heute vielleicht weniger mit Kultursalon und Bildung unwahrhaftig dekoriert als damals. »Idealismus« und »Frühkapitalismus« sind bei näherem Hinsehen miteinander identisch. Die Philosophen und Dichter ebnen nur dem Kapital den Weg zum Siegeszug in einem Land, in dem »selten nur der Geist mit sich identisch« wird. Die Chöre im Hause Gontard, die im Brecht-Stil singen: »und immer weiter steigt der Curs / an unsrer Burs« nehmen bereits den Spätkapitalismus vorweg, und von der Philosophie gilt, daß sie nach vielem »Geschrei« doch nur »mit der Polizey gemeinsame Sache« gemacht und damit lediglich die Herrschenden unterstützt hat. Mehr als fragwürdig ist deren »Kultiviertheit«, fragwürdig darüber hinaus die gesamte sogenannte »Zivilisation«.

Auf der Gegenseite stehen nur die Unterdrückten, die Entrechteten, die Armen, das einfache Landvolk, einige überzeugte Umstürzler, die nicht zum Zuge kommen, vor allem aber Hölderlin, bei dem offensichtlich der Geist einmal ausnahmsweise in Deutschland mit sich selbst identisch war. Aber Weiss' Drama ist kein Drama kollektiver gesellschaftlicher Veränderungen. Es bleibt alles beim Alten bis in unsere Tage hinein. Die französische Revolution hat vorerst keine Folgen, das Interesse des Autors konzentriert sich umso mehr auf die Hauptgestalt und nähert sich damit dem überlieferten Heldendrama, wenn auch mit anderen Vorzeichen. Bereits Grabbe und Büchner und später Gerhart Hauptmann kannten die Gestalt des scheiternden Helden. Danach freilich scheint er seine zentrale Bedeutung verloren zu haben. Seine Wiederentdeckung bei Weiss wird von der *Süddeutschen Zeitung* positiv vermerkt: »das deutsche Drama hat endlich wieder einen tragischen Helden«. Aber ein solcher Satz macht sich die Sache zu leicht. Weiss selbst ironisiert auf leise, aber unverkennbare Weise die Frage, wieweit sein Stück unter die Gattung »Trauerspiel« fällt.

»Der Cathegorie gemäß ist dies ein ThrauerSpiel
doch spielt mir von der Thrauer nicht zu viel
weil Thrauer immer nur das Secundäre ist
zur Freude selbst wenn diese ich zumeist vermisst
Fügt deshalb auch dem Reden von Musick was bei
dass uns nicht einthönig die Auseinandersetzung
sey«

Die Beimischung von »Freude« und »Musik«, wenn auch wohl nur spielerisch und parodierend gemeint, läßt also den vollen Ernst des Trauerspiels nicht aufkommen, verstärkt aber dafür das gewollt Theatralische des Vorgangs. Sieht man zunächst davon ab, so folgt der Aufbau des Stückes der seit dem Mittelalter bekannten Form des legendären, auf Heilige oder Märtyrer bezogenen Stationen-Dramas, das chronologisch die einzelnen Phasen eines Lebenslaufes dramatisiert. Dieses Modell wird bei Weiss jedoch modernisiert durch Mittel, die der »Einförmigkeit« entgegenwirken sollen. Zu ihnen gehört auch die Einblendung eines epischen Sängers, der die Vorgänge aus der Überschau kommentiert und fragend begleitet, dabei aber immer schon den ganzen Ablauf vorwegnehmen kann. Ferner erstarrt oft das szenische Moment im Tableauhaften durch das zuweilen nur optische Hinzutreten der geschichtlichen Gestalten aus Hölderlins Umwelt, die neben ihrem zeitgeschichtlichen Sinn auch auf Zukünftiges hinweisen sollen. Die Stationen selbst sind durch Hölderlins lyrisches »Heldenleben« vorausgegeben und beleuchten schlagartig entscheidende Wendepunkte seiner äußeren und inneren Biographie. Der erste Akt schließt mit dem Triumph der kapitalistischen Börse und den ihr zugeordneten Chören im »Totentanz« des Hauses Gontard. Hölderlins Entwicklung zum Dichter hat inzwischen ihren Höhepunkt erreicht. Die Szenen- und Stationenfolge setzt sich jedoch kontinuier-

lich weiter fort. Daher beginnt der zweite Akt auch nicht mit einer neuen Szene, sondern mit der Szene sechs. In ihr stellt Weiss den Dichter des Empedokles vor und deutet die revolutionäre Perspektive in das Hölderlinsche Drama hinein. Nachdem uns nachfolgend Hölderlin als klinischer Fall und in Zwangsjacke vorgeführt wird, rafft die letzte Szene die Jahrzehnte von Hölderlins Wahnsinn im gleichnishaft gemeinten Bühnenbild des »Turms« zusammen.
Das Symbol ist doppeldeutig. Es steht einmal für die hoffnungslose Isoliertheit des Ich in einer total entwerteten, ihm fremd gewordenen Welt, ein überdauernder, zeitloser Kerker des Geistes, zugleich aber auch als Zeichen für die Gefangenschaft des rebellierenden Menschen innerhalb der Gesellschaft, aus der das Ich nur durch gesellschaftlichen Umsturz irgendwann einmal befreit werden kann, darin wiederum als ein Symbol utopischer Hoffnung. Das Drama schließt am Ende mit der fiktiven, aber eindeutig positiv gemeinten Begegnung von Hölderlin und Marx. Figuren aus Hölderlins Jugend wie Sinclair und Schmid, aber auch Hegel und Schelling, werden wiederholt auf den einzelnen Stationen als Sprecher mit eingeblendet, selbst wenn sie vom rein Vorgangshaften aus dort nichts zu suchen haben. Auch auf diese Weise wird die Eintönigkeit des bloßen Stationendramas in einer surrealen Richtung überspielt. Gestalten aus dem Leben Hölderlins können in den Wahnsinnsszenen noch als Traumfiguren wiederkehren oder zum ersten Male auftreten. Die benutzte Modellform ist also nur scheinbar simpel, in Wahrheit ebenso kompliziert wie die Verschränkung der verschiedenen Zeitebenen.
Gleiches gilt von der Sprache. Dazu nur wenige Bemerkungen. Wenn auch der gereimte oder ungereimte Knittelvers überwiegt und damit ein scheinbar volkstümlicher Ton angeschlagen wird, so löst sich der Vers doch wiederholt in nur leicht rhythmisierte Prosa auf. Die Art des Sprechens wechselt zwischen gewollter Trivialität und ekstatisch geho-

benem Tonfall, manchmal fast wörtlich aus Hölderlins Dichtung übernommen. Anklänge an Hölderlins poetischen Ton wechseln im Poetischen mit einem suggestiven Singsang, der offensichtlich für Weiss selbst charakteristisch ist. Das Drama verzichtet jedoch bewußt auf einen eindeutig durchgehaltenen Sprachton. Sein qualitatives Gefälle im Sprechen von lyrisch liedhaften, noch reimenden Strophen über hymnisch verkündende oder elegisch klagende bis zu zitierenden und zur alltäglichen Umgangssprache, ist unverkennbar. Anders wird die Sprechweise bei den Gegenfiguren. Auch und gerade durch ihr Sprechen sollen sie karikiert werden. Weiss entlarvt dann das scheinbar Großartige als das Schwülstige und Nichtssagende. Der pseudophilosophische Disput im ersten Auftritt soll nach seiner eignen Szenenangabe »einen spielerischen und ironischen Anklang gewinnen«. Der Sänger wiederum, im zeitlosen Sinne mit Hölderlin identisch, behält als einziger die chronikähnliche, objektive, aber keineswegs unbeteiligte Distanz.
Das bis zum Extrem getriebene Durcheinander der Sprachebenen darf jedoch nicht als bloße Willkür mißverstanden werden. Das Sprechen aus der Wahrheit und Unversehrtheit heraus, wie es eigentlich nur Hölderlin, wenn auch nicht immer gelingt, muß ankämpfen gegen eine Welt, in der durchweg falsch und unwahr gesprochen wird, bzw. Weiss seinerseits die Unwahrheiten dieses Sprechens in ironischer Karikatur an den Pranger stellen will. Das Drama ist also in seiner Stilgebung keineswegs »realistisch«. Es bewegt sich zwischen einer satirisch gesehenen Realität, innerhalb derer das Reale in das Groteske umschlägt, einer falschen Idealität, die darüber hinwegtäuschen soll, daß sich ihre Sprecher an die schlechte Wirklichkeit verkauft haben, und einer legitimen Idealität, die zum Fluchtpunkt aus der Wirklichkeit geworden ist, aber zugleich als Aufbruch in eine neue, vorerst noch utopische Wirklichkeit verstanden werden will. Der unverkennbar »idealische« Dichter Höl-

derlin wird daher zugleich soweit aktualisiert, daß er die »ungeheuren Forderungen auf den Umbruch der Gesellschaft« nicht überhören will, nicht überhören darf.

»Es wird gefragt
wie sich der Schreibende
dem ganzen Wesen nach
zu seiner Zeit verhält«

Sieht man jedoch genauer hin, so stellt sich heraus, daß bei Weiss Hölderlin keineswegs ein tätiger Held der Revolution ist, sondern ein Erleidender, der jedoch in ungewollt »elitärer« Weise sein Recht auf universale Dichtung und Sprache noch gegen das Unverständnis seiner Umgebung zu durchleben sucht: »ich weiß es ist auch Pflicht das eigne Wesen zu erkennen und auszuführen was es fordert«. Die Hinzufügung des kleinen Wortes »auch« ist verräterisch. Bezeichnend genug, daß gerade dieser wichtige Satz in der zweiten Fassung von Weiss getilgt wurde und an anderer Stelle, nur in abgeschwächter Form, von der »Pflicht dem eignen HandWerck gegenüber« die Rede ist! Kurz gesagt: Hölderlin ist ebenso wie sein Empedokles ein Einzelgänger, ein Abgesonderter, ein bürgerlicher Held, der die außerbürgerliche Position des Dichters durchsetzen möchte und daran scheitert. Hier beginnen die Widersprüche des Stückes. Auf der einen Seite läßt Weiss den Rebellen Schmid, allerdings nur in der ersten Buchfassung, recht handfest und aggressiv sagen: »die Rede von dem Einzelnen ist elitär Gewäsch«. Nicht nur die Zeit der Könige, wie im auswechselbaren Zitat aus Hölderlins *Empedokles* gesagt wird, ist vorüber, sondern auch die des Einzelnen. Nach Schmid und doch wohl auch nach Weiss gelten nur noch die Massen. Dieser Schmid ist ein schlechter Dichter, aber ein konsequenter Revolutionär, der nicht den Ehrgeiz hat, »irgendwelche Verse zu hinterlassen«.

»Und wenns losgeht
dann wird sowieso
nicht mehr gesungen«

Zwar meint auch Hölderlin, erst müsse von Grund auf alles umgeworfen werden, damit Neues entstehen kann, nur, daß er dies in Gedichten an Beispielen wie Babeuf und Buonarotti zeigen will, nicht aber in eigenen Taten. Ja, er wünscht sogar den Tag herbei, wo er die Feder in den Kehricht werfen kann und dahin geht, wo er gebraucht wird. Aber dieser Hölderlin, der sogar zu den Verschwörern gehört haben könnte, die den Kurfürsten ermorden wollten, wird als plastische Figur in diesem Drama nirgends deutlich. Weiss' Hölderlin ist durchaus zum Dichter geboren und zwar zum Dichter einer umfassenden Vision vom Ganzen. Er ist eine anima candida, ein in seiner Reinheit und Mitleidsfähigkeit und in seiner Bereitschaft zum Opfer verklärter Mensch, aber eben nicht ein Anarchist, der erst einmal mit extremen Mitteln alles »umwerfen« will. Beim kleinen Aufruhr im Tübinger Stift ist es der Freund Sinclair, der öffentlich rebelliert, während Hölderlin nur weinen und schluchzen kann. Immer wieder steht er fassungslos vor der Grausamkeit seiner Epoche, auch noch, als er:

»die schreckliche Vendée durchkreuzte
wo es von Leichen aus der Erde schrie
und ich bei jedem Schritt auf Schädel
und Gebeine stiess im Acker«

Das zweimal aufgenommene Motiv aus Herders Edward-Ballade wird von Hölderlin zwar politisch verstanden, aber mehr im Sinne einer empfindsamen Anklage:

»O Edward o Edward o
wie ist dein Schuh
von Bluth so roth«

Das Niederschlagen der Revolution in Frankreich »verwüstet ihm seinen eignen Kopf«. Auf das Schreckliche der Epoche reagiert er mit Schmerz oder Gelächter. Hat Wilhelmine Kirms eigentlich Unrecht, wenn sie diesem Hölderlin mit seinem inneren Blick eine Welt der Realität gegenüberstellt, die er nicht mehr zu sehen vermag? Spricht der so böse karikierte Hegel nicht genau das Richtige aus, wenn er sagt:

»Doch keiner auch
ist dem Zermürbenden so
ausgesezt wie er
Ein Wort beiläufig
ohne Absicht ausgesprochen
trift ihn ins Hertz
Die Welt wird ihn
bis auf den Grund
zerstören.«

Hölderlins Sendung ist die Sprache, die Dichtung, und diese versteht er gerade nicht im zweckhaften Sinne politischer Agitation, sondern als ein geistiges Abenteuer, das weit darüber hinaus führt. Wehrlos dem Bösartigen und Eiskalten seiner Epoche preisgegeben, ist ihm dieser Bereich der Idealität, der Sinnbilder und Mythen, der einzige, der ihn sein sonst so freudloses Leben noch fristen läßt. Nicht, was in Frankreich geschieht, ist sein zentrales Problem, mag er noch so sehr mit den dortigen Vorgängen zunächst sympathisieren und später darunter leiden, sondern das Offensein zu allen Kontinenten der Dichtung und die anfängliche Schwierigkeit, über das verstellte, vermummte, schrecklich mißhandelte Wort, über die »gefrorenen Bilder« hinaus zu gelangen zur »Mythologie der Hoffnungen« und zu »Erfahrungen von umfassender Bedeutung«.

»In grosser Form will ich
das gegensäzliche zusammenfassen
Riesige Blöke sind
für mich Gedichte
reichster und leuchtendster
Materie«

Mit solchen und ähnlichen Selbstaussagen gehört aber Hölderlin durchaus in die idealistische Epoche seiner Zeit hinein, und es gelingt nicht, ihn als überzeugenden einzigen

Gegenspieler zu dieser von Weiss bewußt entwerteten Epoche darzustellen. Der Revolutionär Hölderlin und der Dichter Hölderlin lassen sich offenbar kaum oder vielleicht gar nicht zu einer Figur verschmelzen. Manche Züge unseres heutigen Hölderlinbildes dienen auch bei Weiss der Verklärung seines dramatischen Helden: der Pädagoge, der »die rechten Gegenstände« nahe bringt, nämlich die »hohen idealen Gestalten« aus Homer und Plutarch, der Mythologe, der Sinnbilder für die eigne Zeit, »dies Asyl voll Wahn und Qual«, finden will, der romantische Dichter, der sich vom klassischen Schönheitsideal abwendet und statt dessen vom »Fließenden« und »Veränderlichen« ausgeht, der Sänger des Heidentums und der Unterwelt – das Motiv des Styx wird wiederholt aufgenommen –, vor allem aber der Poet der Einheit in der Vielfalt, der auch das Gegensätzliche noch zusammenfassen will. Dies alles spricht auf indirekte Weise gegen die These, daß Hölderlin idealisierender Dichter und Revolutionär zugleich gewesen sein soll, es sei denn, man versteht den Begriff dieser »Einheit« so weit, daß das notwendig Einseitige und Eindeutige politischen Handelns seinen sehr realistischen Bezug verloren hat. Vielleicht hatte Lessing doch nicht so ganz unrecht, als er verlangte, der Dichter könne zwar in allem von der historischen Wahrheit abweichen, nur nicht in dem, was die Charaktere betrifft? Weiss bleibt hier unentschieden. Er trägt zwar vieles – und das ist sein gutes Recht – von sich selbst und seiner eignen Entwicklung in Hölderlin hinein, aber er will auch wiederum nicht zu sehr vom »Charakter« Hölderlins und seines Dichtens abweichen und schafft damit eine Zwitterfigur, den erleidenden, in seiner Zeit um die Wahrheit betrogenen Dichter, den in die Qualen der Zermürbung und der »Verfilztheit« hineingeratenen Helden, der sich am Ende nur aus seiner umgebenden Welt herausflüchten kann. Das geschieht nicht ohne Larmoyance. Sollen wir Hölderlin wie eine Figur des tragischen Dramas alten Stils bemitleiden? Soll er uns

»rühren« als der Dichter, der den großen Zusammenhang dichten wollte, selber aber »grauenhaft« aus allen Zusammenhängen gerissen wurde, so daß ihm »zwischen (...) übermächtigen Gewalten« nur das freiwillige Verstummen, die Nacht des vorgespielten Wahnsinns blieb? Oder sollen wir Hölderlin preisen als den Vorläufer Karl Marx', der zwar nicht wie dieser den Weg der konkreten historischen Analyse gegangen ist, sondern den der »visionären Formung tiefster persönlicher Erfahrung«? Aber diese beiden Wege sind radikal entgegengesetzt, und den einen, den Hölderlins, muß man nach wie vor als einen bürgerlichen, idealistischen bezeichnen, so daß selbst eine partielle Identifizierung von Marx und Hölderlin nicht aufgeht, nicht aufgehen kann. »Mythologische Ahnung« verträgt sich schlecht mit dem Abbau der Mythologie, wie sie der dialektische Marxismus fordern mußte. Und selbst, wenn man das nicht zugeben will, gab es denn bei Schiller, vor allem aber bei Goethe, keine »mythologische Ahnung«, keine »visionäre Formung tiefster persönlicher Erfahrung«? Der elitäre, auf Rang und Schicksal des Einzelnen gestellte Dichterbegriff widerspricht seinem Wesen nach dem »Hinübersteigen ins proletarische Element« und kann daher auch nicht als eine, wenn auch nicht ganz gelungene, unter der Zeithemmung stehende Vorwegnahme dieses Hinübersteigens interpretiert werden.
Recht deutlich wird das besonders in der entscheidenden sechsten Szene, wo Hölderlin in einem um ihn versammelten Kreis den *Grund zum Empedokles* darlegt. Es wäre leicht zu zeigen, daß dieser Weiss'sche Empedokles mit dem der Hölderlinschen Dichtung nur wenig gemeinsam hat. Aber das ist nicht von Belang. Wir müssen vielmehr fragen, als was und wie er sich im Weiss'schen Drama repräsentiert. Er soll die mythische Figur für die zwar erloschene, aber doch jederzeit wieder entflammbare französische Revolution sein. Er beweist das »durch einen freywilligen Entschluss«.

»Indem er es nicht nur
bei der Idee belässt
sondern
aus der Idee sich
raus sprengt
und alles aufgiebt
was Gewohnheit Sitte
und Verordnung ist
zeigt er
worauf es ankommt«

Im Verzicht »auf alle Bindungen und Ehren« verkörpert er »das erschrekend Unerwartete, das für ihn selbst den Untergang bedeuten kann«. Es ist nicht zu übersehen, daß hinter einer solchen Figur der zeitgenössische Schatten des Che Guevara steht. Auch sie ist damit bewußt aktualisiert worden. Aus der Idee sich heraussprengen, kann doch hier nur heißen, eine anarchische Position suchen, die jenseits aller liberalen, ideengebundenen Ordnungen einen neuen Weltzustand postuliert und mit den Mitteln der Gewalt erzwingen will. Den »Hierarchien der herrschenden Beamthen« und ihrer sprachlichen Verlogenheit wird das einfache Landvolk entgegengesetzt, das aus der Lethargie seines bildungslosen und abergläubischen Zustandes herausgerissen werden soll. Aber gerade das gelingt nicht. Der aus der Stadt verbannte und flüchtige Empedokles findet unter den Bauern nur verschlossene Türen, und auch die, die den »Helden« lieben, scheuen sich vor ihm, »wenn er verdüstert und verödet ist«. Das praktische Ergebnis des revolutionären Appells ist verheerend.

»Keiner derer
von denen wirs erwarteten
ist aufgestanden gegen die etablierte Herrschaft«

Hat Hegel wirklich Unrecht, wenn er meint, Empedokles würde zur »hirnverbrannt utopischen Figur«? Aber so ist es weder von Hölderlin noch von Weiss gemeint. Der einsame Einzelheld ist für Weiss der erleidende positive Protest gegen die nirgends beseitigte Bedürftigkeit: er und die sich mit ihm Opfernden, Panthea und Pausanias, können und sollen Vorbild sein für die Kommenden, denn die Zeit war für ihn und seine Genossen »noch nicht günstig«. Wird sie je »günstig« sein? Sein Sprung in den Ätna hat nichts mehr mit einer naturmythischen Vereinigung mit den Göttern zu tun; er besiegelt nur sein Scheitern, das Weiss-Hölderlin in ein utopisches Gelingen der »Wenigen« umzudeuten sucht, die sich selbst treu geblieben sind.

Gewiß: dieser Empedokles ist abgesondert, in seiner Art großartig, er ist der tragische Held in kahler Ur-Welt, der Mitleidende für die Entrechteten, die ihn dennoch von ihren Hütten hinwegjagen, aber seine revolutionäre Haltung ist völlig irrational, nur von Emotionen gesteuert. Eben darum kann mit seinem Heldenandenken ein bürgerlicher Kult getrieben werden. Das »erschrekend Unerwartete« bleibt ein bloßer Traum der Phantasie, Traum von einer »heilen Welt«, aber der Weg von hier bis zu einer radikalen Umwälzung des gesellschaftlichen Systems, die diese heile Welt erst verwirklichen kann, ist nach wie vor ungangbar.

Was von Empedokles gilt, läßt sich erst recht von Hölderlin selbst sagen. Er bleibt ein Traummonument für die Heutigen, die ebenso wie er nach Lösung suchen und ebenso wie er daran zerschellen. *Keine* Trennung von Traum und Wirklichkeit, von Phantasie und Handlung, so verlangt es Hölderlin am Schluß des Dramas selbst. Wir können es gelten lassen als den Entwurf zu einer universalen Sprache und Poesie; aber ein solches Programm ist idealistisches Erbe mit seiner erst zu schließenden Kluft von Ideal und Wirklichkeit. Es ist nicht nur im Geist Hölderlins gedacht, es wäre auch im Geist eines nicht karikierten Schiller, Schelling oder Hegel vertretbar gewesen. Die Position von Karl Marx hingegen bleibt die genau entgegengesetzte: keine Einmischung von Traum und Phantasie in die »wissenschaftlich begründete Notwendigkeit« des gesellschaftlichen

Umsturzes, nicht verklärender Idealismus, sondern ein neuer Materialismus, der die geschichtlichen Voraussetzungen aller Ideologienbildung reflektiert. Zwischen den beiden Wegen mag es mancherlei Kompromisse gegeben haben, von Hegel her führt über die Position der Junghegelianer zweifellos ein Weg zu Marx, Hölderlin jedoch zur Symbolfigur einer solchen Vermittlung zu machen, dürfte wohl sehr schwer möglich sein.
Weiss möchte Unvereinbares in einem Atemzug vereinigen: den aus der Welt herausgerissenen »wahren« und integren, idealen Dichter auf der einen, die soziale Revolution und ihre zur Gewalt entschlossene Einseitigkeit auf der anderen Seite. Er überzeugt mich, soweit er den »Fluchtpunkt« beschreibt, der den Dichter Hölderlin schließlich in die erniedrigende und verstellende Maske hineinzwingt; er überzeugt mich nicht, wo er den gleichen Vorgang als vorwegnehmenden Akt des gesellschaftlichen Umsturzes ausdeutet. Man mag die »Vieldeutigkeit« seines Stückes loben, die »Mehrschichtigkeit« seiner Ebenen bewundern; sie gibt gewiß dem Theater manche Möglichkeiten, aber sie wird mit einem Mangel an Klarheit und Konsequenz bezahlt. Sie gerät in eine allzu bunte Mischung von Dokumentarstück, Spiel der Phantasie und aktualisierendem Modelldrama hinein. Das könnte man sich gefallen lassen, wenn dieses Drama nicht zugleich von uns verlangte, über die bloße Bühnenwirkung hinaus ernst genommen zu werden. Ist nicht vielleicht der von Weiss analysierte Zwiespalt noch sein eignes Problem, nämlich, wie der bereits in seiner Sprachnot isolierte »Dichter« zur Wirklichkeit der Tat finden kann? Bleibt dieser Dichter nicht, wie Empedokles, ohne Basis für seine revolutionären Ansprüche? Dann hätte Weiss eigne Wunschvorstellungen in einen von ihm bewunderten Hölderlin projiziert, aber damit den Charakter seines Stückes als Dokumentarstück weitgehend wieder aufgehoben. Da Weiss eine eigentliche Tragödie gar nicht schreiben wollte, machte er eine Pseudotragödie

daraus. Aber das wurde im Endeffekt nur ein mit sarkastischen Lichtern umspieltes Rührstück, eine bürgerliche Beinahe-Heldentragödie, in der das Bürgertum sich selbst vergeblich aus der Idee heraus sprengen möchte, aber nach wie vor auf der Flucht ist. Auf der Flucht, wohin?

*

Offensichtlich sind manche Widersprüche seines Dramas dem Dichter selbst nicht verborgen geblieben. Die zweite Druckfassung, die bei der Abfassung meines Essays noch nicht vorlag – die Hinweise auf diese Fassung wurden nachträglich eingefügt – zeigt erhebliche Abänderungen, nicht nur in den szenischen Angaben, auch in der Gestaltung des Textes selbst. Was das Stück an theatralischer und kabarettistischer Wirkung dabei verliert, sollte ihm, zum mindesten nach der Absicht des Autors, in der ideologischen Konstruktion zugute kommen. Die beigefügten Notizen erwähnen jetzt nicht mehr Schiller und Goethe als perspektivisch gesehene Figuren der Hölderlinschen Vorstellung, sondern erklären mit Nachdruck, sie sollten ebenso wie andere Gestalten des Dramas nicht karikiert dargestellt werden, sondern als im Bürgertum verwurzelte Figuren, aus dem Hölderlin seinerseits wiederum ausbrechen wollte. Weiss betont, daß es ihm auf ein »Gegensatzverhältnis zweiter Welten« ankam, »an dem Hölderlin zerbrechen muß«.
Solchen Absichten entsprechend bemüht sich die zweite Fassung um Objektivierung. Aber diese ist nur scheinbar. Goethe und Schiller sprechen ebenso wie die Philosophen zwar wortreicher als bisher, fast an der Grenze des Geschwätzigen, oft in aneinander gereihten Zitaten. Aber gerade diese, dem Dokumentarischen stärker angenäherte, recht unpoetische Sprechweise des bloßen Bildungsgespräches entwertet sie auf indirekte Weise. Ebenso wie bei

Fichte, Schelling und Hegel kreist hier der Geist in seinem eignen Leerlauf, einflußlos mit seinen eignen Systemen beschäftigt, so z. B., wenn Schelling seine Kunstphilosophie thesenhaft vorträgt oder Schiller mit Goethe im Beisein Hölderlins ästhetische Fragen erörtert. Die philosophierende Dialektik Hegels hat sich in ihr Gegenteil verkehrt: im Denken wird nicht jeweils ein weiterer Schritt getan, vielmehr genau umgekehrt einer nach rückwärts in die »eiskalte Zone des Bestehenden«. Das ist zwar nicht mehr eine kabarettistische, dafür aber eine am Gedankenablauf selbst vorgenommene Karikatur. Die abstrakte Redeweise der Philosophen, die sich von dem Denkprozeß gelöst hat, der den Denkresultaten vorausgegangen ist, nimmt ihnen die Substanz, so daß auch wörtlich zitierte, »dokumentarische« Stellen noch papiern und darum leblos klingen. Sobald solche abstrakte Redeweise aggressiv und damit konkret wird wie in Hegels späterer Rede über den Staat Friedrich Wilhelms III., das Heer und den Krieg, parodiert sie sich selbst auf pamphletistische Weise. Ebenso nehmen Schillers schulmeisterlich pedantischer Tonfall und Goethes anmaßend autoritäres Gebahren mit eitler, falscher Würde den »objektiv« mitgeteilten Bildungsgehalten jeden Rang und jede Bedeutung. Solcher »Überbau« mußte zur bloßen Fassade werden und hat, ebenso wie in der ersten Fassung, jeden Bezug zur geschichtlichen Wirklichkeit verloren. Wer möchte schon in einem solchen von Philosophen regierten Reich leben, es müßte ein schrecklicher Alptraum sein.

Zwar hat Weiss die schlimmste, von uns bereits im ersten Teil zitierte Rede Fichtes jetzt den »Studenten« in den Mund gelegt, die ausdrücklich nunmehr als Gruppe »deutschnationaler Ordensstudenten«, und damit nicht mehr als Studenten der damaligen Zeit auftreten. Der Dichter opfert sogar die »heroische Pose« Fichtes am Ende dieser Szene und läßt ihn nur noch »verstummt hinter dem Pult« stehen; aber dennoch ist unverkennbar, daß Weiss

die Widersprüche in Fichtes Denken für eben jene blamable Entwicklung verantwortlich macht, die im deutschnationalen korporierten Studententum weit späterer Jahrzehnte kulminiert. Freilich ließe sich hier einwenden: was Hölderlin schmerzlich erfahren mußte, nämlich, von der Nachwelt mißbraucht zu werden, sollte man das nicht auch, ohne entwertende Tendenz, für Fichte gelten lassen?
Jedoch historische Gerechtigkeit ist nicht Weiss' Sache. Die zweite Fassung versteht das nur geschickter zu verdecken. Die Liebe zwischen Hölderlin und Diotima wird jetzt stärker in das Empfindsame einer süßen Wehmut stilisiert, aber eben diese zeitbezogene »Idealität« läßt Weiss nur als eine zur Unerfüllbarkeit verurteilte platonische Schwärmerei gelten. Susette Gontard lebt in einer »hysterisch übersteigerten Traumwelt« und ist nach wie vor von der »Lebenslüge« überschattet, und es besteht jetzt kein Zweifel mehr, daß die emanzipierte, als reizvolle Frau vorzustellende Wilhelmine Kirms durchaus positiv gemeint ist, so daß von ihrem Wesen sich »das noch Unerlöste« in Hölderlin nur umso stärker abhebt. Dann freilich muß erst recht die Frage gestellt werden, warum der zum Umsturz bereite Held gerade in dieser Szene die ihm angebotene »Erlösung« verpaßt.
Weiss würde wahrscheinlich einwenden, sein Drama sei nicht individualpsychologisch gemeint. In der Tat: die Umarbeitung der zweiten Fassung zielt vor allem auf die stärkere Betonung der Klassengegensätze. Die Arbeiter und Arbeiterinnen, die bisher nur die Rolle von Statisten gespielt haben, kommen jetzt ein wenig häufiger zu Wort, als stellvertretende Gruppe für das unterdrückte, in Unwissenheit gelassene Volk, aber es bleibt bei gelegentlichen kleinen Ausfällen, witzig pointierten Späßen oder auch menschlich sympathischen Reaktionen. Revolutionäre sind sie gewiß nicht, können sie auch gar nicht sein, da sich »dieses Fundament«, »das die Gesellschaft trägt«, noch nirgends zu einer Einheit zusammengeschlossen hat. Um-

gekehrt wird die kapitalistische Oberschicht im »Totentanz« des Hauses Gontard umso massiver dargestellt, ihre ironische Selbstentlarvung wird noch nachdrücklicher, noch verschärfter vorgetragen. Das grelle Licht der Satire fällt nach wie vor ausschließlich auf den »Oberbau«. Das gilt nicht nur von denen, die Reichtum anhäufen und dafür die von Hegel gelieferte imperialistische und nationalistische Fassade brauchen; es gilt auch von der sich selbst genügenden ästhetischen Kultur Schillers und Goethes, die ohne Rücksicht auf den Unterbau errichtet worden ist, es gilt vom Leerlauf des Geistes überhaupt. Während sich die Unterschicht mit harter Arbeit für die Oberen abplagen muß, können diese sich den Luxus der »Innerlichkeit« und des »Weltschmerzes« leisten. Ohne irgendwelche Bedenken wird nunmehr auch der Major von Kalb von Weiss noch mehr als bisher zu einem Repräsentanten des Militarismus und der Rassenvorurteile gemacht, der im Nazi-Deutschland bestimmt eine vorzügliche Karriere gemacht hätte. Bei solchen Akzentsetzungen und einer solchen schematischen Gegenüberstellung von oben und unten ergab es sich nahezu zwangsläufig, daß auch die revolutionäre Attitude des Helden stärker betont werden mußte.

Die Empedokles-Szenen mit dem kulminierenden Opfertod blieben ebenso wie die nachfolgenden des Hölderlinschen Wahnsinns und der Begegnung mit Marx fast ganz unverändert. Was ist mit der neuen, auf das Thema des Klassenkampfes deutlicher gerichteten Zuspitzung gewonnen? Die Schwarz-Weiß-Zeichnung des Autors – nach oben ist alles brüchig und vom Verfall bedroht, nur von unten könnte Umsturz und damit Erneuerung kommen, aber auch dann nur, wenn von oben jemand intellektuelle Hilfe leisten würde, wie es Empedokles, wenn auch vergeblich, versucht – ist ideologisches Programm, über das wir nicht streiten wollen. Die Personen verlieren dabei ihre individuellen Konturen ebenso wie in der ersten Fassung und sollen ja auch nur als Exponenten ihrer gesellschaftlichen

Situation fungieren, sei es, daß sie diese mitgeschaffen und mitverschuldet haben, sei es, daß sie sie als Opfer des Risses, der durch die Zeit hindurchgeht und der bis zur »deutschen Misere« geführt hat, erdulden müssen.
Nach wie vor stellt sich jedoch für uns die Frage, wie es um den Helden dabei bestellt ist. Wie sein Empedokles ist Hölderlin eine Figur zwischen den Klassen als der zur Ohnmacht, zum Mitleid und zur Flucht verurteilte, aus dem Klein-Bürgertum stammende Dichter, der vergeblich in eine utopische, absolute Freiheit ausbrechen möchte. Es nutzt nicht viel, daß die Magd meint, er solle für sie beim Servieren einspringen. Schon die Pflicht dem eignen Handwerk gegenüber dürfte ihn davon abhalten. Sein Verhältnis zur unteren Klasse bleibt empfindsam, aber nicht tätig. Das gilt auch umgekehrt, wenn z. B. die Arbeiterin im Schlußbild ihr tränenreiches Mitgefühl für »solch eine Persönlichkeit« ausspricht. Gewiß: wir hören nunmehr aus Hölderlins Mund, die neu beginnende Revolution müsse »das heilige Recht auf private AnEignung« hinwegfegen, eine Stelle, für die sich schwerlich ein dokumentarischer Beleg finden dürfte. Nehmen wir sie also als eine Weiss'sche Hölderlin-Variante. Der Haß auf die Fürsten paßt sicher weit besser in das Zeitgemälde des ausgehenden 18. Jahrhunderts, aber es ist der Tonfall von Weiss und nicht der von Hölderlin, wenn er sich in einer maßlos übersteigerten Schimpfkanonade äußert. Ähnliches gilt von dem hier vorgetragenen Bilde von Hellas, das in der Tat sich gegen das von Schiller kraß abheben mußte:

> »mein Anruf Griechenlands
> ist Aufruf der Zertrümmerung
> des elendlichen MachWerks
> in dem wir uns zu jeder Stunde
> degradiren«

Eruptive Entladungen! Aber ist Hölderlin damit schon zum politischen Dichter geworden? Kämpft er nicht gegen Windmühlen, ein zweiter Don Quixote? Kämpft er überhaupt? Überzeugt er nicht weit mehr, auch und gerade in der ihm gemäßen poetischen Sageweise, als der »Fremdling« »im eignen Haus« »gleich Ulyss mit dem BettlerStab am Thor«? Das aber ist ein elegisches, nicht ein revolutionäres Motiv. Schon der neuromantische Hofmannsthal hatte das Bild von dem aus der Fremde zurückgekehrten Dichter gebraucht, der unerkannt auf der Schwelle seines eigenen Hauses nächtigen muß. Gelegentlich aufbegehrende oder starke Worte ändern nichts an dieser, auch bei Weiss nicht zurückzudrängenden Konzeption. Zwar wird Hölderlin nunmehr gemeinsam mit Schmid und Sinclair, unter die schweigende Gruppe der Arbeiter eingereiht, die in das Schlußbild mitaufgenommen sind, aber nirgends wird deutlich, warum er zu ihnen und nicht zum »Überbau« gehört. Die Begriffe des Gutes, Schönen und Wahren waren nach Weiss' Meinung schon damals abgegriffen; aber ist es wirklich nur ein Klischee-Bild Hölderlins, wenn ich meine, daß sie nicht nur für Goethe und Schiller, sondern auch für ihn eine substanzielle Bedeutung hatten. Man braucht dafür nur die Programmschrift zu lesen, die Hölderlin, Schelling und Hegel gemeinsam im Tübinger Stift verfaßt haben. Wo wäre der Gegensatz von »Schönheit« und »Hunger« je das Thema Hölderlins gewesen?, es sei denn, Weiss wollte damit auf den ganz anders gemeinten, von Hölderlin aufgenommenen Platonischen Mythos anspielen, nach dem die schöne Welt nur dort möglich ist, wo das ursprünglich unendliche Wesen des Menschen zugleich leidend seine endliche Schranke auf sich genommen hat. Selbst Weiss gelingt es nicht, seinem ungedichteten Hölderlin statt der platonischen die marxistische Perspektive überzeugend zu unterschieben. Nach wie vor bleibt dieser in der ersten wie in der zweiten Fassung der nur auf sich selbst gestellte Dichter, der sein persönliches Martyrium durchtragen muß.

Die Philosophen und Dichter im »Überbau«, die so gut vom »Sublimen« zu reden wußten, waren nach den Worten des Sängers

»nicht zur Einsicht bereit
daß sich nur von den grossen und breiten Massen
die eigentlichen Umwälzungen vollziehen lassen«

An Erlösungsideen fehlte es ihnen gewiß nicht, aber nirgends gelang der Sprung in die »Praxis«. Gelang er Hölderlin? Selbst Weiss muß die Frage als Frage stehen lassen. Recht eindrucksvoll läßt er den Sänger sagen:

»Ja schlag dir nur die Stirn
zermartre dir das Hirn
wie du erreichst was bisher nie
erreicht ward von der Poesie
und sich durch blendende Ideen
der Weg zum Practischen lässt sehn
Ja pack dich nur am Zopf
zerspreng dir nur den Kopf
wie das Ideale du bezwingst
und auf den Boden herunter bringst
und sich der Gedancken schöne Gestalt
verwandelt in materielle Gewalth«

Die alte Fabel von Münchhausen drängt sich uns auf, der uns vorgaukelt, er habe sich mit seinem eigenen Zopf aus dem Sumpf herausgezogen. Wer glaubt schon eine solche Lügengeschichte? Kaum weniger schwierig scheint der Weg von den »blendenden Ideen« zum »Practischen«. Was der Poesie bisher »nie« gelang, wird sie auch in Zukunft kaum erreichen. Recht gewunden will mir Hölderlins Erklärung vorkommen, der Weg zur Harmonie würde nicht nur in der Dichtung, sondern auch in der Politik gegangen. Es fällt schwer, Weiss-Hölderlin den konstruierten Vergleich abzunehmen zwischen der dichterischen Harmonie von Mensch und Natur auf der einen Seite und dem Dekret vom höchsten Wesen der Natur – war es nicht in Wahrheit die Göttin der Vernunft? –, wie es die Französische Revolution als Staatsreligion verkündet hat, auf der anderen. Was Hölderlin von der Dichtung fordert, auch und gerade bei Weiss, gehört einem zeitlos utopischen, nicht einem politisch aktuellen Bereich an: ein neues Menschenbild, eine absolute Freiheit des Gedichtes, eine Poesie über den »kranken Tag« hinaus. Er will die Gedichte unter dem freien Himmel, er entwirft ein pädagogisches Ideal vom Kind im ursprünglichen Zustand der Unschuld und Reinheit. Das alles sind ideale Postulate, nicht aber der Weg zur Praxis der materiellen Gewalt.

Ein Zeuge des Zukünftigen! Aber welcher Zukunft? Weiss hat die Schlußverse in der zweiten Druckfassung abgeändert. Jetzt heißt es nicht mehr, daß manche von den Heutigen ebenso wie Hölderlin nach Lösung suchen und ebenso wie er daran zerschellen, sondern, daß sie die Lösung aus den Widersprüchen noch nicht zu sehen vermögen. Noch nicht? Wird es nicht immer bei diesem »noch nicht« bleiben? Zu der nochmals erhobenen Forderung nach Phantasie und Handlung im gleichen Raum tritt jetzt die nach Deutlichkeit des Wortes hinzu, damit »seine Feinde nicht sein Werck zu ihren Zweken nüzen«. Dahinter möchte man noch eine Abrechnung des Autors mit seinen eigenen Kritikern vermuten. Hat er sich auch wie Hölderlin geopfert, hat er sich auch selbst »verbrannt«? Offensichtlich ist ein Akt geistiger Selbstverbrennung aus der Situation des Fluchtpunktes heraus gemeint. Dafür steht ja Hölderlins »Wahnsinn« stellvertretend.

Weiss' Appell an die Nachwelt heißt etwa so: macht solche Opfer in Zukunft überflüssig, gebt ihnen einen realen Sinn, verwirklicht die im »deutlichen Wort« von mir und Hölderlin mitgeteilte universale dichterische Utopie in der revolutionären Praxis der Massen! Nicht auf dialektischer, sondern auf utopischer Grundlage soll dieser Schritt aus der eiskalten und tötenden Welt in die Wärme des Grenzenlosen getan werden. Aber eben diese Vorstellung vom Dichter als vordeutender Erlöser-Figur durchbricht das einförmig dualistische Schema von Plus und Minus und damit auch das Schema der Klassenkämpfe. Es setzt mit dem

Dichter, dem Todfeind aller einseitigen Existenz, ein ebenso individualistisches wie utopisches Zeichen der Hoffnung für eine sonst überall zur Hölle gewordene, unmenschliche und eben darin automatenhafte Welt. Weiss hat auch hier, wie oft schon vorher in seinem Werk, seine eigene, widerspruchsvolle Situation als Autor gedichtet.

Manfred Karnick
Peter Weiss und der Hölderlin-Turm

> Es scheint wirklich fast keine andere Wahl offen zu seyn, [als] erdrükt zu werden von Angenommenem, und Positivem, oder, mit gewaltsamer Anmaßung, sich gegen alles erlernte, gegebene, positive, als lebendige Kraft entgegenzusezen. *Friedrich Hölderlin*

Prolog und Epilog des *Hölderlin*-Dramas werden von Versen beschlossen, die sich mit ihrem Einsatz, ihrer syntaktischen Führung, der Technik der Reimassonanz und Lautgebung an Strophen des jungen Brecht anlehnen:

»Als hingekommen in die Stadt er war
zum ersten Mahl da lag der Thurm schon da
ganz nah am Nekar drauf er runtersah
durchs nidre Fenster seiner Cammer sonderbar
lag dort sein Kercker und er nahm ihn wahr

Als weggesunken aus der Stadt er war
und in der Erde lag da war der Thurm noch da
und als zu Erde er geworden ganz und gar
und man von ihm nur noch den GrabStein sah
stand noch am Nekar immerdar
sein Kercker nimmst ihn heut noch wahr«[1]

»Als im weißen Mutterschoße aufwuchs Baal
War der Himmel schon so groß und still und fahl
Jung und nackt und ungeheuer wundersam
Wie ihn Baal dann liebte, als Baal kam.

Als im dunklen Erdenschoße faulte Baal
War der Himmel noch so groß und still und fahl
Jung und nackt und ungeheuer wunderbar
Wie ihn Baal einst liebte, als Baal war.«[2]

Die Ähnlichkeit geht ersichtlich über formale Anklänge hinaus. Erscheinen und Vergehen des Menschen sind symmetrisch zueinander gestellt und in Verbindung zu einem Überdauernden gebracht. Bei Brecht ist es der gleichgültige und zugleich bergende Himmel, bei Peter Weiss der bedrückende und zugleich bewahrende Turm, der immer schon und immer noch da ist. So wie der *Lebenslauf des Mannes Baal* in dem Gedicht von 1926 in allen Phasen auf diesen Himmel zu beziehen ist[3], »auch wenn Baal schlief, selig war und ihn nicht sah«, so vollzieht sich der Lebenslauf des Hölderlin in steter Relation zum Turm. Er ist damit nicht mehr nur ein aus der Geschichte in die Dichtung übernommener Schauplatz, sondern wird zur Chiffre, in der sich das gesamte Beziehungsfeld des Dramas verdichtet.

Der Nachweis kann durch Rückgang auf die Anfänge des Autors geführt werden. Denn Peter Weiss nimmt im *Hölderlin* in einem historisch-gesellschaftlichen Kontext jene »private Problematik« der »Identität« und »Verwirklichung des Ichs«[4] wieder auf, aus der er sich mit den aktuell›politischen Stücken herausgekämpft zu haben glaubte. Und erst dieser persönliche Ansatz macht auch die Bezugnahme gerade auf den *frühen* Brecht verständlich, in dessen Lyrik sich das Ich »in potentiell endloser Selbstbegegnung (...) erleidet (...) und genießt«[5] und seine widersprüchlichen Erfahrungen der Einsamkeit und des Einverständnisses, der Weltverachtung und des Weltgenusses ausspricht. Die Vorliebe für die in sich zurückkehrende Kreisstruktur, die das *Baal*-Gedicht vollendet, das *Hölderlin*-Stück ansatzweise realisiert, ist bei beiden Autoren als Hinweis auf ihre Selbstverfangenheit zu deuten.

Die Ursprünge des Dramas leitet Weiss aus »Impulsen (...) frühester Jugend« her, in der er »als Zwölfjähriger ein halbes Jahr in Tübingen, in unmittelbarer Nähe des Hölderlinturmes bei Verwandten« wohnte. »Der ›geisteskranke‹ Dichter im Turm spukte in meiner Phantasie, lange bevor ich überhaupt Gedichte von ihm kannte.«[6] Seiner ersten veröffentlichten dramatischen Arbeit, einem Hörspiel, das die Bedrückungen eben der frühesten Jugend und den Versuch ihrer Überwindung zum Gegenstand hat, gab Weiss den Titel *Der Turm* (Dr. I 9–33).

Es stellt die Rückkehr des Artisten Pablo in einen Turm dar, in dem er seit frühester Kindheit mit anderen zusammen gelebt und den er dann heimlich verlassen hatte. Direktor und Verwalterin, die für die Eltern stehen, und der Zauberer, der den Drang zum Einverständnis und zum Tode verkörpert, hatten ihm hier die Gefühls- und Denkmuster eingeprägt, denen sie selbst unterworfen waren. In unbewußt nach außen gewandter Selbstbestrafung hatten sie die Traditionen der Ordnung fortgesetzt: »Ihr seid selbst im Turm aufgewachsen. Du wolltest doch auch raus (...) Aber solch einen Wunsch – den wolltest du nicht wahrhaben. Schlugst du mich nicht, nur weil du wußtest – ich wollte raus?« Mit unbewußt nach innen gewandter Aggression waren die übernommenen Normen als eigene Disziplinierungsmittel wirksam geworden: »Ich hab' mich selbst gestraft. So sehr war ich von eurer Macht erfüllt, daß jeder Gedanke, der sich gegen euch richtete, gleich auf mich selber zurückschlug (...) Und wenn du mich lobtest, vergaß ich, daß mein Gesicht noch von deinen Schlägen brannte.« Der Angst vor dem Verlassensein war die Verdrängung der sexuellen Wünsche und dieser wiederum Angst entsprungen, die das Verhalten zu anderen verkrampft und so erst recht in die Vereinzelung geführt hatte. Die sexuellen Beziehungen waren versperrt: »Sie schrie, weil ich sie nicht anrührte. Weil ich zurückwich. Ich war plötzlich wie gelähmt.« »Aber nach deinem Tod, da hatte ich dich für mich allein. Da war ich bei dir jede Nacht.« So hatte sich Pablo in Selbstzuwendung nach außen verschlossen. »Kein Wort konnt' man aus ihm herausbringen.« »Ihr könnt mich nie verstehn.« Er hatte gestohlen (Symptom fehlender Zuwendung) und auf Einflüsterungen des Zau-

berers einen vergeblichen Selbstmordversuch begangen, den er als Versuch der Befreiung verstand: Er war in dieser Turm-Gesellschaft asozial geworden, »ein aufrührerischer Teil der unterdrückt werden mußte – zugunsten des Turms.« Seinen Drang nach draußen hatte man als Verrücktheit klassifiziert: »Der ist doch nicht ganz richtig! (...) Der war nie ganz richtig! Wollte immer raus!« Denn für die Insassen des Turms gilt keine Alternative zu ihrer eigenen Ordnung. »Für uns gibts nur den Turm (...) Sie können hier nichts an der Ordnung ändern (...) Hier drinnen ist alles unveränderlich. Wie ich hier hereinkam, war es, als käme ich in einen Brunnen. Diese faule, eingeschlossene Luft hier (...) alle ineinander verfilzt«.
Trotzdem kehrt Pablo unter dem Nicht-Namen Niente freiwillig hierher zurück. Denn immer fühlte er sich auch in der Außenwelt vom Turm ummauert: »Alle Städte und Wälder und Meere lagen innen im Turm (...) Jedes Wort, jedes Gefühl im Turm eingeschlossen (...) Ich bin nie freigekommen.« Um wirklich freizuwerden, »sich selbst« zu gewinnen und Heimat zu finden – denn der Turm bietet ihm »keine Herberge«, und auch draußen hat er »nirgends zu wohnen« –, muß er den Zwingturm seiner Vergangenheit überwinden. Er setzt sich deshalb den Beschwörungen des Zauberers, den alptraumhaft aufschwellenden Schüben der frühen Erinnerungen und schließlich, vor der abschließenden Zirkusvorstellung, der körperlichen Fesselung aus. In dieser Vorstellung nämlich tritt er nicht wie in früheren Zeiten als Balanceur oder Erhängungskünstler, sondern als Ausbrecher auf: *»Ich bin hier, um mich auszubrechen.«*[7] Nach einer langen quälenden Szene unmenschlicher Anstrengungen gehen die Stimmen der Turminsassen in Rauschen, Dröhnen, Sausen und Trommeln unter, Pablo erhebt sich. »Stimme (ganz langsam, sachlich, kühl): ›Der Strick hängt von ihm herab wie ein Nabelstrang –‹«.
Es ist leicht zu sehen, daß es in diesem Spiel nicht in

erster Linie um Abrechnung mit den elterlichen Bezugspersonen, sondern um Befreiung von den Einwirkungen eines ganzen Erziehungs- und Gesellschaftssystems geht. Die ehrwürdigen Überlieferungen dieses Systems werden als »Taraditionen« verhöhnt. Und Pablo hebt auf die ratlos bekümmerte Frage der Verwalterin ausdrücklich hervor: »Es ist der Turm. Ist alles nur der Turm! Ihr seid selbst im Turm aufgewachsen.« In jeder individuellen Determination steckt die soziale. Umso mehr fällt auf, daß die Notwendigkeit der Emanzipation allein als individuelle Aufgabe gesehen wird, die »dumpfe Schwere« des Turms für sich selbst loszuwerden (Dr. I 259), auf eigenen Füßen zu stehen, in eigenem Namen zu leben. Pablo erweist sich mit diesem Ansatz den Determinationen gerade dessen unterworfen, was er zu überwinden trachtet: Er operiert als einzelner, kämpft wie der Pantomime ohne Partner, liefert wie der Spiegelfechter ein Duell mit sich selbst. Er geht in sich. So wie er als Knabe nie zurückgeschlagen oder um sich getreten hatte, wendet er auch jetzt im »Sich-Ausbrechen« die Aggression gegen sich selbst. Die ungewöhnliche rückbezügliche Form zeigt die Verletzung beim Eingriff ins eigene Innere an. Das Bild einer gewalttätigen Operation, in der das mit der Person verwachsene Fremde entfernt wird: »Ich werd' euch aus mir herausreißen«[8], steht komplementär zu dem der Wiedergeburt. In Wellen von Wehen bringt sich Pablo, die Schmerzen von Mutter und Kind zugleich erleidend, unter rasendem Herzklopfen und mit zerschundener Haut noch einmal selber zur Welt. Doch es ist eine Abnabelung ins Leere. Der Turm versinkt, das Spiel ist aus. So hat es auch zu entgegengesetzten Deutungen dieses Schlusses, als Entschwinden aller Zwänge für den sterbenden Pablo[9] und als Geburt zu neuem Leben[10], kommen können.

Kein Gedanke also an eine Veränderung der Lebensverhältnisse selbst. Im Turm gilt jede Änderung von vornherein als unmöglich, schon der kleinste Anlauf zu einer

Kontaktaufnahme mit anderen rennt sich fest. Und über die Struktur der Welt außerhalb ist Konkretes nicht zu erfahren. Als Pablo zum ersten und einzigen Mal durch die Dachluke hinaussieht, ist er »geblendet« und fühlt »eine ungeheure Stärke vor diesem Licht«. Die Einzelheiten, die dann in der Phantasieerinnerung hervortreten, bleiben heterogen nebeneinander stehen. »Ein riesiges Bild sah ich und ich suchte nach einem Sinn des Bildes (...) eine furchtbare Unruhe ergriff mich«. Über dieses erregende, unbegriffene, unorganisierte Bild kommt Pablo auch bei seiner Flucht in die Welt nicht hinaus. Die Freiheit, in die er »sich ausbricht«, ist Unordnung.[11] Sein Selbsthelfertum trägt die Stigmata seiner Herkunft. Es ist als Ausdruck der Außenseitermentalität des in die Vereinzelung gezwungenen Verfassers ein Dokument autonomistischer Selbsttäuschung. Eine Ahnung davon scheint schon aus dem Widerruf zu sprechen, mit dem der Zauberer Pablo begegnet: »Einer bricht sich immer aus (...) Einer kommt immer wieder zurück.« Der Ausbruchsversuch mußte wiederholt werden, in *Nacht mit Gästen*, im *Mockinpott*, in *Marat/Sade* und zuletzt im *Hölderlin*.

»Sich nicht an das Vereinzelte zu binden
auf Erden überall Beheimathung zu finden
in Sprache ganz seine Bestimmung zu erfüllen
dafür so gut es ging spannt er den Willen
doch zogen sich um seine Stimme Mauern immer enger
bis daß er es ertragen konnte nicht mehr länger
Von stetem Druk wird größte Klarheit auch entmachtet
und dürr und dumpf der Tag bis er sich ganz umnachtet
Lang noch vernahm er wie sie Wahnsinn nannten
die Worte ihm weil sie nicht deren Wahrheit kannten« (12)

Wenn der Prolog des *Hölderlin* Drang nach Offenheit und Sehnsucht nach Beheimatung mit der immer engeren Ummauerung und der Fremde des Unverstandenseins kontrastiert, dann nimmt er damit Gegensatzverhältnisse des *Turm*-Spiels wieder auf. Er verschiebt aber die Gewichte und erweitert die Aspekte. Stärker akzentuiert wird bei dem Dichter Hölderlin die Unterdrückung des menschlichen Kommunikationsbedürfnisses; deutlicher hervorgehoben ist, daß Wahnsinn als Ergebnis einer Aussonderung durch die Gesellschaft verstanden wird; neu gegenüber dem frühen Hörspiel ist die historisch-politische Konkretisierung dieser Gesellschaft und der Wunsch, sie zu ändern:

»Sie sehn die Thore weit geöffnet schon
vom Ansturm der Französischen Revoluzion
sonst jedoch wekt das stralend helle Licht
aus ihrem Sumpf die teutsche Blindheit nicht« (12)

Die metaphorische Beziehung zwischen dem Licht der Revolution und der Umnachtung des Dichters, der Öffnung der Tore und der Einmauerung der Stimme deutet die sachliche Verbindung zwischen dem Stand der Gesellschaft und dem Schicksal des Poeten an, die das Drama bestimmt. Der Turm erscheint als Schlüsselzeichen dieses Verhältnisses.

»Und das führt weiter bis in unsere Zeit
so lang ein solcher noch in seinem Thurme
schreyt« (12)

Seine Mauern sind nun wegen der Forderung nach Gesellschaftsänderung zugleich Schranken zwischen Idee und Realität, Schreiben und Handeln, Theorie und Praxis.

»Denn dacht er sich auch eine heile Welt
so ward sie immer wieder durch die Umstände entstellt« (11)

Das Stück, das sich unter diesen Zwängen und Ansprüchen entwickelt, wiederholt in seinem Ablauf verschiedentlich Momente der von Pablo-Niente vorgezeichneten Figur: 1. Repressive Erziehung in einem repressiven Gesellschaftssystem und sexuelle Versperrung, 2. Selbstzuwendung, 3. Psychopathologisierung durch die angepaßte Normalität, 4. Scheinausbruch, 5. Selbstmord als befreiende Tat, 6. Freisetzung als Wiedergeburt. Die Bezüge sind in jedem Fall differenzierter und weitreichender als im *Turm,* die Muster oft zu neuen Strukturen umgebildet.

1. Die Bedrängnisse der Turm-Parabel sind im *Hölderlin* geschichtliche Vorgänge geworden und aus dem Ort- und Zeitlosen in den historischen Raum des späten Feudalismus und aufsteigenden Kapitalismus übersetzt.
In Amerika besteht eine Republik, in Frankreich herrscht die Jakobinerdiktatur, dann das großbürgerliche Direktorium, in Württemberg fürstlicher Absolutismus. Das in Leihgeschäften, Kolonisation, weltweitem Rohstoff-, Gewürz- und Sklavenhandel akkumulierte Kapital wird zum Teil in Fabriken und Maschinen angelegt und fährt fort, die unmittelbaren Produzenten von ihren Produktionsmitteln zu trennen und so zu freien Lohnarbeitern zu proletarisieren. (103 ff.) Die Menschenrechte sind verkündet, werden aber nur als ideologische Stütze des Geschäfts und zum Vorteil des Besitzbürgertums angewandt: Sie verhindern nicht den Völkermord an den Indianern, nicht die Sklaverei (37 ff.) und nicht die Abschirmung der vom Bürgertum eben errungenen Positionen nach unten. In Deutschland vereinigt sich das »beste Bürgerthum« mit dem »fortgeschrittenen Adel« in der Überzeugung, daß »verschiedne Classen/ verschiedne Lebensweisen haben/ die sich nicht/ miteinander theilen lassen«. (65) Besitz und Bildung bleiben Privilegien und werden moralisch legitimiert. »Vermögen und Erfolg/ sind die Voraussetzungen/ aller Tugend« (93)
Der hierarchischen Gesellschaftsstruktur entspricht die patriarchalisch-autoritäre Familie als Sozialisationsagentur. Was »die Oberen sich/ anmaassen auf die Untren« und »was an Herrschaft thätig ist/ im sogenannten Schoosse/ der Familie« bedingt einander (44). So wie die »armen unge-

formten Wesen« der Unzivilisierten ist auch das Kind nur in »strenger Dressur« zur Sitte heranzubilden. Die kindliche Sexualität als natürliche Lebensäußerung wird verleugnet und wie eine widerliche Verfehlung unter Strafe gesetzt. Wenn der Instruktor Hölderlin dem Auftrag zu genügen sucht, Fritz von Kalb vom Onanieren abzuhalten, reproduziert er ahnungslos die selbsterlittenen Zwänge. »Der lebens- und sexualverneinend erzogene Mensch erwirbt eine Lustangst«, die »der Kern der Angst vor selbständiger, freiheitlicher Lebensführung« ist.[12] Wie die Dompteuse den Pablo des *Turm* muß darum Wilhelmine den Hölderlin verschrecken, wenn sie »aus freyen Stüken/ nur des Vergnügens/ nicht der Bindung wegen/ sich zum Mann sucht«. (51) Dazu hat ihr Verhalten in der »herausfordernd« genannten Selbstanbietung und in dem wiederholten »Gelächter« einen einschüchternden Zug des Forcierten, der verrät, daß auch sie ihre Freiheit erst aus der Konvention herauskämpfen muß. Hölderlin reagiert mit einer Sprache des Ekels und der geheimen Faszination, die schon bei einer leichten Akzentverlagerung auf die Faszination die Sprache de Sades wäre:

»Dieses Gewühle
ist entsezlich
wie sich die Welt
mit ihren Leibern wälzt
und klebt und schmatzt
am Schweiss
und stöhnt im Finstern
besinnungslos
sich zu vermehren« (52)

Sade:

»da habe ich gelernt
daß dies eine Welt von Leibern ist
(...)
In diesem Alleinsein
mitten in einem Meer von Mauern

hörte ich ununterbrochen dieses Flüstern von Lippen
spürte ununterbrochen
in den Flächen der Hände und an der Haut des Körpers
diese Berührungen« (Dr. I 244 f.)

Hölderlin wie de Sade sind Vertreter des »geknechteten modernen Menschen, mit seinen gelähmten Trieben, seinen verzerrten, verbogenen Impulsen, seinen unbefriedigten Sehnsüchten« (R. I 21). Doch während sich de Sade mit gewaltsamen Meditationen aus den »Gefängnissen des Innern« in die körperlichen Vereinigungen hinüberträumt, duckt sich Hölderlin hier ganz in seine einsame Eingesperrtheit hinein.

2. Aus der Verklemmtheit entspringen Aggressivität und Flucht in die Ersatzhandlung. Die Reaktionsformen sind spiegelbildlich zugeordnet: Fritz zieht sich in körperliche Selbstbefriedigung zurück und wird sprachlich aggressiv. Seine Zotensprache weist auf die Abhängigkeit von den Tabus hin, die hier verbal durchbrochen werden. Die böse, verzweifelte Verhöhnung des dichtenden Dichters gilt auch der Poesie, die dem Knaben als Disziplinierungsmittel feindlich gegenübersteht. (54)

»Und wir vertrauten doch
auf Ihre dichterische Neigung
und meinten daß mit Poesie
sich die Zerrüttung
heilen liesse« (46)

Hölderlin wird körperlich aggressiv und wendet sich dichterisch ganz sich selber zu (53 ff.): In sechs Kirchenliedstrophen macht er die Verstörung der Sprache zum Thema. »Unheimlich ist zu hören wie sie wollen verstören was uns die Sprache ist (. . .)«. Die Urheber der Verstörung bleiben unbenannt. Es spricht ein Betroffener, der leidet, eine Schuld fühlt, aber nicht imstande ist, die Zusammenhänge bis zu den Ursachen zurückzuverfolgen. Die Betroffenheit reicht tief. Die Verfälschung des verletzlichen menschlichen Verständigungsmittels zum unmenschlichen Gewaltinstrument macht auch die Selbstverständigung fragwürdig, beschädigt die Einheit der Person und beraubt sie allen Schutzes. Die eigene Rede wird leer und echolos. Sie zerfällt. Der Ausgesetzte verliert mit dem Abbruch der Sozialbezüge auch die Selbstgegenständlichkeit, den Namen und ist auf dem Wege, mit den unartikulierten Lautresten seines Ausdrucksmittels »in der Sprachlosigkeit unterzugehen« (R. I 181). Die Einsamkeit und Hoffnungslosigkeit des »aus der Sprache Verbannten« (R. I 176), seine erbarmungswürdige Ungeschütztheit und der Auseinanderfall seiner Welt in »Schutt und Staub« stehen in thematischem Widerspiel zu der vertrauenden Erwartung und dem Trost kindlicher Geborgenheit, die sich in den bekanntesten Strophen der Lieder dieser Bauform aussprechen:

»Breit aus die Flügel beide,
o Jesu, meine Freude,
und nimm dein Küchlein ein.
Will Satan mich verschlingen,
so laß die Englein singen:
Dies Kind soll unverletzet sein.«[13]

»Wie ist die Welt so stille
und in der Dämmerung Hülle
so traulich und so hold
als eine stille Kammer,
wo ihr des Tages Jammer
verschlafen und vergessen sollt.«[14]

Demgegenüber Weiss' Hölderlin:

»Da ist nur noch ein Lallen
kein Halt mehr ist im Fallen
und was noch vor dir liegt ist bodenlos« (55)

Es ist offensichtlich, daß Hölderlin hier seine eigene Gefährdung und daß Peter Weiss durch Hölderlin die eige-

nen Erfahrungen des Exilierten dichtet. Die Lessingpreis-Rede *Laokoon oder Über die Grenzen der Sprache,* die das im *Turm, Abschied von den Eltern* und *Fluchtpunkt* autobiographisch Verarbeitete unter dem Gesichtspunkt des Sozial- und Kommunikationsbezugs zusammenfaßt, kann als fortlaufender Kommentar zu diesem Lied und zu Hölderlins Vereinsamungsprozeß gelesen werden. Der Brandmarkung des Autors als Halbjude und der Entfernung aus dem Land seiner Muttersprache entspricht die schrittweise Abdrängung Hölderlins in die Rolle des Geisteskranken und die Entfernung seiner Freunde in die Positionen der bestehenden Gesellschaft. Die Fremde macht Peter Weiss wie Pablo zum »Nichts«, bringt Hölderlin wie Pablo um den eigenen Namen. »Was sind denn diese Holterleins/ und Schmids/ so subjectivistisch überspannt«. – »Was müssen diese Schmids/ und Hölderlings/ aber solche Mähnen tragen«. (99 f.) Das Motiv erinnert an die Gleichgültigkeit und Mißachtung durch überlegene Instanzen, die aus der Namenverstümmelung im *Mockinpott* spricht, und an die Ohnmacht der namenlosen Opfer in der *Ermittlung.* »Indem nichts Kenntliches hinter ihm war, und nichts Kenntliches vor ihm, war er ein Nichts. Man zeigte keine Überraschung darüber, daß er noch da war, doch ebenso wenig hätte es Überraschung hervorgerufen, wäre er plötzlich verschwunden.« (R. I 178)
Der scheinbar so exzeptionelle Lebensweg des Autors durch verschiedene Länder, der menschliche Verknüpfungen und Umweltbeziehungen immer wieder zerrissen oder verhindert hat, erscheint so in der dichterischen Umsetzung wie ein Bild für Grundverhältnisse einer Arbeitswelt, in der es nicht um Selbstrealisierung des Menschen, sondern allein um Selbstverwertung des Kapitals gehen kann, in der »Arbeitskräfte« darum funktionell benutzt, stillgelegt oder ausgewechselt werden.[15]

3. Die lebendige Kommunikation zwischen Hölderlin und

der Mitwelt zerbricht in Stufen. Nach der demütigenden Niederlage bei seinem Versuch, sich den übermächtigen Trägern der herrschenden Norm mit seiner neuen Poetik verständlich zu machen, der Festnahme als radikaler Aufrührer in der Vorlesung, dem Domestikendasein als Hauslehrer erscheint er bei dem Empedokles-Vortrag als ein »Beschimpfter und Gejagter«, den die Gefährten nicht verstehen, und schließlich im Klinikum nur noch als Untersuchungsobjekt – jetzt auch äußerlich sichtbar gefesselt und äußerlich sichtbar, durch die Maske, von der Außenwelt abgeschnitten. Die letzte Phase der Entwicklung ist der Versuch, den Entmächtigten und Eingekerkerten in die Gegenrichtung zu drehen und sein Werk im Dienst von Nationalismus und bürgerlicher Reaktion zu mißbrauchen.
Dieser offenkundige Isolierungsvorgang bildet den verdeckteren Prozeß der Psychopathologisierung ab. Er ist gesellschaftlich als eine Strategie bewußt-unbewußter Konfliktabwehr zu werten, die den prinzipiellen Einwand gegen die soziale Verfassung »reduziert und (...) entwaffnet, indem sie ihm den zerbrechlichen Status eines pathologischen Fehlers verleiht.«[16] Um die politische Wirkung innerhalb des Bestehenden zu neutralisieren, wird der Vertreter eines radikalen Gegenentwurfs zum Kriminellen ernannt, wie Peter Weiss' Empedokles durch die Agrigenter, oder zum Kranken, wie Peter Weiss' Hölderlin durch die Deutschen. Wer rauswill, ist nicht ganz richtig. Krank ist der Unangepaßte, Heilung ist Rückanpassung.[17] Der Weg dazu führt für die Psychiatrie zur Zeit Hölderlins über Zwangsmaßnahmen. »Für den Patienten bleibt die therapeutische Absicht des Arztes undurchsichtig, die Theorie unsichtbar – ihn überfällt schockartig die offene und sublimierte Gewalt.«[18] Peter Weiss hatte Grund zu schreiben, daß die Ärzte Hölderlin mit ihren Künsten fast zerbrochen hätten. – Daß die Therapie psychisch Kranker die soziale Gruppe mit umfassen sollte, ist eine noch junge Erkenntnis. Die Einsicht, daß Gesellschaftsstrukturen als

ganzes neurotisierend wirken,[19] ist in ihren praktischen Folgerungen immer noch revolutionär.
Das Individuum wird durch den Abbruch der Sozialbezüge im Tiefsten verstört. Wenn der Verstoßene »sich auf sich selbst berufen will, werden seine Worte für ungültig erklärt (...) Er ist als Sprecher nicht mehr intakt.« (R. I 175) Er leidet und ist fortgesetzt dem inneren Sog zur Konformität, der narkotisierenden Stimme des Turm-Zauberers ausgesetzt, die ihm suggerieren will, daß alles Leben im Turm beschlossen ist, daß es nichts Wirkliches außerhalb gibt, daß es sinnlos ist, an erkannten Alternativen festzuhalten. Der Kampf dagegen verbraucht psychische Kraft und weckt den Wunsch nach Rückzug aus dieser Existenz. Er bringt sich bei Hölderlin verschlüsselt ins Bild: Wenn er von der Vorstellung des scheintot begrabenen Schubarth verfolgt wird (93 f.), so ist dies nach Freud ein Traumausdruck der Phantasie vom Leben im Mutterleib[20] und damit Wirkung einer Regressionssehnsucht, der auch die ganze Turm-Vorstellung, vielleicht unterhalb der beabsichtigten Symbolisierungsebene, entsprungen sein könnte. Solange der Verbannte aber Widerstand leistet, ist er, der Kranke, Beschädigte und Verfolgte, ein Statthalter der Freiheit. Der geschundene Pablo, »ein aufrührischer Teil, der unterdrückt werden mußte – zugunsten des Turms«, die Internierten Marat und de Sade, der eingesperrte Hölderlin: sie sind, weil sie um die Unfreiheit wissen und dagegen aufbegehren, freier als die anderen Insassen der gesellschaftlichen Zwangsanstalt. Hölderlin ist nicht normal. Aber dies ist seine Auszeichnung: Er lebt gegen die Gesetze der Normalität. (R. I 72) So blendet Peter Weiss auch Elemente seines Strindbergbildes in dieses Stück ein.[21]
Damit wird die provozierende Umkehrung möglich: Nicht Hölderlin ist umnachtet, sondern »die Welt, in der er lebt«.[22] Wie schon im *Marat/Sade* erscheint die Welt, genauer: eine bestimmte Gesellschaftsverfassung und die

durch sie bedingten geschichtlichen Abläufe, im Gleichnis des Irrenhauses, als ein »Asyl von Wahn und Qual« (66). Das Gleichnis ist längst aus einem poetischen Umschreibungsmittel zu einer Kategorie exakter Wirklichkeitserfassung geworden. Die zivilisierte Welt ist in ihren Aktionen gemeingefährlich. Sie stellt in der ständigen Gegenläufigkeit von politischem Verhalten und moralischem Anspruch Beziehungsfallen[23], in denen jeder schizophren werden muß, der versucht, beides gleich ernst zu nehmen. Völkermord und Menschenrechte, brüderliche Hilfe und Panzer, Bomben auf Kinder und Berufung auf Humanität.

4. Das verzweifelte Bemühen des Eingekerkerten um Befreiung wird auch in diesem Stück als Versuch bezeichnet, »sich auszubrechen« und »sich rauszusprengen«: in Szene 2 von Hölderlin, in Szene 6 von Hölderlins Figur Empedokles.
Dem Dichter, dem jede Zeile zerrinnt, weil niemand da ist, an den er sich mit ihr wenden könnte (R. I 178), droht auch die Verbindung mit der eigenen Berufung verloren zu gehen:

»Ja
ich weiß
es ist auch Pflicht
das eigne Wesen zu erkennen
und auszuführen
was es fordert
Manchmahl
seh ich die Dichtung
riesig ausgebreitet
aus allen Zeiten
allen Continenten
wird nach mir gerufen
Inseln im Meer die Stimmen und
die Horizonte offen
Er steht eine Weile lauschend.

Dann
wenn ich Antwort geben will
werden die Worte mir im Hals zu Gyps
und ich möcht schlafen nur
vergessen« (49)

Das vielstimmige Rufen bewirkt nur ein erstickendes Verklumpen der Worte, der Zug in räumlich und zeitlich unermeßliche Weiten ein Zurücksinken ins Bewußt- und Verantwortungslose, in die Weltabgeschiedenheit des Schlafs. Er steht »in sich versunken«. Der unmittelbar darauf erfolgende Neuansatz scheint mit aller Energie die Bewegung des In-sich-Zusammensinkens umzukehren: Möcht »mich aus der Eingesperrtheit/ brechen« – doch sogleich zeigt sich, daß er sie nur fortsetzt: Der ratlosen Parenthese »Doch wie?« folgt die eskapistische Gedankenausschweifung in die Natur, deren Elemente verdächtig an die ungeordneten Eindrücke Pablos von seiner mißglückten Flucht erinnern, als für ihn noch alles innen im Turm lag. Möcht »über die Berge weg und/ durch die Felder rasen/ noch Unzerstörtes finden/ zu denen sprechen/ die in der Zukunft leben«. Vergangenes wird verklärt, Künftiges wird herbeigesehnt, die räumliche und zeitliche Gegenwart wird verlassen. Die erträumte Offenheit schließt sich aus der Realität aus und mit sich selbst ein. Der Traum ist hier noch nicht die Vision einer neuen herrschaftsfreien Menschenordnung wie in Hölderlins »Poetik« (Szene 3), sondern ein Phantasieerzeugnis ohne Folgen. Zu seiner zentralen Frage, »wie sich der Schreibende/ dem ganzen Wesen nach/ zu seiner Zeit verhält«, stößt er erst später vor. Der Ausbruch ist in die Innenwelt abgelenkt, Hölderlin ist noch im Turm.
Im Empedokles-Entwurf, der zwiespältigsten Szene des Stücks, versucht er eine andere Art des Ausbruchs.

5. Peter Weiss hat alles getan, die Analogie zwischen Hölderlin und Empedokles recht deutlich zu machen und das Spiel im Spiel zum Gesamtdrama in Beziehung zu setzen.

Er verschränkt die Zeiten und schafft Verbindungen durch Doppelrollen. Er wiederholt Konfigurationen und politische Grundverhältnisse: Wie Hölderlin und der zerlumpte Schmid stehen Empedokles und Pausanias den Stadtbewohnern gegenüber, die nicht begreifen. Hölderlin und Empedokles leben in einem Staat, in dem nichts aus dem eigenen Innern frei hervorgehen darf und jedes Tun ständig an Grenzen stößt. Das persönliche Schicksal gewinnt bei Hölderlin wie bei Empedokles politische Funktion: Beide werden sie, von früheren Freunden verlassen, krank und verfolgt, zu einsamen Zeugen ihrer Idee.

> »lebendiger ist er als mancher
> der sich blühend wähnt
> Was thuts
> dass ihm die Zähne klappern
> Klarer sind ihm die Sinne
> als allen euch unten« (131)

Bei beiden soll gerade ihre Hilfsbedürftigkeit als revolutionärer Appell verstanden werden:

> »Das will Empedókles sagen
> Reisst euch
> aus der Genügsamkeit
> Erwartet nicht
> dass euch zu helfen ist
> wenn ihr euch selbst nicht helft
> Beginnet eure eigne Zeit
> und macht euch auf den Weg« (127)

Und im Epilog werden Hölderlin und Empedokles ganz ineins gesetzt:

> »Sein Wunsch ist dass man ihn nicht mehr verkenne
> dass er sich nicht mehr opfre und verbrenne« (181)

Gerade an dieser Verschmelzung beider dramatischer Biographien im Opfer muß aber auch Kritik ansetzen. Der einfache, trostlose Ablauf (Empedokles geht in die Berge, wird geächtet, findet kaum Anhang und begeht, von den Verfolgern schwer verwundet, Selbstmord durch Sprung in den Ätna.) wird von Dunkelheiten umgeben, die seiner klaren Analyse ausdrücklich entgegenwirken sollen. Empedokles, heißt es, verkörpere das »erschrekend Unerwartete« in einer »ausserordentlichen/ That«. Was ihm widerfahre, sei »unaussprechlich/ streng und kalt«. Verblendet sei gerade die Kritik an seinem Unternehmen:

»Versteht ihr nicht
dass dieses Fiebern diese Athemnoth
eure Seuche ist
die ihn überkommen muss
weil ihr
in eurer Sturheit euch dagegen wehrt
dass er das Darben und Dahinsiechen
beenden will« (131 f.)

Das ist die gleiche Gedankenbewegung wie in Peter Weiss' Che Guevara-Nachruf: »Sind wir mitschuldig an diesem Tod? Sind wir die Verräter? (...) Die Revolution ist verlassen (...) nämlich von uns.« Und der gleiche Irrationalismus: »Die sogenannte Sprache der Vernunft vermag gegen diese Handlungen nichts.« (R. II 82–90) Die Verklärung der großen Tat evoziert die Sehnsucht nach dem großen Mann. Damit leistet dieser Empedokles denen Vorschub, die nach Brechts *Empedokles*-Gedicht »eilends/ Dunkles noch dunkler machen wollen und lieber das Ungereimte/ Glauben, als suchen nach einem zureichenden Grund.«[24] Das Werben um Verständnis für den »kühnen und entlegnen Stoff« wird zum Ansinnen, auf die »elastische Stelle« zu treten, von der aus der Aufschwung in den Glauben ganz leicht sei. »Es ist«, erläutert Kierkegaard, »wie wenn einer die Hinrichtung durch die Guillotine empfehlen und sagen würde: ›Das ganze ist ein leichtes, Sie legen sich bloß auf ein Brett, dann wird nur an einer Schnur gezogen, dann fällt das Beil herunter – und Sie sind hingerichtet.‹ Aber nun gesetzt den Fall, hingerichtet zu werden wäre das, was man nicht wünschte«[25], den Verstand fahren zu lassen, läge nicht in unserer Absicht?

Dann sähen wir, daß Peter Weiss dem »Märtyrer-Denkmal«, das er nach Bohrers treffender Kennzeichnung mit dem Guevara-Aufsatz eingeweiht hat[26], durch Hölderlin im Empedokles ein Märtyrer-Drama zur Seite stellt. Die Züge der Christus-Nachfolge sind, wie schon in den Fragmenten der Vorlage[27], unübersehbar: Von vielen als König ausersehen, dann verflucht, dem Volk als »Ärgernis« hingestellt vom Obersten Priester, »als Erbärmlichster der Armen« lebend, von »Schächern« verfolgt, stellvertretend die Seuche der Menschen leidend, für sie sterbend, und sein Tod, richtig verstanden, nicht »Niederlage«, sondern »Sieg« – höher denn alle Vernunft.

> »Die Bauren (. . .) sehn/ was von den Herrn der Güter/ (. . .) kommt/ ist gegen sie/ (. . .) gestellt/ und es war Empedókles/ den sie vorüber gehen liessen (. . .)
>
> Die Handwercker (. . .) sehn/ dass überall wo einer wuchert/ (. . .) er unterm Schuz steht/ der Herrn in den Palästen/ und es war Empedókles/ den sie vorüber gehen liessen (. . .) (137 f.)
>
> »Er war in der Welt (. . .); aber die Welt erkannte ihn nicht./ Er kam in sein Eigentum; und die Seinen nahmen ihn nicht auf.« (Johannes 1, Vers 10 f.)

So erhält das Bild wieder den »unerträglich blendenden Umriß«, den Walter Benjamin der Hölderlin-Darstellung Kommerells vorgeworfen hat, in der ein neues Kapitel »Heilsgeschichte« geschrieben werde.[28]
Es ist eine würdige, lange verschüttete Tradition, Jesus von Nazareth als irdischen Parteigänger der Entrechteten zu verstehen. Sie ist hier aber umwölkt von Mystizismus und melodramatisch instrumentiert:

»PANTHEA
An einem Bach
(...)
trift mich der Pfeil
mit einem scharfen Stoss
tief in den Rüken
Bring ihm das Bündel mit der Medicin
ruf ich dem Freund noch nach
Verweile nicht
CHOR
Das Wasser schwemmte sie hinab
im Thal ward sie gefunden
(...)
und war zu sehn auch
wie sie da so zerschmettert lag
dass eine LeibesFrucht sie trug
den Sohn des Empedókles
o Pánthea
Pánthea was du Empedókles brachtest
stärkte ihn
und seine KampfGefährten
dass sie Stand hielten
einge Tage
(...)
HÖLDERLIN
(...)
bis sie verbluthen« (133 f.)

Spiel mir das Lied vom Tod. Was als lateinamerikanische Heldenballade im Pathos der Cangaceiro-Gesänge erträglich wäre und vielleicht auch so gemeint war, wird im altertümelnden Deutsch (»Verweile nicht (...) ward sie gefunden (...) LeibesFrucht«) zum Rührstück weiblichen Opfersinns, adeligen Mannestums und heroischen Untergangs. Das Drama spielt Ernesto Guevara in solchen Partien kaum weniger übel mit als auf der anderen Seite die peinliche Porno-Allegorie *Che* von Lennox Raphael in New York.[29]

Wie läßt sich diese unbeabsichtigte Wirkung erklären? Peter Weiss ist mit Friedrich Hölderlin in der Bestimmung einig, daß sein Drama »einen (. . .) von des Dichters eigenem Gemüth und eigener Welt verschiedenen fremden Stoff« enthält, »den er wählte, weil er ihn analog genug fand, um seine Totalempfindung in ihn hineinzutragen.«[30] Die Totalempfindung, die *Hölderlin* verkörpert, ist das Gefühl immer engerer Einschnürung in Gesellschaftsverhältnissen, die als durch und durch ungerecht empfunden werden, und der gegenstrebende, beängstigte Drang nach endlicher Veränderung dieser Verhältnisse. Dieser Drang, über Einwirkung auf die Gesellschaft für andere tätig zu werden, ist beim Einzelgänger (oder beim Mitglied einer isolierten Kleingruppe) im Kern persönlich motiviert. Allein in einer Umwelt ganz anderer Prinzipien und ohne alle soziale Bestätigung zu leben, hat unausbleiblich Ängste und Verstörungen zur Folge. Die Ichidentität ist in der Differenz von bürgerlichem Leben und revolutionärer Überzeugung Belastungen ausgesetzt, die mit mühseligen Kleinreformen nicht abzubauen sind.[31] Um Tun und Denken in Einklang zu bringen, scheint es den Betroffenen keine andere Möglichkeit zu geben als den vollen Ausbruch in die Praxis und damit die »außerordentliche Tat«. Sie ist bei objektiv übermächtigen Gegenkräften insgeheim auch ein Akt der Aggression gegen sich selbst, in ihrer letzten Steigerung ein Zug zum Selbstmord, verkleidet als Selbstopfer. Die individuelle Nötigung wird als soziale Handlung rationalisiert, der Suizid wie bei Pablo im *Turm* als Befreiungstat gedeutet – diesmal für die anderen – und die Aktion als beispielhaft gefeiert.

»Indem er es nicht nur
bei der Idee belässt
sondern
aus der Idee sich
raus sprengt
(. . .)

zeigt er
worauf es ankommt« (113 f.)

Der zentrale Antrieb zur Selbstrettung oder Selbstgewinnung, der auch der Antrieb Pablos war, verrät sich aber unfreiwillig in Hölderlins Erklärungen:

»*Er* fängt jezt erst
zu *leben* an« (116)
»Was *ihm* geschieht
ist unaussprechlich« (121)
»der nie *sich selber*
zum Verräther wurde
[wird] zum VorBild« (135)

Aus diesem Abstand zwischen dem uneingestandenen, auch vor sich selbst verhohlenen Grundimpuls und der aufzubietenden Legitimation kommen, bei den Figuren und möglicherweise auch beim Autor, die Dunkelheiten.[32] Die Kluft wird durch einen surrealistisch getönten Irrationalismus geschlossen, in dem das kritische und selbstkritische Vermögen streckenweise untergeht. »Mit Revolvern in den Fäusten auf die Straße zu gehen und blindlings soviel wie möglich in die Menge zu schießen«, hatte Breton im Zweiten Manifest als die »einfachste surrealistische Handlung« bezeichnet und dazu erklärt: »Ich glaube an den uneingeschränkten Wert von allem, was, spontan oder nicht, aus einer Weigerung heraus geschieht (...) Ich habe hier nur der menschlichen Verzweiflung Raum schaffen wollen.«[33] »Er zeigte: Das einzige Richtige ist, ein Gewehr zu nehmen und zu kämpfen«, schrieb Peter Weiss über Che Guevara. (R. II 83) Und dem so nah an Hölderlin herangerückten Schmid wird mit gutem Grund vorgeworfen: »Dich ziehts aus lauter/ Auswegslosigkeit/ zur KnallPistole«. (110)

Peter Weiss – im kapitalistischen Westen ökonomisch erfolgreich, aber vielseitig kritisiert; im »sozialistisch« genannten Osten, dessen »Richtlinien« für ihn »die gültige Wahrheit« enthalten (R. II 22), seit *Trotzki* persona non grata

– läßt den von seinem Hölderlin geschaffenen Empedokles in einen stellvertretenden Aktionismus ausbrechen, der der Selbstrettung aus Ausweglosigkeit und Verzweiflung dient. Die psychischen Konstellationen erinnern in manchem an die politischen Verhältnisse zur Entstehungszeit des Dramas, als die außerparlamentarische Opposition der Bundesrepublik nach dem Antritt der sozialliberalen Regierungskoalition zerfiel, ein Teil der linken Wortführer in der bestehenden Gesellschaft aufging, ein Teil den langen unsicheren Marsch durch die Institutionen anzufangen versuchte und sich einige, wie seitdem noch klarer geworden ist, in blinde und selbstmörderische Einzelaktionen verrannten.
Die Ersatzhandlung vollzieht sich für Weiss' Hölderlin in einfacher, für Weiss selbst in doppelter Distanz – und dennoch für beide in Identifikation: Wenn Weiss im Prolog und Epilog die Positionen der Bühnenfigur und des Autors in der Rolle des Hölderlin changieren läßt: »Ich war der Revoluzion idealisch so gewis (...) Wir haben die Gestalt des Hölderlin so angelegt (...)«, dann nimmt er sich in das Stück, das Hölderlin zum Gegenstand hat, mit hinein und trägt darin, ganz ähnlich wie in *Marat/ Sade,* seine eigenen Probleme aus. Der Autor de Sade, der beschädigte Hedonist, dichtete den Täter Marat, den beschädigten Vernunftphilosophen[34], und inszenierte den selbstgedichteten selbst. Der Autor Hölderlin, der von der Schizophrenie bedrohte Utopist einer Mythologie der Hoffnung, dichtet in Empedokles den Märtyrer der Tat, »der nie sich selber zum Verräter wurde«, und bringt ihn ebenfalls selbst auf die improvisierte Bühne.[35]

6. Der Turm, in den Hölderlin hineingeht, versinnbildlicht einerseits den Ort der Bergung vor der feindlichen Gesellschaft, den Schutzraum vor völliger Vernichtung, und andererseits die feindliche Gesellschaft selbst, die ihn hier hineingezwungen hat und mit ihrem Druck von allen Sei-

ten auf ihm lastet. Hölderlin hat sich in dem Turm verkrochen, und er ist in ihm eingekerkert. Die Öffnung des Turms bedeutet so Entlastung vom beengenden Außendruck und Freigabe in einen menschlichen Zusammenhang, in dem es der isolierenden Schutzhöhle nicht bedarf, in dem es möglich ist, auf Erden überall Beheimatung zu finden, frei *und* zuhause zu sein:

»Nie mehr will er in stiller Abgeschiedenheit vergehn
sondern als Lebender im Krais lebendger Stimmen stehn« (181)

Momente einer solchen Freisetzung zeichnen sich im Schluß des Stückes ab. Dem einsamen Hölderlin, dessen historisches Urbild die Zerrissenheit der Deutschen so beklagt hatte: »Handwerker siehst du, aber keine Menschen (. . .)«[36], tritt in Marx ein Mann entgegen, dessen historisches Urbild – ein Jahr nach dem angenommenen Datum dieser fingierten Zusammenkunft – »die Emanzipation der *Deutschen* zu *Menschen«* gefordert und sich selbst dem *»kategorischen Imperativ«* unterstellt hatte, *»alle Verhältnisse umzuwerfen,* in denen der Mensch ein erniedrigtes, ein geknechtetes, ein verlassenes, ein verächtliches Wesen ist«.[37] Erstmals fühlt Hölderlin seine Poesie und Poetik adäquat erfaßt und sein Werk, »unmittelbar an der Todtes Schwelle«, in einem fast theologischen Sinn »gerechtfertigt«. Erstmals sieht er selbst das Erlittene und Erahnte durch konkrete historische Analyse bestätigt und geklärt. Darum werden nun auch die Bilder der Entriegelung und Erhellung wieder aufgenommen, mit denen im Beginn der Aufgang der Französischen Revolution und der Hoffnungen Hölderlins umschrieben worden war. »O diese blendend Helle/ in diesem Zimmer«, das »seit dem Freyheitskrieg/ in Griechenland/ nicht mehr die äusseren/ Luken von sich nahm«, »bedencken Sie/ dass sie dem Thräumenden/ in tiefster Finsternis/ entsteht«. Und nach der Nachricht vom Tode der gefeierten Dichter und Denker, die nach Peter Weiss-Hölderlins Überzeugung mit ihren Riesengestalten und ihrer Normsetzung alle politische, psychische und künstlerische Entwicklung verstellt hatten: »da stehn uns die Thüren/ endlich offen«. Hölderlin scheinen die Bedrängnisse des Turms ähnlich zu entsinken wie Pablo bei seiner Wiedergeburt.

Dieser Ausgang weist aber nicht nur auf das frühe Hörspiel, sondern durch dieses hindurch auch auf dessen literarische Anreger, vor allem auf Hofmannsthals *Turm* zurück.[38] Bei der Adaption dieses Trauerspiels war Weiss wie immer verfahren: Er hatte sich mit einigen Zügen identifiziert und alle anderen Zusammenhänge rigoros umgedeutet. Identifikationsmomente ergaben sich aus Hofmannsthals Verknüpfung der Knechtung der Seele mit sozialem Aufruhr und mit dem Bestand der gesamten Gesellschafts- und Weltordnung.[39] Die Anlehnung an die Grundabläufe ist evident; so kehren verwandelt wieder: Der Aufenthalt im Turm, in den schon der Knabe vom Vater verbannt wurde.[40] Seine viehische Behandlung. Die Unterbringung im Käfig. Seine Sprachstörungen. Seine Frage nach der Welt. Sein Durchwachsensein mit Fremden: »Ich brings nicht auseinander, mich und das andere (...) Ich kann mein Leiden nicht ausreißen aus mir!«[41] Seine Herausführung aus dem Turm im Zustand der Bewußtlosigkeit. Die Rückkehr als ein »Namenloser«, dem der »zaubernde Mann (...) mit flüsterndem Anhauch« einredet, »daß keine Welt ist, außer meinem Traum«.[42] Der zweite Ausgang zur wirklichen Freiheit und Selbstgewinnung.

Und ebenfalls das Motiv das Verkanntseins: »Gebet Zeugnis: ich war da. Wenngleich mich niemand gekannt hat«[43], das Peter Weiss schon als Zwölfjährigen am Hölderlin-Stoff fasziniert hat.[44] Der Aufruf: »Zerschmeißt den Turm! zerbrecht die Ketten!«[45], der sich in Weiss' Kontext so ganz anders ausnehmen muß als in dem des Anhängers einer konservativen Revolution.

Und die Zusammennahme der Freisetzung aus dem Turm mit der Wiedergeburt und der Heimkehr, sowie die Bestimmung der ganzen Welt als eigentlichen Daseinsraum des Menschen: »Nur Wiedergeburt heilt einen so Zerrütteten. Man führe ihn in seines Vaters Haus zurück (...) Ein Mensch braucht keinen geringeren Raum als die ganze Welt, um in der Wahrheit da zu sein.«[46]
Diese Bilder entstammen einem theologischen Zusammenhang, der auch in den Schluß des *Hölderlin* hineinzuprojizieren ist. Wiedergeburt ist »Rechtfertigung des sündigen Menschen (...) durch die (...) heiligmachende Gnade«. Sie bringt den Menschen zu eigentlich lebendigem Leben und erlaubt ihm, »in der Wahrheit« zu sein, hingeordnet auf *»die Wahrheit* schlechthin (...), die der absolut lichte und liebende Besitz der unendlichen Fülle der Wirklichkeit durch sich selbst ist«. Solche rechtfertigende Wiedergeburt vollzieht sich im Martyrium und in der Taufe.[47]
So wären denn Empedokles durch sein Martyrium und Hölderlin durch sein Matyrium und die von Marx erteilte Taufe wiedergeboren und gerechtfertigt.
Eine solche Konstruktion, die nicht hämisch als Fluchtweg des Autors in marxistische Theologie ausgegeben, sondern als Mittel zum besseren Verständnis seiner schwierigen Lage benutzt werden sollte, läßt auf der einen Seite erkennen, daß der autonomistische Anspruch auf Selbstumschaffung des einzelnen Menschen aufgegeben ist. Er bedarf der Hilfe, hier als »Gnade« zugleich verkürzt und mythologisiert, um zum wirklichen Leben, zu Freiheit, Offenheit, Kommunikation zu kommen. »Unmöglich für einen Einzelnen/ die ganze Verfilztheit/ aufzubrechen« (176)[48]
Auf der anderen Seite wird aber deutlich, wieviel Ungelöstheiten noch in diesem Dramenschluß stecken, wenn die Begriffe kirchlicher Dogmatik überhaupt darauf anwendbar sind. Peter Weiss hat längst erkannt, daß der Turm gesellschaftlicher Zwangsordnung nicht in einer vage erahnten Unermeßlichkeit, sondern in bestimmten, je und

je historisch fixierbaren Verhältnissen steht und daß diese Verhältnisse nur durch solidarischen Kampf zu verändern sind. Er überbrückt jedoch in diesem Stück die Antinomie, daß fehlende Solidarität als Synonym für Konkurrenz das Prinzip eben der Gesellschaft ist, die überwunden werden soll, in der aber die potentiellen Überwinder selber stehen, mit einer quasireligiösen Tröstung. Hölderlins Reaktion auf Marx hat noch immer etwas von der beglückten Betäubung, die Pablo bei seinem ersten Blick aus der Finsternis des Turms in die Helligkeit der Welt empfand.

Das Zentrum dieser Dichtung bleibt das Ich. Alle Um-Figuren erscheinen nur flächenhaft mit ihrer ihm zugekehrten Seite. Sie inszenieren kein Gestalten-, sondern ein Thesen- und Positionenspiel. Manchmal sind sie nur noch wie Marats Gesichte oder Hölderlins Halluzinationen als Bewußtseinsinhalte interpretierbar. Wo eine als Phantasmagorie gemeinte Szene als solche nicht deutlich wird, wie das Totentanz-Labyrinth bei den Gontards, muß sie langweilen. Fast alle Partien, die nicht als Bedrängnis oder Hoffnung auf Hölderlin bezogen sind, geraten zur Staffage. Allein die Hölderlinfigur trägt das Stück, und dies ist auch ein Grund dafür, daß es zu Anfang und Ende so unmißverständlich auf die anders geartete Ich-Dramatik des frühen Brecht anspielen kann, in der Baal allein die Episodenfolge seiner »dramatischen Biografie«[49] zusammenhält.
»Der böse Baal der asoziale«[50], nach Brechts späterer Deutung »asozial, aber in einer asozialen Gesellschaft«[51], kriecht am Ende einsam sterbend in den Schoß des Sternenhimmels zurück, unter dem er sich aufgehoben fühlt.[52] Der verrückte Hölderlin, der Eingesperrte, pathologisiert von einer asozialen Gesellschaft, erfährt am Ende Momente einer Wiedergeburt in die Menschenwelt, in der »man ihn als einen zwischen vielen

zählt«. (181) So verschieden das Verhältnis zur sozialen Welt ist, so analog ist doch die Motivation und damit die symbolische Grundfigur. Die Aufnahme des »anarchischen Nihilisten«, der »Übergang und Zerfall als Wiedergeburt und Befreiung« erfährt[53], durch die Natur und die Öffnung von Hölderlins Isolierzelle, die den Trost neuer menschlicher Beheimatung schenkt, lassen die Bewegungen von Freisetzung und Bergung zusammenfallen. So wird die Zielrichtung auf Veränderung der wirklichen Außenwelt, mit der der Marxist Weiss dem späteren Brecht folgt, zugleich zurückgebogen auf das eigene Selbst, das der ständig umkreiste Gegenstand von Brechts früher Dichtung war. Auch der Appell an die Zuschauer im Epilog des *Hölderlin* ist noch nach innen gedreht, ein Appell zur Erlösung Hölderlins: »Sein Wunsch ist, dass man ihn nicht mehr verkenne/ dass er sich nicht mehr opfre und verbrenne«. (181) Es ist nur folgerichtig, daß das Drama auch strukturell die Kreisbewegung des »Baal«-Gedichts andeutet: in der Metaphorik der Erhellung und Offenheit zu Beginn und am Ende des Stücks und in den kontrapunktisch dazu gesetzten Strophen über den Hölderlin-Turm.
Auch mit diesem Ansatz zur Rückwendung ist Peter Weiss Exponent gesamtgesellschaftlicher Prozesse. Er hat in mehrfach wechselnden Emigrationen, die ihn immer wieder zum Fremden machten, buchstäblich erlitten, was in der modernen von Gewinnerwartungen gesteuerten Industriegesellschaft in vermittelterer Weise jeden betrifft. In ihm kommen darum die entgegengerichteten Reaktionsformen deutlicher und schmerzhafter als bei anderen zum Austrag: die Tendenz zur Aufhebung der Entfremdung durch Ausbruch nach außen und die Neigung zur Hinnahme der Entfremdung im Rückbezug auf das vereinzelte Ich. Insofern ist auch dieses Stück dokumentarisch.

Nachweise und Anmerkungen

1. Peter Weiss. *Hölderlin. Stück in zwei Akten.* Frankfurt 1971, S. 13 u. 181. – Nach dieser Ausgabe wird mit bloßer Seitenangabe im Text zitiert. Die anderen Schriften von Weiss nach:
   Dramen. Bd. 1. 2. Frankfurt 1968. (Dr. I und Dr. II)
   Rapporte. Frankfurt 1968 (R. I)
   Rapporte 2. Frankfurt 1971 (R. II)
   Abschied von den Eltern. Frankfurt 1966 (A.)
   Fluchtpunkt. Frankfurt 1965 (F.)
2. Bertolt Brecht, *Baal. Drei Fassungen.* Krit. ed. u. komm. v. Dieter Schmidt. Frankfurt 1971, S. 152.
3. Peter Paul Schwarz, *Brechts frühe Lyrik 1914–1922. Nihilismus als Werkzusammenhang der frühen Lyrik Brechts.* Bonn 1971, S. 175.
4. *Peter Weiss im Interview.* In: *Der Spiegel,* 18. 3. 1968.
5. Carl Pietzcker, *Die Lyrik des jungen Brecht. Vom anarchischen Nihilismus zum Marxismus.* (Noch unveröffentlichtes Manuskript.)
6. Volker Canaris, *Interview mit Peter Weiss.* In diesem Band S. 142.
7. Hervorhebung von mir.
8. Das gleiche Operationsbild in *Avantgarde-Film* über Bunuel (R. I 21), im *Fluchtpunkt* (F. 134) und im *Mockinpott* (Dr. I 139 f.).
9. Henning Rischbieter, *Peter Weiss.* Velber 1967, S. 36 f. Manfred Karnick, *Peter Weiss' dramatische Collagen. Vom Traumspiel zur Agitation.* In: G. Neumann, J. Schröder, M. Karnick, *Dürrenmatt, Frisch, Weiss. Drei Entwürfe zum Drama der Gegenwart.* Mit einem einl. Essay v. Gerhart Baumann. München 1969, S. 117.
10. Dieter Hasselblatt. *Die singenden Schrecken der Kindheit. Ursymbole unserer Traumängste. Notizen zum ersten Hörspiel von Peter Weiss.* In: *Rhein-Zeitung,* 24. 4. 1962. – Otto F. Best, *Peter Weiss. Vom existentialistischen Drama zum marxistischen Welttheater. Eine kritische Bilanz.* Bern/München 1971, S. 17. – Ich bin inzwischen überzeugt, daß diese Auslegung des Schlusses, was den äußeren Ablauf betrifft, richtig ist.
11. So Peter Weiss auch über Strindberg: »In seinem Universum bedeutet die Unordnung Freiheit.« (R. I 73)

12. Wilhelm Reich, *Die Entdeckung des Orgons. Die Funktion des Orgasmus. Sexualökonomische Grundprobleme der biologischen Energie.* Frankfurt 1972, S. 16.
13. Paul Gerhardt: »Nun ruhen alle Wälder«. Strophe 8.
14. Matthias Claudius: »Der Mond ist aufgegangen«. Strophe 2. Auch das viel frühere anonyme Lied »O Welt ich muß dich lassen« ist gleich gebaut. – Die formale Entsprechung gilt nicht restlos. In Hölderlins Gedicht sind jeweils 2 Schweifreimstrophen durch Sechshebigkeit der letzten Zeile von den nächsten 2 Strophen abgesetzt und so zu einer größeren Einheit zusammengefaßt.
15. Wenn die Arbeit, die dir Inhalt deines Lebens war, jetzt von anderen getan wird, schloß schon Mockinpotts Hans Wurst, »ist (...) klar/daß das nicht *deine* Arbeit war.« (Dr. I 132)
16. Michel Foucault, *Wahnsinn und Gesellschaft. Eine Geschichte des Wahns im Zeitalter der Vernunft.* Frankfurt 1969, S. 12.
17. »Wir geben die Irren als brauchbare Glieder an die menschliche Gesellschaft zurück«. Joh. Peter Franck, *System einer vollständigen medicinischen Polizey.* Suppl. Bd. 3, Leipzig 1827, S. 223. – Zit. in: *Psychiatrie zur Zeit Hölderlins.* Ausstellung anläßlich der 12. Jahresvers. d. Hölderlin-Gsft. in Tübingen im Evangel. Stift, 9.–11. 6. 1972, veranstaltet von dem Inst. f. Gesch. d. Medizin, dem Ev. Stift u. dem Univ.archiv, Tübingen 1972, S. 1.
18. Gerhard Fichtner, Ebd. Dort eine ganze Reihe sehr instruktiver Dokumente.
19. Sigmund Freud, *Das Unbehagen in der Kultur.* In: S. F., *Gesammelte Werke.* Hg. v. Anna Freud u. a. Bd. 14. London 1948, S. 504.
20. Sigmund Freud, *Das Unheimliche.* In: S. F., *Gesammelte Werke.* Bd. 12. London 1947, S. 257.
21. »Wenn man ihn für unzurechnungsfähig hielt, so geschah dies, weil man an ihn die Maßstäbe der geltenden Ordnung legte (...) deren Sterilität und Verlogenheit Strindberg bekämpfte.« (R. I 73) – »Ich suchte seine letzte Wohnung im Blauen Turm (...) auf (...) Es wird geschildert, wie er verkrochen lebt (...) Dies war der Eindruck der (...)Angepaßten, die von draußen kamen. Doch wie war das Dasein des Zurückgezogenen, drinnen hinter der Tür, war es nicht bis ins Letzte von Vitalität erfüllt (...) Diese Sehnsucht nach einer Erneuerung, nach einer Flucht in die Freiheit, verfolgte ihn seit seiner Kindheit.« (R. I 76 f.)

22. *Interview mit Peter Weiss.* In diesem Band S. 143.
23. Zur Beziehungsfalle vgl. Jürgen Habermas, *Theorie der Sozialisation.* Thesen der Vorl. im SS 1968. Raubdruck, S. 41–45.
24. Bertolt Brecht, *Gesammelte Werke in 20 Bänden.* – Frankfurt (Werkausgabe edition suhrkamp) 1967, Bd. 9, S. 657–660.
25. Sören Kierkegaard, *Abschließende unwissenschaftliche Nachschrift zu den Philosophischen Brocken.* Erster Teil. Düsseldorf/Köln 1957, S. 95. (Samlede Vaerker VII 82)
26. Karl Heinz Bohrer, *Revolution als Metapher.* In: K. H. B., *Die gefährdete Phantasie, oder Surrealismus und Terror.* München 1970, S. 93–95.
27. Dazu: Emil Staiger, *Der Opfertod von Hölderlins Empedokles.* In: *Hölderlin-Jahrbuch* 13 (1963/64), S. 1–20. Und der Diskussionsbericht von Wolfgang Binder, ebd. S. 185 ff. – Max Kommerell, *Hölderlins Empedokles-Dichtungen.* In: M. K., *Geist und Buchstabe der Dichtung,* Frankfurt, 4. Aufl. 1956, S. 348–355.
28. Walter Benjamin, *Wider ein Meisterwerk.* In: *Angelus Novus.* Frankfurt 1966, S. 436.
29. 1969 im Free Store Theatre. Dann verboten.
30. Friedrich Hölderlin, *Grund zum Empedokles. Allgemeiner Grund.* In: F. H., *Sämtliche Werke.* Hg. v. Friedrich Beißner. *GStA* Bd. 4., Stuttgart 1961, S. 151.
31. Darum ist der Hölderlinschen Bestimmung des Empedokles als »Todfeind aller einseitigen Existenz« von Weiss der Haß gegen alles »Flickwerk« hinzugefügt (111) und damit wahrscheinlich nicht unabsichtlich ein Stichwort aufgenommen, das völlig analog die grundlegende Alternative zwischen nervenzehrendem Reformismus und dem großen alles verändernden Wurf in Weskers *Their Very Own and Golden City* bezeichnet. (In: *New English Dramatists 10.* Introduced by Ronald Bryden, London 1967, S. 16–92. Deutsch in: Arnold Wesker, *Gesammelte Stücke.* – Frankfurt 1969, S. 385–459.)
32. Friedrich Nietzsche hat die Technik, »die Leidenschaft zum Argument der Wahrheit« zu machen, in der »Morgenröte« dargestellt: »Farbige Bilder, wo Vernunftgründe not täten! Glut und Macht der Ausdrücke! (...) Ihr versteht euch darauf, zu beleuchten und zu verdunkeln, und *mit Licht* zu verdunkeln! (...) Wie dürstet ihr nach diesen Augenblikken, wo eure Leidenschaft euch vor euch selber volles, unbedingtes Recht und gleichsam die Unschuld gibt, wo

ihr in Kampf, Rausch, Mut, Hoffnung außer euch und über alle Zweifel hinweg seid, wo ihr dekretiert: ›wer nicht außer sich ist wie wir, der kann gar nicht wissen, was und wo die Wahrheit ist!‹ (...) O über euer Martyrium! (...) Müßt ihr euch so *viel* Leides selber antun – *Müßt* ihr?« (F. N., *Werke*. Hg. v. Karl Schlechta, München 1966, Bd. 1, S. 1264 f.)

33. André Breton, *Die Manifeste des Surrealismus*. Deutsch von Ruth Henry, Reinbek 1968, S. 56 f. – Zur Beziehung von Peter Weiss zum Surrealismus vgl. Karnick a.a.O. S. 145–149; Bohrer a.a.O. S. 79–88; Best a.a.O. S. 103–106.
34. Über Hedonismus und Vernunftphilosophie: Herbert Marcuse, *Zur Kritik des Hedonismus*. – In: H. M., *Kultur und Gesellschaft 1,* Frankfurt 1968. – Der Aufsatz bietet eine ausgezeichnete Interpretationshilfe für *Marat/Sade*.
35. Noch einmal sucht Hölderlin in höchster Bedrängnis, nachdem ihm die früheren Freunde die ganze restaurative Tendenz der Epoche vor Augen geführt haben, Rettung in der Identifikation mit einem bewunderten Täter: »Mein Nahme/Buonarroti« (169)
36. *Hyperion oder der Eremit in Griechenland*. In: *GStA* Bd. 3., Stuttgart 1957, S. 153.
37. Karl Marx, *Zur Kritik der Hegelschen Rechtsphilosophie*. Einleitung. In: Karl Marx, *Frühe Schriften*. Hg. v. H.-J. Lieber u. P. Furth, 1962, Bd. 1, S. 504, 497.
38. Dagegen Best (a.a.O. S. 13) über die Beziehung zu Calderón, Yeats und Hofmannsthal: »Anklang oder Anspielung scheinen vom Autor nicht intendiert zu sein; eine Beziehung, die über die vordergründige Tatsache der gemeinsamen Verwendung des Turmsymbols hinausginge, liegt nicht vor. Denn der Turm versinnbildlicht bei Peter Weiss nicht etwa das ›Turmzimmer‹, von wo, wie Hofmannsthal sagt, der Schreibende die Welt überschaut.«
    Andere Anreger des Hörspiels sind Kafka, Strindberg und – über Hofmannsthal wirksam – Calderóns *Leben ein Traum,* auf das Strindberg in einem von Weiss nicht mitübersetzten Teil seiner Anmerkung zum *Traumspiel* verweist. (August Strindberg, *Über Drama und Theater*. Hg. v. M. Kesting u. V. Arpe, Köln 1966, S. 140. Dort auch das Prospero-Zitat aus Hofmannsthals Terzinen: »Wir sind aus solchem Zeug wie das zu Träumen«, und das Macbeth-Zitat »Ein Märchen ists, erzählt von einem Narren«, das Hofmannsthal in seinen Aufzeichnungen zu *Das Leben ein Traum* aufnimmt. – Hugo v. Hofmannsthal,

Gesammelte Werke in Einzelausgaben. Hg. v. H. Steiner, Dramen III, Frankfurt 1957, S. 437.) Zu Kafka vgl. F. 99 f., 164. –
Zu Strindberg sei hier nur auf den Schauplatz des »Totentanzes« und auf das Requisit der Zwangsjacke aus dem »Vater« verwiesen. (Die Zwangsjacke als Sinnbild für die frühe Kindheit bei Weiss: A. 82.)

39. Diese Verknüpfung geht bei Hofmannsthal bis in die Einzelwendung. In den Aufzeichnungen, in denen er den Ablauf mit tiefenpsychologischen Mitteln bedenkt, spricht er von Dingen, die der König »in den Kerker des Unterbewußtseins geschickt hatte wie Sträflinge, von sich gejagt wie die Geächteten der Berge«. (A.a.O. 432) Der Vergilvers, den Freud zum Motto seiner »Traumdeutung« gemacht hat, wird zweimal zitiert *(Dramen IV,* Frankfurt 1958, S. 42, 233) und beidemal eher aufs Soziale denn aufs Psychologische bezogen. – Für Hofmannsthal handelt es sich darum, »in die tiefsten Tiefen des zweifelhaften Höhlenkönigreiches ›Ich‹ hinabzusteigen und dort das Nichtmehr-ich oder die Welt zu finden«. (*Dramen III,* S. 503) Weiss schreibt von Pablo, er »dringe (...) in sein eigenes Inneres ein.« (*Dr. I,* 259) Weiss war hier schon wegen seiner Verbindung zum Surrealismus für Hofmannsthal offen: »Verweisen wir noch einmal darauf, daß der Surrealismus einfach danach strebt, unser gesamtes psychisches Vermögen zurückzugewinnen auf einem Weg, der nichts anderes ist als der schwindelnde Abstieg in uns selbst, die systematische Erhellung verborgener Orte«. (Breton, a.a.O. 65)
40. Mit den Versen aus der Herder-Ballade »O ich hab geschlagen/ meinen Vater tot« (77, 148) spielt Weiss auf die Erhebung gegen die Vaterordnung und die dadurch ausgelösten Schuldgefühle an. Hofmannsthals Vater-König sieht sich in einer Vision als »verkehrter Abraham«: »(...) dort lag ich vor meinem Sohn: alle standen um mich, und niemand half mir. Die Sterne sahen herab, gesättigt funkelten sie, keine Hand von Engeln tauchte nieder, mich verkehrten Abraham zu retten.« (*Dramen III,* S. 432) Best charakterisiert, wie spiegelbildlich dazu, Pablos Rückkehr in den Turm als »Verkehrung der Parabel vom Verlorenen Sohn«: »Der ›Verlorene‹ Sohn kommt zurück als ›unterdrückter‹ Sohn, der sein Recht, nicht Gnade fordert.« (A.a.O. 20) Diese Kennzeichnung gilt auch für Calderóns Sigismund im 2. Aufzug, für die entsprechenden Partien in Hofmannsthals »Bearbeitung in Trochäen« (*Dramen III,* S.

392 ff.) und in beiden Fassungen des *Turm (Dramen IV*, 13 ff., 404 ff.).

41. *Dramen IV,* S. 86, 88. In den Aufzeichnungen auch das Bild der Operation: »Wie wenn er mit dem anderen zusammengewachsen wäre! (...) Seit der Kämmerer hier ist, ist wie ein Stück eines Abszesses operiert.« (*Dramen III*, S. 435)
42. Ebd., S. 130, 135 f. Dieser Beleg sichert die 1. Fassung als Vorlage für Weiss.
43. Ebd., S. 207.
44. »Seine Situation: jahrzehntelang eingesperrt in einen Turm, verkannt und vergessen von der Außenwelt (...) dies gab einen (...) dramatischen Anlaß«. *(Interview mit Peter Weiss.* In diesem Band S. 142.)
45. *Dramen IV,* S. 202.
46. Ebd., S. 46, 200.
47. Zusammengestellt aus: *Handbuch theologischer Grundbegriffe.* Hg. v. H. Fries. 4 Bde., München 1962. Und: Karl Rahner u. Herbert Vorgrimler, *Kleines theologisches Wörterbuch,* Freiburg/Basel/Wien, 7. Aufl. 1968. Hiernach die Zitate.
48. Dieses Angewiesensein auf Hilfe deutet auch die Selbstallegorisierung von Peter Weiss als »Laokoons ältester Sohn« schon an, die die Bilder der Fesselung und des Ausbruchs ganz ähnlich wie der *Turm* miteinander verbindet. (R. I 180 ff.)
49. Brecht, *Baal. Drei Fassungen,* a.a.O., S. 151.
50. Bertolt Brecht, *Baal. Der böse Baal der asoziale.* Texte, Varianten, Materialien. Krit. ed. u. komm. v. Dieter Schmidt, Frankfurt 1968 (edition suhrkamp 248), S. 78.
51. Ebd., S. 110.
52. Ebd., S. 66. Und: Brecht, *Baal. Drei Fassungen,* S. 75, 147, 181 f.
53. Carl Pietzcker, a.a.O.

Anhang

Hölderlin-Chronologie

1761	Karl Friedrich Reinhard geb.	
1767		Saint Just geb.
1768		Chateaubriand geb.
1769		Napoleon Bonaparte geb.
1770	Hölderlin, Hegel, Beethoven geb.	
1775	Schelling geb.	
1783		Stendhal geb.
1787	April: Reinhard Hauslehrer in Bordeaux. Mai: Schubart nach zehnjähriger Kerkerhaft entlassen.	
1788	Herbst: Eintritt Höld. u. Hegels in das Tübinger Stift (bis zum Herbst 1793).	
1789	Ostern: Bekanntschaft H.s mit Stäudlin und Schubart.	14. Juli, Paris: Sturm auf die Bastille.
1790	Magisterarbeit H.s: Geschichte der schönen Künste unter den Griechen.	14. Juli, Paris: Jahrestagsfeier u. Förderationsfest.
1791		Juni, Paris: Fluchtversuch des Königs Louis XVI.
1792		20. Sept.: Schlacht bei Valmy Ab 21. Sept. (bis Okt. 95) regiert die Convention.
1793	Herbst: H. und Hegel verlassen das Stift. Hegel wird Hofmeister in Bern. Weihnachten: H. wird Hauslehrer in Waltershausen bei Charlotte von Kalb.	13. Juli: Ermordung Marats. 22. Sept. in Nevers: Feier zu Ehren v. Brutus. 10. Okt.: Patriotisches Fest in Paris. 31. Okt.: Hinrichtung der Girondisten. 10. Nov.: Feier der Freiheit u. der Vernunft in Notre-Dame.
1794		5. April: Hinrichtung von Danton.

		7. Mai: Bericht Robespierres vor dem Konvent über die religiösen Ideen. 8. Juni (Paris): Feier des Höchsten Wesens und der Natur.
	November erscheint in der *Thalia* ein Fragment vom *Hyperion (Thalia-Fragment)*	27. Juli (9 Thermidor): Robespierre gestürzt und hingerichtet. Ende des Terrors in Paris. (2627 Hingerichtete.)
1795	Hölderlin studiert in Jena, hört Fichtes Vorlesungen. Freundschaft mit Sinclair. Arbeit an *Hyperios Jugend.*	
1795	Begegnung H.s mit Ebel in Heidelberg. Ende Dez.: H. Hofmeister bei Gontard in Frankfurt.	Okt. 95–Nov. 99: Regierung des Directoire.
1796	Schelling für einige Tage in Frankfurt. Sommer: Reise H.s mit Frau Susette und den Kindern nach Bad Driburg. August: Hegels Gedicht *Eleusis. An Hölderlin.* Sept.: Freitod Stäudlins im Rhein bei Straßburg.	Zwei Armeen der Frz. Republik dringen bis nach Frankfurt u. Stuttgart vor.
1797	Januar: Hegel Hauslehrer bei Gogel in Frankfurt. Ostern: *Hyperion,* Bd. I. bei Cotta ersch.	Okt. Frieden von Campo-Formio zw. Frankreich u. Österreich. Dez. Eröffnung des Rastatter Kongresses (tagt bis April 99.)
1798	Sept.: H. trennt sich vom Hause Gontard. Wohnt in Homburg v. d. Höhe in der Nähe Sinclairs (erster Homburger Aufenthalt).	12. April: Proklamation der Helvetischen Republik. Juli: Kampagne Bonapartes im Orient (Ägypten und Syrien, bis Okt. 99.)

	Nov.: H. mit Sinclair in Rastatt.	
1799	H. arbeitet am *Empedokles* (I. Fassung)	16. März: General Jourdan gibt bekannt: es werden keine Unruhen toleriert.
	H. plant eine Zeitschrift humanistischen Inhalts herauszugeben: *Iduna*.	20. Juli: Reinhard Außenminister der Frz. Rep.
	H. arbeitet am *Empedokles* (II. u. III. Fassung)	9. Nov. (18. Brumaire): Staatsstreich Bonapartes. Bonaparte *Premier Consul*.
1800	H. kehrt nach Nürtingen zu seiner Mutter zurück. Aufenthalt in Stuttgart bei Landauer. Ged. *Brod und Wein*. Dez.: Karl Reinhard, Gesandter der Frz. Republik bei der Helvetischen Republik, bemüht sich um eine Hofmeisterstelle für H. in der Schweiz.	
1801	Januar bis April: H. Hauslehrer bei Gonzenbach in Hauptwil (Schweiz).	9. Febr.: Frieden von Lunéville.
	Ged.: *An Eduard* (vollendet) *Der Rhein* *Germanien* *Patmos* (entworfen) *Friedensfeier* (entworfen) Ende Dez.: H. reist nach Frankreich.	
1802	H. Hauslehrer in Bordeaux bei Konsul Meyer. 6. Juni: Rückkehr H.s nach Deutschland (über Kehl). 22. Juni: Susette Gontard stirbt in Frankfurt. Juli: H. in Nürtingen u. Stuttgart. Sept.: Reise mit Sinclair nach Ulm u. Regensburg. Ged. *Patmos* und *Friedensfeier* vollendet.	

1803	Frühjahr: Ged. *Andenken* Herbst: Ged. *Mnemosyne.*	
1804	Frühjahr: durch Sinclairs Vermittlung wird H. zum Bibliothekar des Landgrafen in Homburg ernannt. (Zweiter Homburger Aufenthalt.)	18. Mai: Napoleon Bonaparte wird Kaiser der Franzosen.
1804	April: Ersch. von Hölderlins Übersetzungen des Sophokles.	
1805	Februar: Sinclair verhaftet, auf den Hohenasperg geführt. 4 Monate als Hochverräter inhaftiert.	
1806	11. Sept.: H. nach Tübingen abgeführt. Die in der Autenriethschen Klinik vorgenommene Kur verschlimmert nur H.s Krankheit.	
1807	Sommer: H. im Hause des Tischlermeisters Zimmer untergebracht (Hölderlinturm in Tübingen), wo er bis zu seinem Tode bleibt.	
1831	Tod Hegels.	
1842	Tod Stendhals.	
1843	7. Juni: Tod Hölderlins.	

Zeittafel von Peter Weiss

1916 Geboren am 8. November in Nowawes bei Berlin.
1918–1929 In Bremen.
1929–1934 In Berlin.
1934 Mit den Eltern nach London emigriert.
1935 Erste Ausstellung von Bildern in einer Garage in London.
1936–1938 Studium an der Kunstakademie in Prag.
1939 Übersiedlung mit den Eltern nach Schweden.
1940 Erste Ausstellung in Stockholm, dann bis Anfang der fünfziger Jahre mehrere Ausstellungen in Schweden.
1946 Erstes Buch in schwedischer Sprache *Fran ö till ö,* Prosagedichte (»Von Insel zu Insel«) entstanden, 1947 erschienen.
1947 Erste Reise nach Deutschland nach dem Krieg. *De besegrade,* Prosagedichte (»Die Besiegten«) entstanden, 1958 erschienen.
1948 Das erste Stück *Der Turm* an der Experimentierbühne in Stockholm uraufgeführt.
1949 *Dokument I* erschienen.
1951 *Duellen* (»Das Duell«) entstanden, 1953 im Privatverlag erschienen, mit Federzeichnungen des Autors. 1972 in Deutsch erschienen.
1952 Das Stück *Die Versicherung* (uraufgeführt 1971 in Essen) und *Der Schatten des Körpers des Kutschers* geschrieben. Erste experimentelle Filmstudien. Während der fünfziger Jahre kaum noch gemalt, doch ein Dutzend experimenteller Filme und Dokumentarfilme hergestellt.
1960 Während eines Besuchs in Südfrankreich *Der große Traum des Briefträgers Cheval* entstanden (erschienen in den *Akzenten* 5/1960).
Als erste deutsche Buchveröffentlichung *Der Schatten des Körpers des Kutschers* mit sieben Collagen des Autors erschienen.
1961 *Abschied von den Eltern* erschienen.
Übersetzung von Strindbergs *Fräulein Julie* erschienen.
1962 *Fluchtpunkt* erschienen.
Rede *Gegen die Gesetze der Normalität* in Berlin gehalten.
Beginn mit der Arbeit am *Marat/Sade.*
1963 Übersetzung von Strindbergs *Traumspiel* erschienen.
Charles-Veillon-Preis für *Fluchtpunkt.*
Das Gespräch der drei Gehenden erschienen.
Nacht mit Gästen uraufgeführt.
1964 *Marat/Sade* in Berlin uraufgeführt.
1965 *Die Ermittlung* in Berlin uraufgeführt.
Lessing-Preis der Stadt Hamburg. Literaturpreis der Schwedischen Arbeiterbewegung.
1966 Heinrich-Mann-Preis der Deutschen Akademie der Künste.

1967 *Gesang vom Lusitanischen Popanz* in Stockholm uraufgeführt.

1968 *Notizen zum kulturellen Leben der Demokratischen Republik Viet Nam* erschienen.
Rapporte erschienen.
Wie dem Herrn Mockinpott das Leiden ausgetrieben wird (geschrieben 1963–1968) uraufgeführt.
Viet Nam Diskurs (geschrieben 1966–1967) in Frankfurt uraufgeführt.
Dramen in zwei Bänden erschienen.

1969 *Trotzki im Exil* in Düsseldorf uraufgeführt.

1971 *Rapporte 2* erschienen.
Hölderlin in Stuttgart uraufgeführt.

Quellennachweise

Anatolij Lunatscharskij, *Das Schicksal Hölderlins.* In: *Internationale Literatur* (Zentralorgan der Internationalen Vereinigung Revolutionärer Schriftsteller), 5. Jg., Heft 6, Moskau 1935, S. 92–95. – Der Text ist ein Auszug aus dem Vorwort, das Lunatscharskij für die russische Ausgabe des *Empedokles* schrieb, die 1931 im Academia Verlag, Moskau/Leningrad erschienen ist.

Georg Lukács, *Hölderlins Hyperion.* In: G. L., *Werke* Band 7, *Deutsche Literatur in zwei Jahrhunderten,* Neuwied/Berlin 1964, S. 164–184. – Abdruck mit freundlicher Genehmigung des Luchterhand Verlages.

Klaus Pezold, *Zu Hölderlins »Empedokles«.* Zweiter Teil seines Nachwortes zu dem Band Hölderlin, *Hyperion. Empedokles,* Leipzig 1970 (Reclam Band 559), S. 280–294. – Abdruck mit freundlicher Genehmigung des Reclam Verlages Leipzig.

Pierre Bertaux, *Hölderlin und die Französische Revolution.* In: *Hölderlin-Jahrbuch.* Hrsg. von B. Böschenstein und A. Kelletat, 15. Band, 1967/68, Tübingen 1968, S. 1–27.

Martin Walser, *Hölderlin zu entsprechen.* Privatdruck in der Reihe *Wege und Gestalten* der Firma Dr. Karl Thomae GmbH, Biberach an der Riß 1970.

Peter Weiss, *Notizen zum »Hölderlin«-Stück.* Erstveröffentlichung zweier Eintragungen in das nichtpublizierte Tagebuch *Rekonvaleszenz.* – In veränderter Fassung erschien ein Auszug aus der Eintragung vom 20. Dezember 1970 unter dem Titel *Bemerkungen zu Hölderlin.*

Peter Weiss, *Fünf Varianten des Epilogs.* 1. Fassung in: P. W., *Hölderlin,* Frankfurt 1971 (= Bibliothek Suhrkamp 297) S. 180–181; 2., 3. und 4. Fassung in: *Theater heute,* November 1971, S. 59–60; 5. Fassung: Schluß der bisher nichtpublizierten Neufassung des Stücks.

Volker Canaris, *Interview mit Peter Weiss.* In: *Die Zeit,* 17. September 1971 (unter dem Titel *Von der Realität in die Ecke gedrängt).*

Ernst Wendt, *Hölderlin oder Die Einführung des Wahnsinns.* Auszug aus seinem Aufsatz *Zum wahnsinnig werden* in: *Theater heute,* Jahressonderheft 1971, S. 84–86.

Reinhard Baumgart, *Ein linkes HeldenLied – ein rother Schimmel.* In: *Süddeutsche Zeitung,* 4./5. Dezember 1971.

Klaus Berghahn, *»Wenn ich so singend fiele...«.* In: *Basis, Jahrbuch für deutsche Gegenwartsliteratur.* Hrsg. von Reinhold Grimm und Jost Hermand, Band 3, Frankfurt 1972. – Abdruck mit freundlicher Genehmigung des Athenäum Verlages.

Ulrich Schreiber, *Peter Weiss' Rückzug in den Idealismus.* In: *Merkur* 289, Mai 1972, S. 475–483.

Hans Mayer, *Die zweifache Praxis der Veränderung.* Originalbeitrag.

Benno von Wiese, *Peter Weiss »Hölderlin«.* Originalbeitrag.

Manfred Karnick, *Peter Weiss und der Hölderlin-Turm.* Originalbeitrag.

Hölderlin-Chronologie. Entnommen dem Band Pierre Bertaux, *Hölderlin und die Französische Revolution*, Frankfurt 1969 (= edition suhrkamp 344).

Von Peter Weiss
erschienen im Suhrkamp Verlag

Abschied von den Eltern. Erzählung, 1961
Die Ermittlung. Oratorium in 11 Gesängen, 1965
Dramen in zwei Bänden, 1968
Fluchtpunkt. Roman 1962
Notizen zum kulturellen Leben der Demokratischen Republik Viet Nam, 1968
Viet Nam Diskurs, 1968

Bibliothek Suhrkamp

Trotzki im Exil, 1970 Bibliothek Suhrkamp 255
Hölderlin. Stück in zwei Akten, 1971 Bibliothek Suhrkamp 297

edition suhrkamp

Abschied von den Eltern. Erzählung, 1964 edition suhrkamp 85
Das Gespräch der drei Gehenden, 1963 edition suhrkamp 7
Der Schatten des Körpers des Kutschers, 1964 edition suhrkamp 53
Fluchtpunkt. Roman, 1965 edition suhrkamp 125
Marat/Sade, 1964 edition suhrkamp 68
Materialien zu Weiss' »Marat/Sade«, edition suhrkamp 232
Nacht mit Gästen. Mockinpott, 1969 edition suhrkamp 345
Rapporte, 1968 edition suhrkamp 276
Rapporte 2, 1971 edition suhrkamp 444

suhrkamp taschenbücher

Das Duell. Erzählung, 1972 suhrkamp taschenbuch 41

Über Peter Weiss
herausgegeben von Volker Canaris
edition suhrkamp 408

Der Band enthält folgende Beiträge:
Peter Weiss, Rede in englischer Sprache gehalten an der Princeton University USA am 25. April 1966 unter dem Titel: I Come out of My Hiding Place
Gerhard Schmidt-Henkel, Die Wortgraphik des Peter Weiss
Ror Wolf, Die Poesie der kleinsten Stücke
Helmut J. Schneider, Der Verlorene Sohn und die Sprache
Urs Jenny, »Abschied von den Eltern«
Werner Weber, Zum Fremdling ernannt
Reinhard Baumgart, Ein Skizzenbuch, spätgotisch
Johannes Jacobi, Peter Weiss – ein Dramatiker von Weltrang?
Jürgen Habermas, Ein Verdrängungsprozeß wird enthüllt
Ernst Schumacher, »Die Ermittlung« von Peter Weiss
Walter Jens, »Die Ermittlung« in Westberlin
Henning Rischbieter, »Gesang vom lusitanischen Popanz«
Ernst Schumacher, »Vietnam-Diskurs« in Rostock
Bernd Jürgen Warneken, Kritik am »Viet Nam Diskurs«
Ernest Mandel, »Trotzki im Exil«
Lew Ginsburg, »Selbstdarstellung« und Selbstentlarvung des Peter Weiss
Peter Weiss, Offener Brief an Lew Ginsburg
Peer-Ingo Litschke, Der Schriftsteller Peter Weiss. Eine Bibliographie.

Friedrich Hölderlin im Insel Verlag

Werke und Briefe. Letztgültige Textfassung von Friedrich Beißner. Mit ausführlichen Erläuterungen herausgegeben von Friedrich Beißner und Jochen Schmidt.
1. Insel-Hölderlin in zwei Bänden
2. Studienausgabe in drei Bänden

Oden, Insel-Bücherei 807

Dichter über Hölderlin, Insel-Bücherei 939

Hölderlin. Eine Chronik in Text und Bild. Von Adolf Beck und Paul Raabe

Über Hölderlin. Aufsätze. Herausgegeben von Jochen Schmidt.

Über Friedrich Hölderlin

Pierre Bertaux, Hölderlin und die Französische Revolution
edition suhrkamp 344

Robert Minder, »Hölderlin unter den Deutschen« und andere Aufsätze zur deutschen Literatur
edition suhrkamp 275

Peter Szondi, Hölderlin-Studien
edition suhrkamp 379

st 47 Thomas Bernhard,
Frost
Roman
320 Seiten
»Frost« ist Thomas Bernhards erster Roman; er erschien 1963. Schon in diesem Prosatext kommt er zu seinem Thema: die ausweglose, weil exzentrische Situation; findet er seine Sprache und Form: das unablässig bohrende Ausschreiten einer erstarrten Sprach- und Gedankenwelt.

st 48 Unterbrochene Schulstunde
Eine Anthologie mit Texten von
Bertolt Brecht, Alfred Döblin, Hermann Hesse, Ödön von Horváth, James Joyce, Erich Kästner, Thomas Mann, Robert Musil, Rainer Maria Rilke, Bernard Shaw, Kurt Tucholsky, Robert Walser, Franz Werfel, Paul Nizan, Stefan Zweig
Zusammengestellt von Volker Michels
256 Seiten
15 Autoren des zwanzigsten Jahrhunderts reproduzieren das Erlebnis der Schulzeit. Das Resultat ist eine engagierte, kritische Auseinandersetzung mit dem, was Schule ist: erste Konfrontation mit Autorität und Gesellschaft.

st 49 Ernst Bloch,
Naturrecht und menschliche Würde
384 Seiten
»Naturrecht und menschliche Würde« erörtert die abendländische Naturrechtsdiskussion von Epikur und der Stoa über Thomas von Aquin, Althus, Hobbes, Grotius, Rousseau, Kant, Fichte, die Französische Revolution und Marx bis zum Bürgerlichen Gesetzbuch und faschistischen Theorien.

st 50 Hans Erich Nossack,
Spirale
Roman einer schlaflosen Nacht
304 Seiten
»Ein Mann erzählt, was ihn schlaflos machte. Er müht sich, sein Leben zurück und zu Ende zu denken. Traum

und Bewußtsein, Romantik und Psychoanalyse, Parodie und Märchen bestehen hier nebeneinander.« *Willi Fehse*

st 51 Tschingis Aitmatow
Der weiße Dampfer. Roman
Aus dem Russischen von Hans-Joachim Lambrecht
176 Seiten
In der Zeit einer neuen aufgeklärten Gesellschaft hat sich irgendwo in kirgisischer Bergeinsamkeit der Märchenglaube erhalten. Mit poetischer Eindringlichkeit erzählt Aitmatow die Geschichte des Jungen, der zwei Märchen besaß und von denen kein einziges blieb. Aitmatow – 1928 in Kirgisien geboren – ist als ein Meister des Erzählens bekanntgeworden. Aragon nennt »Dshamilja«: Die schönste Liebesgeschichte der Welt (Bibliothek Suhrkamp)

st 52 Hermann Hesse
Unterm Rad
Erzählung
176 Seiten
Kein anderes Buch Hermann Hesses hat unmittelbar nach Erscheinen (1906) eine vergleichbare Welle der Entrüstung ausgelöst. Neben Musils »Die Verwirrungen des Zöglings Törleß« war »Unterm Rad« die nachhaltigste Anklage gegen das Erziehungsritual jener Jahre. Auch heute noch gilt die Empfehlung von Theodor Heuss: »Ein Tendenzwerk? Ja, dort, wo es mit warmen Worten das Recht der Jugend auf eine Jugend verlangt!«

st 53 Materialien zu Hermann Hesses Steppenwolf
Herausgegeben von Volker Michels
432 Seiten
Eine Dokumentation der Entstehungs- und Wirkungsgeschichte des Werkes, das Hermann Hesse zum meistgelesenen europäischen Autor in den USA und Japan gemacht hat. Der Band enthält eine Fülle von unver-

öffentlichtem Material, das erstmals die zeit- und gesellschaftskritischen Motivationen Hermann Hesses in das Bewußtsein rückt.

st 54 Claude Hudelot
Der Lange Marsch
416 Seiten
Aus dem Französischen von Gundl Steinmetz
Durch den legendären *Langen Marsch* (1934 bis 1935) wurde die chinesische Rote Armee vor der Niederlage gerettet und konnte im Norden eine neue Basis aufbauen, von der aus sie den Kampf gegen die japanischen Okkupanten und damit ihren endgültigen Siegeszug antrat. Der Sinologe und Chinahistoriker Claude Hudelot hat aus allen ihm zugänglichen Texten eine fesselnde Reportage des Langen Marsches rekonstruiert, die zugleich Realität und Mythos dieses Geburtsereignisses der Chinesischen Revolution deutlich macht.

st 55 Lucien Malson
Die wilden Kinder
Aus dem Französischen von Eva Moldenhauer
256 Seiten
Lucien Malson stellt alle bisher bekanntgewordenen Fälle von Kindern dar, die außerhalb jeder menschlichen Gesellschaft quasi wie Tiere aufgewachsen sind. Der Band enthält außerdem die Beschreibung der Sozialisierungsversuche des »Wolfsjungen von Aveyron«, die sein Erzieher Jean Itard Anfang des 19. Jahrhunderts veröffentlicht hatte. Diese Beschreibung diente dem französischen Regisseur François Truffaut als Vorlage für seinen erfolgreichen Film »Der Wolfsjunge«.

st 56 Peter Handke
Ich bin ein Bewohner des Elfenbeinturms. Aufsätze
240 Seiten
Die gesammelten Aufsätze, die allgemein theoretischen und die Filmkritiken, die Buchbesprechungen und die sich auf die Tagespolitik beziehenden, enthalten programmatische Äußerungen über die gegenwärtige kulturelle und gesellschaftliche Situation. Und sie sind Ausdruck eines weitgespannten Temperaments.

st 57 Marie Luise Kaschnitz
Steht noch dahin
96 Seiten
Prosaskizzen, gewichtiger als manches umfangreiche Buch. Marie Luise Kaschnitz hat darin Einsichten ihrer Weltschau gesammelt. Sie reflektiert die menschliche Vergeßlichkeit, die Unfähigkeit, aus Erfahrungen zu lernen. Zugleich aber klingt die Hoffnung an, der Mensch könne zu der Einsicht gelangen, daß er veränderbar sei. *Hermann Kesten:* »Man findet einen poetischen Reichtum auf engstem Raum, eine Fülle von lakonischen Einfällen. Es ist eine Weltkritik in Blitzlichtern.«

st 58 Hans Mayer
Georg Büchner und seine Zeit
480 Seiten
Dieses Buch ist eine der lebendigsten Darstellungen des großen Dichters und Revolutionärs Georg Büchner und der Nachwirkungen seines Werkes. Die kenntnisreiche Schilderung der Zeit, in der Büchner wirkte, macht es zugleich zu einer Studie über Geschichte und Geistesgeschichte der Periode der Metternichschen Restauration.

st 59 Pietro Hammel
Unsere Zukunft: die Stadt
240 Seiten, mit vielen Abbildungen
Der vorliegende Band des in Rotterdam lebenden Schweizer Architekten und Städteplaners ist eine präzise Analyse des Phänomens Stadt und ihrer derzeitigen Probleme und der Versuch, ein neues Bewußtsein für die noch ausstehende Therapie unserer großen Städte zu schaffen.

st 60
Wie, warum und zu welchem Ende wurde ich Literaturhistoriker?
240 Seiten
Der Band erscheint zum 70. Geburtstag Robert Minders. Seine Themenstellung geht auf eine Anregung Minders

zurück. Die Beiträger bereiten dem großen Kollegen keine der üblichen Festschriften, sondern stellen sich am Beispiel des eigenen Werdegangs zugleich auch den aktuellen Problemen ihrer Disziplin. – Namhafte Gelehrte nehmen an diesem Unterfangen teil, und so kann der Band auch angesehen werden als Lageskizze einer Wissenschaft heute, ausgeführt von ihren ausgewiesenen Vertretern.

st 61 Herbert Achternbusch
Die Alexanderschlacht
240 Seiten
Über *Die Alexanderschlacht* schrieb Reinhard Baumgart: »Sieht neben Achternbusch der Blechtrommler Oskar nicht aus wie ein Gottfried-Keller-Zwerg in Bleyle-Hosen? Denn das ist sicherlich zweierlei: den Anarchismus nur vorzuführen als ein Thema oder ihn loszulassen als eine Methode. Genau das tut Achternbusch.«

st 62 Claude Lévi-Strauss
Rasse und Geschichte
Aus dem Französischen von Traugott König
112 Seiten
1952 veröffentlichte die UNESCO eine Schriftenreihe, in der von wissenschaftlicher Seite in allgemeinverständlicher Form die Unsinnigkeit jeder Art von Rassismus dargelegt werden sollte. Unter den Autoren befand sich der damals nur in Fachkreisen bekannte Ethnologe Lévi-Strauss, dessen Beitrag das Thema jedoch weit überschritt und sich heute als leichtfaßliche Einführung in den Problemkreis des Strukturalismus anbietet.

st 63 Wolf Lepenies
Melancholie und Gesellschaft
352 Seiten
Melancholie und Gesellschaft ist die bislang material- und erkenntnisreichste Untersuchung der verschiedenen Spielarten bürgerlicher Melancholie als eines historischen soziologischen Phänomens der bürgerlichen Gesellschaft. Ziel dieser Studie ist es, den ideologieverwandten Charakter dieser Affekthaltung und ihre Abhängigkeit von gesellschaftlichen Verhältnissen nachzuweisen.

st 64 F. Cl. Werner
Wortelemente lateinisch-griechischer Fachausdrücke in den biologischen Wissenschaften
480 Seiten
Lateinisch-griechische Fachbegriffe spielen vor allem in den biologischen Wissenschaften, einschließlich der medizinischen Anatomie und Physiologie, eine nicht zu eliminierende Rolle. Dieses Fachwörterbuch wird für all jene zum unerläßlichen Hilfsmittel, die sich mit den biologisch orientierten Naturwissenschaften beschäftigen: Wissenschaftler wie Naturfreunde.

st 65 Hans Bahlow
Deutsches Namenlexikon
592 Seiten
Die grundlegenden Fragen der Namenentstehung, Namenfestigung und Namenverbreitung beantwortet das Deutsche Namenlexikon. Insgesamt 15 000 Familiennamen mit ihren Ableitungen und viele Vornamen finden hier eine durch gesicherte Kenntnisse fundierte, ausführliche Deutung nach Ursprung und Sinn.

st 66 Eric J. Hobsbawm
Die Banditen
Aus dem Englischen von Rudolf Weys. Mit Abbildungen
224 Seiten
Die Banditen ist eine vergleichende Geschichte und Soziologie berühmter Banditenführer, die einerseits als wirkliche historische Figuren, andrerseits als Helden von Balladen, Geschichten und Mythen ganze Länder immer wieder in Schrecken versetzt haben, zugleich aber von unterdrückten Schichten oft als Wohltäter begrüßt wurden, auf jeden Fall die Menschen stets fasziniert und ihre Phantasie angeregt haben.

st 69 Walter Benjamin
Ursprung des deutschen Trauerspiels
288 Seiten
Von der Analyse der deutschen Trauerspiele des 17. Jahrhunderts ausgehend, liefert Benjamin einerseits die Geschichtsphilosophie der Barockepoche, auf der anderen Seite eine stringente Abgrenzung der klassischen Tragödie vom Trauerspiel als literarischer Form sui generis.

Die Rettung der Allegorie – das Zentrum des Trauerspielbuches – eröffnete erstmals den Blick für lange verkannte Bereiche der poetischen wie der theologischen Sprache.

st 70 Max Frisch
Stücke I
368 Seiten
Bereits Max Frischs erste Stücke sind Versuche, die Frage zu beantworten, die sein ganzes Werk bestimmt und ihm seine Einheit gibt: die Frage nach der Identität. Der Band enthält die Stücke *Santa Cruz, Nun singen sie wieder, Die Chinesische Mauer, Als der Krieg zu Ende war, Graf Öderland.*

st 72 Theodor W. Adorno
Versuch, das »Endspiel« zu verstehen.
Aufsätze zur Literatur des 20. Jahrhunderts I
224 Seiten
Der Band *Versuch, das ›Endspiel‹ zu verstehen* dokumentiert die Auseinandersetzung Adornos mit dem sogenannten Absurdismus. Von Valéry, Proust und Joyce, den Klassikern der Moderne, führen die Arbeiten über den Surrealismus zu Kafka und Beckett; in allen wird das Paradoxon thematisch, daß angesichts der Katastrophe immer noch Kunst existiert. Wenn alle Kunst zum Endspiel im buchstäblichen Sinn wurde, dann kann man Adornos Aufsätze zur Literatur insgesamt so überschrieben, wie ihr Autor seine Beckett-Interpretation überschrieb: ein Versuch, das Endspiel zu verstehen.

st 73 Georg W. Alsheimer
Vietnamesische Lehrjahre
Bericht eines Arztes aus Vietnam 1961–1967
2. verbesserte Auflage mit einem Nachbericht von 1972
Vorwort von Wolfgang Fritz Haug
480 Seiten
1961 kommt der deutsche Arzt Georg W. Alsheimer als Dozent für Neurologie und Psychiatrie nach Vietnam. Er kommt ohne besondere Kenntnisse über das Land, ohne ausgeprägte politische Ansichten. Sechs

Jahre später gilt er als vorzüglicher Vietnam-Experte und trägt durch seine Aussagen vor dem Russell-Tribunal dazu bei, daß die amerikanische Vietnampolitik und die Hilfsdienste der Bundesrepublik vor der Weltöffentlichkeit angeprangert werden. Für diese Neuausgabe schrieb der Verfasser eine Ergänzung, in der er darlegt, daß seine damaligen Prognosen durch die »Pentagon-Papiere« bestätigt wurden.

st 74 Martin Broszat
200 Jahre deutsche Polenpolitik
Erweiterte Ausgabe
336 Seiten
In diesem Buch gibt der Historiker Martin Broszat eine detaillierte und materialreiche Darstellung der deutschen Polenpolitik von der 1. polnischen Teilung 1772 bis zur Gegenwart, die von Kolonisierung und Annexion bis zur Vernichtung reichte. Angesichts der Braunschweiger Konferenz polnischer und deutscher Historiker über gemeinsame Empfehlungen zur Schulbuchrevision, vor allem aber als Beitrag zur Diskussion über die neue Ostpolitik der Bundesregierung gewinnt dieser Band besondere Aktualität und Bedeutung.

st 97/98 Knut Ewald
Innere Medizin
ist das auf dem aktuellsten Stand befindliche, derzeit erhältliche Kompendium der Inneren Medizin. Als übersichtliches – den ganzen Stoff der Inneren Medizin stichwortartig resümierendes – Nachschlagwerk ist es das ideale Handbuch für alle Studierenden, Ärzte und interessierte Laien. Ein umfangreiches Sachwortverzeichnis ermöglicht eine rasche Orientierung.

st 103 Noam Chomsky
Kambodscha, Laos, Nordvietnam
Im Krieg mit Asien II
Aus dem Amerikanischen übersetzt von Jürgen Behrens
256 Seiten
Noam Chomsky, der Begründer der Generativen Grammatik, erregte weltweites Aufsehen durch sein kom-

promißloses Engagement gegen den Krieg der Vereinigten Staaten in Indochina. In seinem neuesten Buch *Im Krieg mit Asien,* dessen erster Teil als st 32 unter dem Titel *Indochina und die amerikanische Krise* erschien, legt Chomsky seine totale Verurteilung der amerikanischen Indochinapolitik dar. Dieser zweite Band enthält am Ende eine vollständige Literaturliste der zitierten Arbeiten und damit zugleich eine der wahrscheinlich umfassendsten amerikanischen Bibliographien zum Vietnamkrieg.

st 127 Hans Fallada
Tankred Dorst
Kleiner Mann – was nun?
Eine Revue von Tankred Dorst und Peter Zadek
208 Seiten
Tankred Dorst hat Hans Falladas 1932 erschienenen Roman »Kleiner Mann – was nun?« dramatisiert, der zu einem der größten Bucherfolge seiner Zeit wurde. In der Geschichte des kleinen Angestellten Pinneberg und der Arbeitertochter Lämmchen in den Jahren der großen Arbeitslosigkeit erkannten Hunderttausende ihre eigene Geschichte, ihren Alltag, ihre Welt. Die Dramatisierung von Tankred Dorst wurde für die Neueröffnung der Städtischen Bühnen Bochum unter der Leitung von Peter Zadek vorgenommen.

st 150 Zur Aktualität Walter Benjamins
Aus Anlaß des 80. Geburtstags von Walter Benjamin herausgegeben von Siegfried Unseld
288 Seiten
Der vorliegende Band »Zur Aktualität Walter Benjamins« nimmt wichtige, hier erstmals publizierte Abhandlungen auf, die aus diesem Anlaß geschrieben worden sind, und Texte von Walter Benjamin, seine »Lehre vom Ähnlichen«, eine umfangreiche Variante der Arbeit »Über das mimetische Vermögen«, den autobiographisch bedeutenden Text »Agesilaus Santander«, den Briefwechsel mit Bertolt Brecht und drei Lebensläufe, deren letzter kurz vor seinem Tod geschrieben wurde.